La compréhension en lecture

Jocelyne Giasson

La compréhension en lecture

gaëtan morin
éditeur

Montréal □ Paris

Tableau de la couverture : *L'envolée*
Œuvre de **Roland Palmaerts**

Roland Palmaerts, né le 4 octobre 1953, est membre de la Société canadienne d'aquarelle, de l'IAF (Institut des arts figuratifs) et de l'Union des artistes professionnels de Belgique. D'origine belge, il réside au Québec depuis 1980. Palmaerts allie un talent inné incontestable à une formation reçue tant en milieu familial, puisqu'il descend d'une famille de peintres, que dans des écoles reconnues comme l'Institut Saint-Luc et l'Académie royale des beaux-arts de Bruxelles.

Une rare détermination et un message spirituel animent l'œuvre et l'artiste. Son message (l'amour, la vérité, l'honnêteté) nous parvient à travers les nuances de ses aquarelles et la richesse de ses poèmes. Il fait de l'authenticité son but principal. Il est ce qu'il peint.

Au Canada comme en Europe, sa renommée ne cesse de grandir dans le milieu des collectionneurs qui apprécient sa poésie, son romantisme et sa parfaite maîtrise de l'aquarelle.

Roland Palmaerts enseigne l'aquarelle, l'huile et le dessin, en atelier et dans les centres d'art. À l'occasion, il prononce des conférences et fait des démonstrations.

Montréal, Gaëtan Morin Éditeur ltée
171, boul. de Mortagne, Boucherville (Québec), Canada   J4B 6G4. Tél. : (450) 449-2369

Paris, Gaëtan Morin Éditeur, Europe
105, rue Jules-Guesde, 92300 Levallois-Perret, France. Tél. : 01.41.40.49.19

ISBN 2-89105-341-9

Révision linguistique : Denis Fallu

Imprimé au Canada 8 9 0 1 2 3 4 5 6 7   09 08 07 06 05 04 03 02 01 00

Dépôt légal 3ᵉ trimestre 1990 – Bibliothèque nationale du Québec – Bibliothèque nationale du Canada

À mes parents
qui m'ont donné
le goût de la lecture

TABLE DES MATIÈRES

INTRODUCTION

La plupart de nos stratégies pédagogiques en lecture sont fondées sur l'expérience et le sens commun. Cependant, nous arrivons à un point où il n'est plus suffisant de se fier à l'intuition et à l'expérience. En effet, on constate depuis quelque temps un certain malaise dans le monde de l'éducation. Les médias dénoncent constamment ce qu'ils considèrent comme la piètre qualité de l'enseignement de la langue maternelle; les parents, de leur côté, se plaignent que l'école n'enseigne pas le français de façon efficace à leurs enfants. Pourtant, la plupart des enseignants font de leur mieux dans les conditions actuelles. Que faire de plus?

C'est ici que la recherche en lecture peut apporter sa contribution dans un domaine particulier, celui de la compréhension de textes, et ceci en aidant les enseignants de trois façons:

- premièrement, en confirmant la valeur de certaines stratégies pédagogiques; il n'est pas question de rejeter ce qui fonctionne bien et il est inévitable que la recherche corrobore les intuitions des bons pédagogues;

- deuxièmement, en jetant un nouvel éclairage sur des stratégies contemporaines; la recherche a réussi dernièrement à déterminer les conditions, les limites et la clientèle cible de certaines stratégies dont on ne connaissait auparavant que l'orientation générale;

- troisièmement, en proposant des pistes d'enseignement tout à fait nouvelles.

Nous possédons maintenant suffisamment de résultats de recherche fiables pour penser qu'il est possible d'offrir à nos élèves un meilleur enseignement de la compréhension en situation de lecture. Plusieurs stratégies d'intervention ont été proposées et expérimentées depuis le début des années 80. Toutefois, il serait irréaliste de croire que les solutions apportées par les chercheurs seront simples et définitives, car les problèmes de compréhension de textes sont fort complexes. Dans le rapport final d'une vaste enquête sur la lecture effectuée aux États-Unis, les auteurs concluent:

> *À la lumière des connaissances actuelles, on ne peut penser qu'il existe une étape simple et unique qui, une fois franchie, permettrait immédiatement à l'enfant de savoir lire. Devenir un lecteur est une démarche incluant plusieurs étapes. On ne peut pas non plus s'attendre à ce qu'on découvre un jour une stratégie particulière d'enseignement de la lecture qui assurerait un pro-*

> *grès rapide pour tous les élèves. Un enseignement de qualité doit intégrer plusieurs éléments. Rendre meilleur un seul élément n'apporterait qu'un gain mitigé. Pour une amélioration considérable en ce domaine, il est donc indispensable que plusieurs éléments soient pris en considération.* (Anderson *et al.*, 1985, page 4.)

Ainsi, pour que l'enseignement de la compréhension de textes à l'école devienne plus adéquat et plus satisfaisant, il faut identifier les différents facteurs en cause et mettre au point des stratégies d'intervention variées. Ce livre vise à offrir ce type d'aide en naviguant entre la théorie et la pratique de façon à apporter aux enseignants du primaire et du début du secondaire des données issues de la recherche et traduites en applications concrètes.

1

Un modèle de compréhension en lecture

La conception de la compréhension en lecture a beaucoup évolué au cours de la dernière décennie. L'évolution de cette conception sera d'abord présentée dans ce chapitre, pour faire place ensuite à l'analyse d'un modèle de compréhension intégrant trois variables: le **lecteur**, le **texte** et le **contexte**. Enfin, chacune de ces variables sera explicitée par la présentation d'éléments susceptibles d'être utiles à l'enseignement de la compréhension en lecture.

L'ÉVOLUTION DE LA CONCEPTION
DE LA COMPRÉHENSION EN LECTURE

Deux aspects principaux distinguent les modèles traditionnels de compréhension des modèles plus contemporains. Le premier concerne la hiérarchisation des habiletés: la conception de la compréhension en lecture est passée d'un modèle centré sur des listes séquentielles d'habiletés à un modèle plus global orienté vers l'intégration des habiletés. Le deuxième aspect concerne la part du lecteur dans la compréhension: l'idée de réception passive du message a laissé la place à la notion d'interaction texte–lecteur.

D'un modèle séquentiel à un processus plus global

Traditionnellement, tant les chercheurs que les enseignants concevaient la compréhension en lecture comme un ensemble de sous-habiletés qu'il fallait enseigner les unes après les autres de façon hiérarchique (décoder, trouver la séquence des actions, identifier l'idée principale...). Ils croyaient que la maîtrise de ces habiletés était synonyme de maîtrise de la lecture. Cependant, il semble difficile de limiter la lecture à un assemblage de sous-habiletés spécifiques puisqu'on n'a jamais réussi à dresser une liste unique des sous-habiletés contribuant à la compréhension (Irwin, 1986). De plus, il a été démontré que des élèves faibles en lecture peuvent parfois mieux maîtriser certaines habiletés isolées que des lecteurs habiles (Altwerger et al., 1987). Ainsi, il est possible de réussir des exercices isolés de lecture sans savoir vraiment lire. Comment expliquer ce phénomène?

La réponse à cette question réside dans le fait que toute habileté apprise en dehors d'une activité globale de lecture ne se réalise pas de la même façon que lorsque cette même habileté est utilisée dans un contexte réel de lecture. Même si la lecture peut être analysée sur le plan des habiletés, la pleine réalisation de chacune de ces habiletés prises séparément ne constitue pas en soi un acte de lecture. En fait, toute habileté est continuellement en interaction avec les autres habiletés dans le processus de lecture: elle exerce un effet sur les autres habiletés et elle est modifiée par ces dernières. Par exemple:

- la syntaxe influe sur le décodage: le mot «président» ne sera pas décodé de la même façon s'il s'agit d'un verbe ou d'un nom;

- le sens guide la syntaxe : pensons au découpage syntaxique d'une phrase comme «les poules du couvent couvent» ;
- les connaissances pragmatiques orientent le sens qui sera attribué à un mot. Par exemple, dans la phrase «la clientèle est composée principalement de mineurs», le sens attribué au mot «mineur» sera différent si le contexte est celui d'une région minière ou celui d'une cour de protection de la jeunesse.

Donc, une habileté de lecture séparée de son contexte perdra une grande partie de sa signification. Tout le monde sera d'accord pour dire qu'un enfant qui a appris séparément à tenir le guidon d'une bicyclette, à serrer les freins et à pédaler ne sait pas nécessairement aller à bicyclette. C'est l'interaction de toutes ces habiletés qui constitue la capacité de conduire une bicyclette. Il en va de même pour la lecture.

La lecture peut également être comparée à la performance d'un orchestre symphonique ; en effet, pour interpréter une symphonie, il ne suffit pas que chaque musicien connaisse sa partition, encore faut-il que toutes ces partitions soient jouées de façon harmonieuse par l'ensemble des musiciens.

Bref, le fait que la lecture soit une mosaïque d'habiletés isolées est de plus en plus remis en question ; la compréhension en lecture est plutôt perçue aujourd'hui comme un processus holistique ou unitaire. Les habiletés en lecture enseignées auparavant ne sont pas nécessairement rejetées (plusieurs sont certainement valables), mais il devient de plus en plus clair qu'une habileté apprise de façon isolée ne contribuera pas automatiquement à l'activité réelle de lecture.

De la réception passive du message à l'interaction texte–lecteur

Une des différences les plus marquées entre l'ancienne et la nouvelle conception de la lecture réside dans le rôle du lecteur dans la compréhension.

Autrefois, on croyait que le sens se trouvait dans le texte et que le lecteur devait le «pêcher». Il s'agissait d'une conception de transposition : on croyait que le lecteur ne faisait que transposer dans sa mémoire un sens précis déterminé par l'auteur.

Aujourd'hui, on conçoit plutôt que le lecteur crée le sens du texte en se servant à la fois du texte, de ses propres connaissances et de son intention de lecture. Ce principe rend souvent les enseignants mal à

FIGURE 1.1:   Conception traditionnelle de la compréhension:
le lecteur va chercher le sens dans le texte et
le transpose dans sa tête

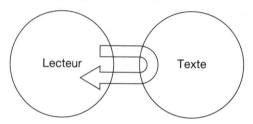

l'aise. En effet, ils craignent que le fait de mettre l'accent sur le lecteur
ne laisse trop de liberté à l'interprétation: ils veulent que les élèves
comprennent ce que «l'auteur a écrit» (Chase et Hynd, 1987). Il faut
cependant bien saisir que créer le sens du texte ne veut pas dire que le
texte peut signifier «n'importe quoi» (Orasanu et Penney, 1986; Tardif,
1989). Ce qui se passe, en fait, c'est que l'auteur utilise certaines conventions et laisse de côté les informations qu'il suppose connues du
lecteur. Par contre, si cette supposition ne se vérifie pas, le message de
l'auteur sera évidemment mal compris.

Pour reprendre la comparaison avec l'orchestre symphonique, nous
dirons que tout comme pour une pièce de musique, il y a plusieurs façon
d'interpréter un texte; cette interprétation dépend des connaissances
du lecteur, de son intention et des autres éléments du contexte (Anderson
et al., 1985).

UN MODÈLE DE COMPRÉHENSION
QUI FAIT CONSENSUS

Que la lecture est un processus interactif fait maintenant l'unanimité
chez les chercheurs (Pagé, 1985; Mosenthal, 1989). Il existe également
un consensus à propos des grandes composantes du modèle de compréhension en lecture, c'est-à-dire le **texte**, le **lecteur** et le **contexte**. Cette
classification se retrouve chez nombre d'auteurs comme Irwin (1986),
Deschênes (1986), Langer (1986). Le modèle de compréhension présenté
à la figure 1.2 reflète en fait assez fidèlement le courant le plus marqué
actuellement dans les recherches en lecture.

La partie **lecteur** du modèle de compréhension comprend les structures du sujet et les processus de lecture qu'il met en œuvre (Denhière,

FIGURE 1.2:   Modèle contemporain de compréhension en lecture

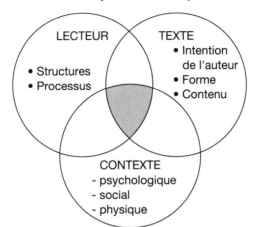

1985). Globalement, les structures font référence à ce que le lecteur **est** (ses connaissances et ses attitudes) alors que les processus font référence à ce qu'il **fait** durant la lecture (habiletés mises en œuvre).

La variable **texte** concerne le matériel à lire et peut être considérée sous trois aspects principaux: l'intention de l'auteur, la structure du texte et le contenu. L'intention de l'auteur détermine en fait l'orientation des deux autres éléments. La structure fait référence à la façon dont l'auteur a organisé les idées dans le texte alors que le contenu renvoie aux concepts, aux connaissances, au vocabulaire que l'auteur a décidé de transmettre.

Le **contexte** comprend des éléments qui ne font pas partie littéralement du texte et qui ne concernent pas directement les structures ou les processus de lecture, mais qui influent sur la compréhension du texte. On peut distinguer trois contextes: le contexte psychologique (intention de lecture, intérêt pour le texte...), le contexte social (les interventions de l'enseignant, des pairs...) et le contexte physique (le temps disponible, le bruit...).

LA RELATION ENTRE LES VARIABLES

La compréhension en lecture variera selon le degré de relation entre les trois variables: plus les variables **lecteur**, **texte** et **contexte** seront imbriquées les unes dans les autres, «meilleure» sera la compréhension.

La figure 1.3 illustre certaines situations qui rendent difficile la compréhension du texte.

Situation 1   Dans la première situation, le texte utilisé correspond au niveau d'habileté du lecteur, mais le contexte n'est pas pertinent. Pensons à un élève qui lit à haute voix devant la classe un texte nouveau avec l'intention de faire une belle lecture. Le contexte de lecture orale devant un groupe n'est pas de nature à favoriser la compréhension d'un texte même si ce dernier est adapté au lecteur.

Situation 2   Dans la deuxième situation, le lecteur est placé dans un contexte favorable, mais le texte n'est pas approprié à ses capacités. Il peut s'agir d'un lecteur qui lit silencieusement un texte pour lequel il s'est fixé une intention de lecture pertinente, mais le texte, par sa structure ou son contenu, est trop difficile pour lui.

Situation 3   Dans la troisième situation, les variables ne sont pas imbriquées les unes dans les autres. L'élève lit un texte qui n'est pas à son niveau et, de plus, le contexte de lecture n'est pas approprié. Ici, il suffit de se représenter l'élève qui a constamment été placé en situation

FIGURE 1.3:   Types possibles de relation entre les variables *lecteur*, *texte* et *contexte*

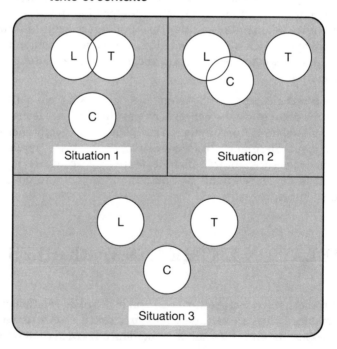

d'échec en lecture depuis le début de sa scolarité. Cet élève fait prati-
quement toujours face à des textes qui sont trop difficiles pour lui ; il
n'aborde pas non plus la lecture avec une intention pertinente, car il n'a
pas appris à chercher du sens dans la lecture.

Bref, la compréhension en lecture est fonction de trois variables
indissociables : le **lecteur**, le **texte** et le **contexte**. Si on accepte le bien-
fondé de la relation entre ces trois variables dans la compréhension, on
devra accepter du même coup d'être plus nuancé et précis lorsqu'on parle
de la compréhension en lecture chez un élève en particulier. À partir
de ce modèle, on ne dira plus « cet élève a des problèmes de compréhension », mais « cet élève devant tel type de texte et dans tel contexte
comprend de telle façon ».

LA VARIABLE *LECTEUR*

Le lecteur constitue certainement la variable la plus complexe du modèle
de compréhension. Le lecteur aborde la tâche de lecture avec les structures cognitives et affectives qui lui sont propres. De plus, il met en
œuvre différents processus qui lui permettront de comprendre le texte.
La figure 1.4 regroupe toutes les sous-variables qui concernent le lecteur.

FIGURE 1.4: Les composantes de la variable *lecteur*

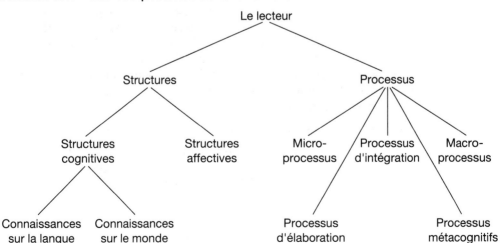

Les structures du lecteur

Les structures sont les caractéristiques que possède le lecteur indépendamment des situations de lecture. On distingue habituellement les **structures cognitives** et les **structures affectives**. En dehors de tout acte de lecture, l'individu possède des connaissances qu'il utilise dans diverses situations et des intérêts qu'il manifeste dans différents domaines. Une partie de ces connaissances et intérêts sera mise à contribution au cours d'une lecture particulière; dans une autre lecture, d'autres connaissances ou intérêts seront sollicités.

Les structures cognitives

Les structures cognitives réfèrent aux connaissances que possède le lecteur sur la langue et sur le monde.

Les connaissances sur la langue

Les connaissances que possède le lecteur sur la langue lui seront d'une grande utilité dans la compréhension en lecture. Il existe quatre catégories de connaissances sur la langue que l'enfant développe de façon naturelle dans son milieu familial, et ce avant d'aborder l'apprentissage de la lecture.

– Connaissances phonologiques: distinguer les phonèmes propres à sa langue.

L'enfant apprend à ne pas porter attention à certains phonèmes qui ne font pas partie de sa langue maternelle. À l'âge adulte, il est difficile de se défaire de cet apprentissage; une manifestation de ce phénomène réside dans la difficulté à rendre l'accent d'une langue seconde apprise tardivement. Mentionnons que certaines langues possèdent une plus grande variété de phonèmes, ce qui facilite à ses usagers l'apprentissage d'une autre langue.

– Connaissances syntaxiques: ordre des mots dans la phrase.

C'est la syntaxe qui permet de voir que des phrases sont acceptables ou non, que deux phrases ont le même sens. À 6 ans, un enfant aurait utilisé ou entendu de 80 à 90 % des structures syntaxiques qu'il utilisera ou entendra dans sa vie d'adulte.

– Connaissances sémantiques: connaissances du sens des mots et des relations qu'ils entretiennent entre eux.

L'enfant aborde habituellement la lecture avec un bagage assez considérable de mots de vocabulaire correspondant à des concepts acquis. Il faut noter ici cependant une grande disparité d'acquisitions entre chaque enfant selon les expériences que chacun a vécues.

– Connaissances pragmatiques : savoir quand utiliser telle formule, sur quel ton parler à telle personne, qui vouvoyer, quand utiliser un langage plus formel...

L'ensemble de ces connaissances sur la langue orale permettra au jeune lecteur de faire des hypothèses, d'une part, sur la relation entre l'oral et l'écrit et, d'autre part, sur le sens du texte.

Les connaissances sur le monde

> *La compréhension est l'utilisation de connaissances antérieures pour créer une nouvelle connaissance. Sans connaissances antérieures, un objet complexe, comme un texte, n'est pas seulement difficile à interpréter ; il est à strictement parler sans signification.*
>
> (Adams et Bruce, 1982, p. 23)

Les connaissances que l'enfant a développées sur le monde qui l'entoure constituent un élément crucial dans la compréhension des textes qu'il aura à lire. En effet, en lecture, la compréhension ne peut se produire s'il n'y a rien auquel le lecteur puisse rattacher la nouvelle information fournie par le texte. Pour comprendre, le lecteur doit établir des ponts entre le nouveau (le texte) et le connu (ses connaissances antérieures).

La figure 1.5 représente deux situations d'apprentissage : une première dans laquelle une information nouvelle est introduite sans lien avec les structures disponibles chez l'apprenant (situation A) et une deuxième situation dans laquelle l'information nouvelle est intégrée aux structures déjà existantes chez l'apprenant (situation B). La partie supérieure de la figure représente ce que l'apprenant connaît déjà.

Les recherches n'ont cessé de démontrer que les connaissances antérieures influencent la compréhension de texte et l'acquisition de connaissances nouvelles (Holmes, 1983b ; Johnston, 1984). Les élèves avec des connaissances antérieures plus développées retiennent plus d'informations et les comprennent mieux. Wilson et Anderson (1986) résument bien la portée pédagogique de ces recherches :

> *Pour que les élèves deviennent des lecteurs compétents, il faut*
> *que le programme scolaire soit riche en concepts de toutes sortes :*
> *histoire, géographie, science, art, littérature... Toute connaissance*
> *acquise par un enfant l'aidera éventuellement à comprendre un*
> *texte. Un programme vide de concepts, qui ne repose que sur des*
> *exercices artificiels, a des chances de produire des lecteurs vides*
> *qui ne comprendront pas ce qu'ils liront. Ce qu'ils ne savent pas*
> *leur causera du tort.* (Page 48 ; traduction de l'auteure.)

FIGURE 1.5:   Deux situations d'apprentissage

Réseau sémantique

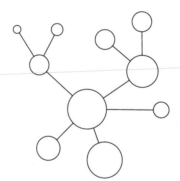

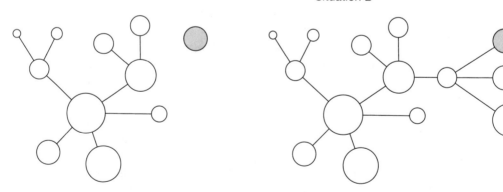

Situation A   Situation B

Ainsi, plus les élèves ont acquis de connaissances, plus grandes
seront leurs chances de succès en lecture. Les enfants qui ont vécu des
expériences variées (ex: des visites au musée, au zoo...) sont mieux
préparés à lire des textes. Mais les expériences seules ne sont pas
suffisantes: il est indispensable que les enfants puissent parler de leurs
expériences, de façon à agrandir leur bagage de concepts et leur voca-

bulaire. Plus tard, ces connaissances pourront être utilisées pour comprendre des textes.

L'organisation des connaissances sous forme de schémas

Aujourd'hui, les chercheurs s'entendent habituellement pour dire qu'une bonne partie de nos connaissances sont organisées sous forme de schémas. La notion de schéma a été proposée par des auteurs comme Rumelhart (1975), Anderson (1977) et Minsky (1975). Elle vise à expliquer de quelle façon les connaissances d'un individu sont conservées dans sa tête, comment il les récupère, comment il les modifie.

Certains éléments caractérisent plus particulièrement la théorie des schémas:

— Cette théorie suppose que les connaissances sont organisées, mais également que cette organisation est faite en larges unités (actions, séquences d'actions, événements...). Ce sont ces unités ou blocs que l'on nomme schémas, qui sont en fait des concepts génériques.

Prenons un exemple concret. Hier, j'ai acheté une nouvelle voiture et j'ai en tête le souvenir de cet événement: il s'agit ici d'une information particulière. Par contre, je possède aussi une connaissance générale de la façon dont se font les achats dans notre société: il s'agit du schéma *acheter-vendre*.

— Les schémas possèdent des variables. À chaque schéma que nous possédons, nous pouvons associer des variables qui sont les grandes constituantes du schéma. Dans le schéma *acheter-vendre*, ces variables sont **acheteur**, **vendeur**, **monnaie d'échange**, **marchandise**. Pour chaque nouvelle situation *acheter-vendre*, nous donnons une valeur aux variables en jeu. Dans l'exemple précédent de l'achat d'une voiture, je suis l'acheteur, le vendeur est M. Gagnon, la marchandise, une Toyota Tercel bleue et la monnaie d'échange, le montant déboursé pour la voiture.

— L'inclusion des valeurs par défaut représente une autre caractéristique des schémas. Les valeurs par défaut permettent, en fait, de compléter un schéma par des connaissances de sens commun. Dans certains cas, la valeur par défaut est accordée automatiquement. Ainsi, si le nombre de roues de la voiture n'est pas mentionné, nous attribuerons spontanément la valeur 4 par défaut. Dans d'autres cas, pour remplir les cases vides, nous utilisons un genre d'écart type : la valeur peut varier de x à y. Par exemple, si le prix de la Toyota Tercel n'est pas indiqué, nous pouvons partir du fait qu'il s'agit d'une voiture bas de gamme pour l'estimer à un prix courant se situant entre tel et tel montant. S'il s'agissait d'une Ferrari, l'écart type serait évidemment très différent.

Les schémas et la lecture

Comment les schémas interviennent-ils en lecture? Un lecteur comprend un texte quand il est capable d'activer ou de construire un schéma qui rend bien compte des objets et événements décrits dans le texte. Un schéma est bon dans le même sens que la solution d'un puzzle est satisfaisante (Wilson et Anderson, 1986). Si toutes les pièces sont utilisées, si les pièces entrent sans être forcées, s'il n'y a pas d'espaces vides et si le puzzle forme un tout cohérent, le puzzle est réussi. De la même façon, le lecteur a l'impression que le texte a été bien compris quand il a activé un schéma qui répond à ces conditions : chaque pièce d'information est placée dans une case, les informations entrent bien dans le schéma, toutes les cases importantes contiennent des informations et le tout constitue un message cohérent. L'analogie cependant n'est pas complète : dans un puzzle, il n'y a pas d'espace libre alors que, dans un schéma, toutes les cases ne sont pas comblées par le texte. Ces cases doivent être remplies par le lecteur.

À titre d'expérience, lisez le paragraphe suivant et portez attention aux schémas que vous activez au cours de la lecture (Johnson et Johnson, 1986).

> Emma observa chaque passager qui montait à bord. Chacun d'eux était accueilli par des cris de joie. Regardant dans le rétroviseur, Emma recula le véhicule jaune jusqu'à la route.

Quel schéma avez-vous activé à propos d'Emma après la première phrase? Avez-vous changé d'idée à la fin du texte? Vous avez probablement activé au début du texte le schéma *passagère* (Emma), puis vous l'avez vraisemblablement remplacé par celui de *conductrice d'autobus* dans la dernière phrase. C'est ce dernier schéma qui vous a permis d'attribuer un sens à l'ensemble du texte.

Les structures affectives

Dans tout apprentissage, il y a ce que l'apprenant **peut** faire et ce qu'il **veut** faire. Ce que le lecteur **veut** faire est relié à ses attitudes et à ses intérêts, en d'autres mots à ses structures affectives. Ces dernières vont jouer un rôle dans la compréhension de textes au même titre que les structures cognitives.

Les structures affectives comprennent l'attitude générale face à la lecture et les intérêts développés par le lecteur. En dehors de toute situation concrète de lecture, l'individu possède une attirance, une indifférence ou même une répulsion envers la lecture. Cette attitude générale interviendra chaque fois que l'individu sera confronté à une tâche dont l'enjeu est la compréhension d'un texte. Quant aux intérêts spécifiques de chaque individu, ils peuvent se développer tout à fait en dehors de la lecture (ex: musique, animaux, photographie...), mais ils deviendront un facteur à considérer devant un texte spécifique. Selon le degré d'affinité entre le thème de ce texte et les intérêts spécifiques du lecteur, ce dernier sera vivement, peu ou pas du tout intéressé par le texte.

Outre son attitude générale face à la lecture et ses intérêts, mentionnons comme éléments susceptibles d'intervenir dans les structures affectives du lecteur: la capacité de prendre des risques, le concept de soi en général, le concept de soi comme lecteur, la peur de l'échec...

Les processus de lecture

Les processus de lecture font référence à la mise en œuvre des habiletés nécessaires pour aborder le texte, au déroulement des activités cognitives durant la lecture. Il est important de mentionner que ces processus qui se réalisent à différents niveaux ne sont pas séquentiels mais simultanés.

La classification des processus

Il existe des processus orientés vers la compréhension des éléments de la phrase, d'autres vers la recherche de cohérence entre les phrases, d'autres encore ont comme fonction de construire un modèle mental du texte ou une vision d'ensemble qui permettra au lecteur d'en saisir les éléments essentiels et par la suite de faire des hypothèses, d'intégrer le texte à ses connaissances antérieures. D'autres processus enfin servent à gérer la compréhension.

Irwin (1986) a proposé une classification qui distingue cinq grandes catégories de processus, qui sont elles-mêmes divisées en composantes. (Ces processus et leurs composantes seront repris en détail dans les chapitres 3 à 9.) La figure 1.6 présente cette classification.

FIGURE 1.6: Les processus de lecture et leurs composantes

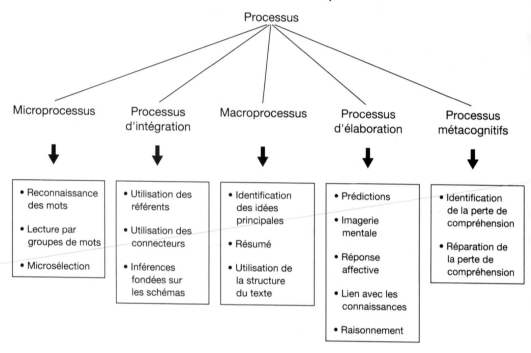

Les microprocessus Ils servent à comprendre l'information contenue dans une phrase.

Les processus d'intégration Les processus d'intégration ont pour fonction d'effectuer des liens entre les propositions ou les phrases.

Les macroprocessus Ces processus sont orientés vers la compréhension globale du texte, vers les liens qui permettent de faire du texte un tout cohérent.

Les processus d'élaboration Ces processus sont ceux qui permettent aux lecteurs de dépasser le texte, d'effectuer des inférences non prévues par l'auteur.

Les processus métacognitifs Les processus métacognitifs gèrent la compréhension et permettent au lecteur de s'ajuster au texte et à la situation.

La figure 1.7 présente les liens entre ces processus et le texte. Les trois premiers processus peuvent donc être associés aux trois niveaux de structure du texte. Les processus d'élaboration peuvent être considérés comme une extension du texte, alors que les processus métacognitifs pourraient être vus comme chapeautant la compréhension du texte.

FIGURE 1.7:   Liens entre le texte et les processus de compréhension

Processus métacognitifs

↓

Microprocessus	➡	Niveau de la phrase
Processus d'intégration	➡	Entre les phrases
Macroprocessus	➡	Niveau du texte

↓

Processus d'élaboration

Une illustration des processus

Pour illustrer de façon concrète la contribution de ces cinq processus à la compréhension en lecture, comparons le contenu d'un texte au rappel que le lecteur fait de ce texte. La figure 1.8 représente comment des idées pourraient être reliées dans un texte et comment elles pourraient l'être dans le rappel de ce texte par un lecteur. Ce graphique est inspiré de Harste et Burke (1978).

Dans ce rappel de texte, il est possible de dégager les différentes activités cognitives du lecteur:

Microprocessus   Le lecteur restitue une portion du texte en utilisant la même (ou presque) structure syntaxique et sémantique que l'auteur: propositions A, B, C, D et E, et relations A-B, B-D, B-E.

Processus d'intégration   Le lecteur émet un énoncé qui relie deux propositions du texte non explicitement jointes par l'auteur: relation B-C.

Macroprocessus   Le lecteur procède à un résumé ou à une généralisation qui regroupe plusieurs propositions du texte: proposition J.

FIGURE 1.8:   Illustration des relations contenues dans un texte et des relations dégagées par le lecteur

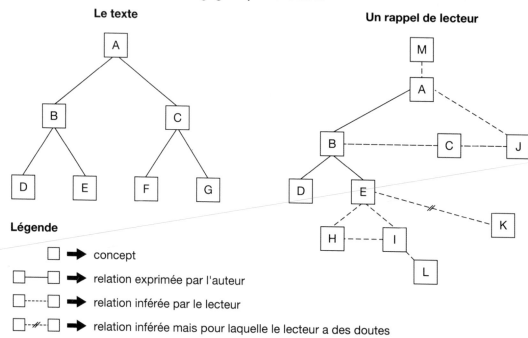

Processus d'élaboration   Le lecteur porte un jugement sur le texte: proposition M. Il complète une proposition du texte en relation avec ses connaissances antérieures: relations E-H et E-I, ou il crée de nouvelles relations: relations H-I et I-L.

Processus métacognitifs   Le lecteur exprime des réflexions qui démontrent qu'il est engagé dans un processus de recherche de compréhension et d'autoévaluation (souvent sous forme de réévaluation de ce qu'il vient de dire): relation E-K.

Comme l'indique ce graphique, si les informations contenues dans le texte sont présentes dans le rappel du lecteur, ce dernier ajoute d'autres informations qui proviennent de sa capacité d'effectuer des liens (processus d'intégration), de sa capacité d'établir des généralisations (macroprocessus), de celle de déborder du texte (processus d'élaboration) et de celle de réfléchir sur sa façon de comprendre le texte (processus métacognitifs).

Il est donc maintenant facile de réaliser que la compréhension n'est pas la simple transposition du texte dans la tête du lecteur, mais une construction du sens par ce dernier.

LA VARIABLE *TEXTE*

Le texte constitue la deuxième variable du modèle de compréhension. Pour parler des textes, il faut d'abord les classifier d'une façon ou de l'autre, car il a été démontré que les lecteurs se comportent différemment selon la nature des textes qui leur sont présentés. Cependant, il faut avouer qu'à l'heure actuelle il n'existe pas encore de classification parfaite des types de textes.

Les critères de classification des textes

Même si aucune classification n'est sans défaut, il vaut toutefois la peine de considérer les critères de classification les plus pertinents en éducation : l'intention de l'auteur et le genre littéraire, la structure du texte et le contenu.

L'intention de l'auteur et le genre littéraire

L'intention de l'auteur est un concept de mieux en mieux cerné et accepté par les enseignants. On reconnaît habituellement que l'auteur peut vouloir persuader, informer, distraire... C'est dans cette optique qu'on parlera de texte informatif, persuasif, incitatif...

Même s'il existe un certain recoupement entre le genre littéraire et l'intention de l'auteur, il ne faudrait cependant pas confondre ces deux termes. Un auteur qui veut distraire ses lecteurs choisira, par exemple, le roman ou la bande dessinée; mais une bande dessinée peut aussi être choisie par un auteur qui veut informer ses lecteurs ou les persuader de quelque chose.

La structure du texte et le contenu

La structure fait référence à la façon dont les idées sont organisées dans un texte alors que le contenu renvoie au thème, aux concepts présentés dans le texte. La structure d'un texte est fortement reliée à son contenu. En effet, l'auteur choisira une structure de texte qui conviendra au contenu qu'il veut transmettre.

La littérature actuelle sur la lecture est centrée sur deux grandes catégories de textes se distinguant par leur structure: les textes qui racontent une histoire ou un événement et les textes qui présentent et expliquent un concept, un principe... Ce dernier type de texte est connu, dans la littérature anglo-saxonne, sous le nom de *expository text*. La traduction de cette expression n'est pas chose facile, car il n'existe pas en français d'équivalent strict. Nous utiliserons donc dans ce manuel le terme *texte informatif* pour nommer le type de texte que désigne *expository text*, et ce en dépit du fait que l'épithète de cette traduction et celle de l'expression originale ne font pas vraiment référence à la même réalité: en effet, *expository* renvoie à la structure du texte qui *expose* des éléments et les explique alors que *informatif* fait référence à l'intention de l'auteur qui est d'informer le lecteur.

Un exemple de combinaison de critères

Marshall (1984) propose une façon très intéressante de classer les textes en combinant les critères vus précédemment, critères qui représentent en fait les deux pôles de la communication: la structure du texte et l'intention de communication.

En ce qui concerne la structure, Marshall distingue deux catégories:

– les textes qui présentent une séquence;
– les textes qui portent sur un thème.

Quant aux intentions de communication, même s'il existe de nombreuses raisons pour communiquer, Marshall met l'accent sur les trois qu'elle considère les plus importantes:

– agir sur les émotions du lecteur;
– agir sur le comportement du lecteur;
– agir sur les connaissances du lecteur.

Elle propose ensuite de combiner ces deux composantes pour classer les différents types de texte (tableau 1.1).

Pour classer un texte à l'aide de cette grille, il s'agit de se demander en premier lieu si la structure du texte contient ou non une séquence temporelle. Si la réponse est affirmative, il s'agit ensuite de dégager l'intention de l'auteur. Si l'auteur veut toucher les sentiments et qu'il utilise une structure temporelle, le texte sera un texte narratif (conte, récit, légende, roman...). S'il veut agir sur les comportements, il s'agira d'un texte directif (recettes, directives de jeu, de bricolage...). S'il veut influer sur les connaissances, il s'agira d'un texte informatif comportant une séquence («temporal exposition»): le meilleur exemple, ici, serait le texte racontant des événements historiques.

TABLEAU 1.1 : Grille de classification des textes

Fonctions	Forme	
	Séquence temporelle	Thème
Agir sur les émotions	texte narratif	texte poétique
Agir sur le comportement	texte directif	texte incitatif
Agir sur les connaissances	texte informatif (avec séquence)	texte informatif (avec thème)

SOURCE : Adapté de Marshall (1984).

Voyons maintenant ce qui se passe lorsque la structure du texte est organisée autour d'un thème plutôt que présentée sous forme de séquence temporelle. Dans ce cas, si l'intention de l'auteur est d'influer sur les sentiments des lecteurs, il s'agira de textes poétiques ou expressifs : un poème sur l'amour, sur la vie, sur la nature... Si l'intention de l'auteur est d'agir sur les comportements, les textes seront persuasifs ou incitatifs : un texte contre le tabagisme, par exemple. Enfin, si l'intention de l'auteur est d'agir sur les connaissances, les textes seront des textes informatifs organisés autour d'un thème («topical exposition») : les textes sur la vie animale, les planètes, la pollution sont des exemples de cette catégorie.

Mais qu'en est-il des auteurs qui veulent informer le lecteur sur un thème et qui superposent à ce thème une séquence narrative ? Pensons ici à un auteur qui a nettement l'intention de transmettre des informations sur la transformation de la sève d'érable en sirop et qui rédige un texte sous forme de récit dans lequel des personnages vivent une aventure à la cabane à sucre. Ce type de texte est spécifiquement créé pour l'enseignement et peut difficilement être classé dans la grille précédente. En fait, il provient des recherches montrant que les jeunes lecteurs comprennent mieux les textes narratifs que les textes informatifs. On a cru que transformer les textes informatifs en récits faciliterait la compréhension de ces textes. Il peut toutefois être opportun de s'interroger sur cette pratique, car les enfants ont souvent tendance à accorder moins de crédibilité aux informations provenant d'un texte informatif déguisé en récit qu'à un texte clairement informatif.

LA VARIABLE *CONTEXTE*

Le contexte, qui constitue la troisième variable du modèle de compréhension, comprend toutes les conditions dans lesquelles se trouve le lecteur (avec ses structures et ses processus) lorsqu'il entre en contact avec un texte (quel qu'en soit le type). Ces conditions incluent celles que le lecteur se fixe lui-même et celles que le milieu, souvent l'enseignant, fixe au lecteur. Il est possible de distinguer trois types de contextes : les contextes psychologique, social et physique.

Le contexte psychologique

Le contexte psychologique concerne les conditions contextuelles propres au lecteur lui-même, c'est-à-dire son intérêt pour le texte à lire, sa motivation et son intention de lecture. Parmi ces conditions psychologiques, la plus importante est sans doute l'intention de lecture. Le rôle de l'intention de lecture dans la compréhension n'est plus à démontrer. La façon dont le lecteur aborde le texte influera sur ce qu'il comprendra et retiendra du texte.

Un exemple classique provient d'une expérience de Pichert et Anderson (1977) dans laquelle on a demandé à deux groupes de sujets de lire un texte décrivant une maison. À un groupe de sujets, on a donné comme consigne de se mettre dans la peau d'un acheteur éventuel et à l'autre groupe, de se placer dans la peau d'un cambrioleur. Après la lecture, chaque sujet devait écrire tout ce qu'il avait retenu du texte. Voici le texte présenté aux sujets de cette expérience :

> Les deux garçons coururent jusqu'à l'entrée de la maison. «Je te l'avais bien dit que c'était une bonne journée aujourd'hui pour manquer l'école», dit Marc. «Maman n'est jamais à la maison le jeudi», ajouta-t-il. Une haie très haute cachait la maison de la rue, ce qui permit aux deux amis d'explorer à leur aise le vaste terrain paysager. «Je ne pensais pas que c'était aussi grand que cela chez toi», dit Pierre. «Oui, et c'est bien plus beau depuis que papa a terminé la terrasse et le foyer de pierres».

> La maison était munie de trois portes : une avant, une arrière et une porte de côté qui conduisait au garage. Celui-ci était presque vide à l'exception de trois bicyclettes 10 vitesses qu'on y apercevait, bien rangées. Les deux amis entrèrent par la porte de côté. Marc expliqua à Pierre que cette porte était presque toujours

ouverte pour permettre à ses jeunes sœurs d'entrer quand elles arrivaient à la maison plus tôt que leur mère.

Pierre voulut visiter la maison. Son hôte commença par lui montrer le salon qui, comme le reste du rez-de-chaussée, était fraîchement repeint. Marc ouvrit le stéréo à plein volume. Son copain semblait ennuyé par ce geste. «Ne t'inquiète pas, les voisins les plus près sont à un demi-kilomètre d'ici!», lui cria Marc. Pierre se sentit mieux quand il constata qu'aucune maison n'était visible autour de l'immense cour.

La salle à manger, avec sa porcelaine de Chine, son argenterie et sa verrerie en cristal, n'était pas une place pour jouer. Les garçons se rendirent donc à la cuisine pour se faire des sandwiches. Marc dit à Pierre: «Je ne te ferai pas visiter le sous-sol. Même si la plomberie a été refaite, c'est très humide et ça sent le renfermé!»

«C'est ici que mon père conserve ses fameuses peintures et sa collection de monnaie», dit Marc en pénétrant dans l'imposant bureau de son père. Il ajouta pour plaisanter: «Je pourrais dépenser autant d'argent que je veux car mon père en garde toujours dans son tiroir de classeur».

Il y avait trois chambres à coucher à l'étage. Marc montra à Pierre la penderie de sa mère, qui était remplie de fourrures et où elle cachait sa boîte à bijoux toujours fermée à clef. Il n'y avait rien d'intéressant à voir dans la chambre à coucher de ses sœurs, sauf un téléviseur couleur qu'il avait la permission d'emprunter. Il se vanta ensuite que la salle de bain du corridor était la sienne puisqu'on avait aménagé une autre salle de bain pour ses sœurs. Un immense puits de lumière agrémentait la chambre de Marc, mais on voyait que la toiture avait pourri sous l'effet de l'eau de pluie qui s'y était infiltrée. (p. 310, traduction de l'auteure)

Les sujets du premier groupe (acheteurs) ont retenu des informations comme la présence de plusieurs salles de bain, l'état de la toiture... alors que les sujets de l'autre groupe (cambrioleurs) se sont souvenus de l'emplacement des portes, de l'absence de voisins à proximité... Voilà donc un bel exemple de l'importance de l'intention de lecture dans la compréhension et le rappel d'un texte.

Les autres éléments du contexte psychologique sont la motivation à lire dans une situation particulière et l'intérêt pour le texte présenté. Notons qu'une personne peut aimer lire, mais ne pas être motivée à lire dans un moment particulier, par exemple à cause d'une préoccupation, d'une frustration, d'un plus grand attrait exercé sur elle par une autre activité.

Le contexte social

Par contexte social, il faut entendre toutes les formes d'interaction qui peuvent se produire au cours de la tâche de lecture entre le lecteur et l'enseignant ou les pairs : les situations de lecture individuelle par rapport aux situations de lecture devant un groupe ; les lectures sans aide par rapport aux lectures guidées... Il a été démontré, par exemple, qu'un élève qui lit un texte à voix haute devant un groupe a beaucoup moins de chances de bien comprendre ce texte que s'il en fait une lecture silencieuse (Holmes, 1985). On a également constaté que des élèves qui travaillaient de concert pour améliorer leur compréhension d'un texte retenaient plus d'informations que ceux qui travaillaient seuls leur texte (Dansereau, 1987).

Le contexte physique

Le contexte physique comprend toutes les conditions matérielles dans lesquelles se déroule la lecture : les enseignants sont déjà bien familiers avec ces facteurs qui agissent non seulement sur la lecture mais sur tous les apprentissages scolaires. Pensons ici au niveau de bruit, à la température ambiante, à la qualité de la reproduction des textes...

Ce chapitre avait pour objet les variables qui entrent en jeu dans la compréhension en lecture. Ainsi, cette compréhension résulte de l'interaction entre le lecteur, le texte et le contexte. Pour favoriser la compréhension chez les élèves, il faut tout d'abord s'assurer que les trois variables sont adéquatement agencées. Le lecteur possède-t-il les connaissances nécessaires pour comprendre le texte ? Le texte présenté est-il adapté au niveau d'habileté du lecteur ? Le contexte psychologique, social ou physique favorise-t-il la compréhension du texte ? Une réponse affirmative à ces questions est la condition préalable à l'enseignement de la compréhension. Cet enseignement fera d'ailleurs l'objet des chapitres subséquents.

2

Un modèle d'enseignement de la compréhension en lecture

Ce chapitre exposera les fondements d'un modèle d'enseignement de la compréhension en lecture, celui de l'enseignement explicite. Ce modèle se caractérise par un souci de rendre transparent les processus cognitifs inclus dans la tâche de la lecture et par l'accent mis sur le développement de l'autonomie du lecteur.

L'ÉVOLUTION DE L'ENSEIGNEMENT DE LA COMPRÉHENSION

Dans sa recherche désormais classique sur l'enseignement de la compréhension en classe, Durkin (1978-1979) a quantifié les stratégies utilisées lors des périodes consacrées à l'enseignement de la lecture au primaire. Pour les fins de sa recherche, Durkin définit de la façon suivante les stratégies d'enseignement de la compréhension: l'enseignement fait ou dit quelque chose pour aider les élèves à comprendre ou à trouver la signification d'unités plus larges que le simple mot, c'est-à-dire la signification d'expressions, de phrases, de paragraphes ou de textes. Les résultats de son étude montrent que les stratégies d'enseignement occupent moins de 1 % du temps de la leçon de lecture ; le reste du temps est consacré principalement à donner des directives et à évaluer les élèves par des questions sur le texte. Avant d'entreprendre cette recherche, Durkin s'attendait à trouver dans les classes une séquence du type enseignement–application–exercice ; elle a observé plutôt, à sa grande surprise, une séquence du type mentionner–donner-des-exercices–vérifier-les-réponses. En d'autres mots, d'après ses observations, les enseignants n'enseignent pas, ils ne font que «mentionner».

Durkin (1986) cerne bien le problème de l'enseignement de la compréhension en lecture lorsqu'elle dit :

> *Il serait difficile de trouver quelqu'un qui ne soit pas d'accord avec l'affirmation que lire et comprendre sont synonymes, cependant, ce n'est que depuis peu que les chercheurs et les praticiens ont dirigé leurs efforts vers l'enseignement de la compréhension en lecture. Auparavant, on semblait croire que le fait de poser des questions sur le contenu du texte amenait les élèves à mieux comprendre le texte. Cette position a eu comme conséquence pédagogique d'inciter les enseignants à évaluer constamment en classe ce qui n'avait pas été enseigné. Un autre résultat de cette conception a été de laisser croire que le meilleur moyen de régler les problèmes de compréhension était de poser des questions additionnelles.* (Page V ; traduction de l'auteure.)

Irwin (1986) abonde dans le sens de Durkin lorsqu'elle déplore que très souvent l'enseignement de la compréhension est limité aux questions et que le seul «feed-back» donné à l'élève est l'exactitude ou non de sa réponse. Irwin constate elle aussi qu'outre l'utilisation des questions, on retrouve principalement dans l'arsenal des interventions pédagogiques la répétition qui consiste à donner plusieurs exercices dans lesquels la tâche n'est que sommairement expliquée. On semble ainsi croire qu'indépendamment du niveau du lecteur l'exercice garantira le succès en lecture.

Aujourd'hui cependant, on est de plus en plus conscient que l'enseignement de la compréhension doit aller plus loin que le simple fait de poser des questions ou de faire répéter les tâches de lecture par les élèves. Il faut ajouter une fonction *explicative* : l'enseignant doit dire aux élèves pourquoi une réponse n'est pas adéquate et comment on peut utiliser des stratégies pour arriver à des réponses meilleures (Irwin, 1986). De plus, on admet maintenant que l'élève doit être actif : aucun apprentissage ne se fait sans la participation de l'apprenant. Traditionnellement, l'élève était considéré comme un «vase vide» et on tenait pour acquis que l'enseignant possédait les connaissances et devait les transvaser dans la tête de l'apprenant. Maintenant, on conçoit l'élève comme un «apprenti» qui cherche du sens dans ce qu'il fait.

Selon cette nouvelle vision, l'enseignant est considéré comme un modèle et un guide pour l'enfant dans son activité intellectuelle ; cette approche, inspirée de Vygotsky, permet de soutenir que l'enfant développe des habiletés à travers ses interactions avec les membres de la communauté qui possèdent ces habiletés. L'enseignant, en tant que lecteur, peut expliciter aux apprentis quelles sont les stratégies employées par le lecteur accompli et comment ces stratégies peuvent être appliquées dans un contexte fonctionnel.

L'ENSEIGNEMENT EXPLICITE

La recherche en lecture des dernières années a permis de dégager un modèle d'enseignement *explicite* de la compréhension en lecture. C'est ce modèle que l'on retrouve de façon sous-jacente dans la plupart des recherches récentes sur l'enseignement de la compréhension (Duffy et Roehler, 1987 ; Irwin, 1986 ; Palinscar et Brown, 1985 ; Pearson et Dole, 1987 ; Raphael, 1985).

L'origine et les caractéristiques du modèle

Si nous avons choisi l'appellation *enseignement explicite* pour désigner le modèle actuel d'enseignement de la compréhension en lecture, mentionnons toutefois que ce modèle d'enseignement de la compréhension apparaît souvent sous le terme *enseignement direct*.

En fait, le terme *enseignement direct* a été utilisé dans différents contextes et avec différentes significations. Ce terme est apparu pour la première fois dans les années 1960 à l'intérieur des travaux d'Engleman et Becker (Lehr, 1986) dans le cadre du programme DISTAR; ce programme s'adressait à des enfants défavorisés et se caractérisait par un script qui devait être suivi scrupuleusement par le moniteur. Dans cette approche, on favorisait la «planification de l'enseignement» plutôt que le «rôle» de l'enseignant. Ce dernier ne faisait que transmettre la leçon et avait peu de décisions à prendre; le cœur du programme résidait dans la façon dont la leçon était organisée **avant** de rencontrer les enfants (Baumann, 1987).

Dans la conception actuelle de l'enseignement explicite, **la priorité est passée de la «planification systématique» au «rôle» de l'enseignant.** Celui-ci planifie son intervention, mais ne suit pas un script rigide: il doit être capable de reconnaître quand les élèves ont besoin d'un exemple supplémentaire, quand une analogie ou un diagramme peuvent clarifier un concept, quand une discussion est nécessaire... Une des premières caractéristiques de ce modèle est donc une meilleure définition et une revalorisation du rôle de l'enseignant.

L'enseignement explicite de la compréhension en lecture se caractérise également par un souci de toujours placer l'élève dans une situation de lecture signifiante et entière. Ainsi, pour faciliter l'apprentissage de l'élève, l'enseignant ne découpe pas l'habileté à acquérir en sous-habiletés, mais donne plutôt à l'élève **un soutien maximum au point de départ**. Il permet donc à l'élève, par la quantité d'indices et d'aide qu'il lui apporte, d'accomplir la tâche en entier dès cette étape. À mesure que l'élève progresse, l'enseignant pourra diminuer ce soutien. C'est pourquoi on parlera parfois d'enseignement explicite **holistique** pour souligner le fait que les élèves sont toujours placés devant une tâche de lecture complète et non devant des activités portant sur des sous-habiletés isolées.

Enfin une dernière caractéristique de l'enseignement explicite réside dans **l'importance qu'il accorde au développement de l'autonomie de l'élève.** Ce modèle vise à rendre les lecteurs autonomes en développant chez eux non seulement des habiletés, mais également des stratégies qu'ils pourront utiliser de façon flexible selon la situation (Duffy et Roehler, 1987).

Les étapes de l'enseignement explicite

L'enseignement explicite en lecture a pour objet les stratégies de compréhension. Ces dernières peuvent être très variées: il peut s'agir, par exemple, de trouver le sens des mots nouveaux à l'aide du contexte, de dégager les idées importantes d'un texte, de se bâtir une image mentale d'un personnage ou d'un événement...

Bien que les descriptions de l'enseignement explicite proposées par différents auteurs présentent quelques variantes, certaines étapes sont communes à tous ces modèles :

1. Définir la stratégie et préciser son utilité   Au point de départ, il est important de définir la stratégie en utilisant un langage approprié aux élèves. Il peut également être utile de lui donner un nom pour en faciliter le rappel. Il faut ensuite expliquer aux élèves pourquoi la stratégie leur sera utile pour comprendre un texte.

On sait que le seul fait d'enseigner une stratégie n'assure pas que les élèves l'utiliseront dans leurs lectures personnelles (Schunk et Rice, 1987). Le problème provient, en partie du moins, du fait que les élèves ne sont pas conscients que la stratégie peut leur être utile. Par exemple, des élèves peuvent être habiles à sélectionner le meilleur titre pour un paragraphe, mais ils n'utiliseront pas nécessairement cette habileté dans leur lecture, car ils ne réalisent pas que la stratégie qu'ils développent est de trouver l'information importante d'un texte et non simplement de trouver un titre à un paragraphe.

Certaines recherches ont montré que le fait de «valoriser» la stratégie pouvait contribuer au maintien de son utilisation par les élèves (Lodico *et al.*, 1983; Paris *et al.*, 1982). Il existe plusieurs façons de valoriser les stratégies :

- en disant aux élèves qu'utiliser la stratégie peut les aider à mieux réussir en lecture ;
- en leur expliquant que cette stratégie a été utile à d'autres élèves ;
- en soulignant aux élèves le lien entre l'utilisation de la stratégie et l'amélioration de leur performance. Exemple : «Tu es capable de répondre correctement à beaucoup plus de questions depuis que tu utilises... (nommer la stratégie)».

Ces directives sont particulièrement utiles pour aider les lecteurs qui manquent de confiance en eux. En effet, la valorisation de la stratégie leur transmet implicitement le message qu'ils peuvent réussir à mieux comprendre un texte s'ils appliquent la stratégie ; ce qui augmente leur sentiment de contrôle sur la tâche à accomplir. Si d'autres ont réussi, ils peuvent le faire eux aussi (Schunk et Rice, 1986).

Cependant, expliquer une stratégie de lecture n'est pas une tâche facile et demande une préparation minutieuse.

2. Rendre le processus transparent   Dans l'enseignement d'une stratégie de lecture, il est nécessaire d'expliciter verbalement ce qui se passe dans la tête d'un lecteur accompli durant le processus. Contrairement aux activités physiques, les processus cognitifs ne peuvent être observés directement. Les processus de lecture doivent donc être illustrés par un lecteur accompli (professeur ou pair). Le rôle de cette illustration est essentiellement de «rendre transparent le processus cognitif».

Par exemple, au cours d'une lecture à haute voix, l'enseignant peut, devant un mot inconnu, dire aux élèves: «Je ne connais pas le sens exact de ce mot, je pense qu'il veut dire xxxx, mais je n'en suis pas certain. Allons voir si le reste du texte peut nous éclairer sur sa signification». L'enseignant poursuit la lecture et mentionne au fur et à mesure les éléments qui viennent confirmer, préciser ou infirmer son hypothèse.

3. Interagir avec les élèves et les guider vers la maîtrise de la stratégie   Il s'agit ensuite d'amener les élèves à maîtriser la stratégie enseignée en donnant des indices, des rappels et en diminuant graduellement l'aide apportée.

L'enseignant discutera de la stratégie avec les élèves et leur fournira des commentaires spécifiques sur leur façon de l'utiliser. Les élèves ont besoin de se faire dire non pas si leur réponse est bonne ou mauvaise, mais pourquoi elle est correcte ou non. Cette étape peut être réalisée en groupe, en sous-groupes ou individuellement. Cependant, le travail en groupe ou en sous-groupe permet aux élèves de voir comment les autres membres de la classe expliquent la stratégie utilisée et les amène du coup à confronter leur propre conception de cette stratégie à celle de leurs compagnons.

4. Favoriser l'autonomie dans l'utilisation de la stratégie   Cette période n'est pas une simple période d'évaluation, mais elle sert plutôt à consolider les apprentissages. À cette étape, l'élève assume presque toute la responsabilité du choix et de l'application de la stratégie enseignée. Après quelques utilisations autonomes de la stratégie, l'enseignant discute avec les autres élèves, surtout avec ceux qui éprouvent de la difficulté, afin de prévenir la cristallisation d'une application inefficace.

5. Assurer l'application de la stratégie   L'enseignant incite les élèves à appliquer la stratégie enseignée dans leurs lectures personnelles. Il insiste sur le «quand utiliser cette stratégie». L'enseignant doit sensibiliser les élèves au fait qu'une stratégie ne s'utilise pas sans discrimination. Il faut juger à quel moment l'utilisation d'une stratégie particulière sera utile pour comprendre le texte. Par exemple, l'imagerie mentale sera une stratégie utile dans la compréhension d'un texte narratif, mais elle peut être inadéquate dans le processus de compréhension d'un texte abstrait.

L'enseignement explicite et les types de connaissances

Il est également possible de synthétiser les étapes de l'enseignement explicite en les assimilant aux trois types de connaissances nécessaires à la réalisation d'une tâche: les connaissances **déclaratives**, les connaissances **procédurales** et les connaissances **pragmatiques**. Ce type de classification, de plus en plus présent dans la littérature sur la compréhension de textes, répond aux questions **quoi**, **pourquoi**, **comment** et **quand** (Stein, 1986).

Quoi	Une description, une définition, ou un exemple de la stratégie à enseigner (connaissances déclaratives).
Pourquoi	Une brève explication disant pourquoi la stratégie est importante et comment son acquisition aidera les élèves à être de meilleurs lecteurs (connaissances pragmatiques).
Comment	Un enseignement direct de la façon dont la stratégie opère (connaissances procédurales):
	1) L'enseignant explicite verbalement comment il procède pour utiliser la stratégie.
	2) L'enseignant interagit avec les élèves et les guide vers la maîtrise de la stratégie en donnant des indices, des rappels, et en diminuant graduellement l'aide apportée.
	3) L'enseignant consolide les apprentissages et favorise l'autonomie des élèves dans l'utilisation de la stratégie.
Quand	L'enseignant explique les conditions dans lesquelles la stratégie doit être ou ne doit pas être utilisée et comment évaluer l'efficacité de la stratégie (connaissances pragmatiques).

À partir de cette explication des types de connaissances, nous pourrions dire qu'une habileté consiste à savoir **comment** faire, alors qu'une stratégie consiste à savoir non seulement **comment** faire, mais également **quoi**, **pourquoi** et **quand** le faire. L'enseignement explicite vise donc les stratégies plutôt que les habiletés.

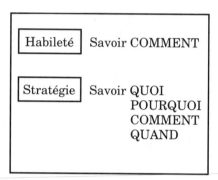

Un guide pour modifier une leçon en fonction de l'enseignement explicite

Il arrive souvent que les enseignants utilisent une leçon présentée dans un guide pédagogique. Même si une leçon semble bien élaborée dans l'ensemble, il peut être pertinent de vérifier si elle contient les éléments fondamentaux de l'enseignement explicite. Baumann et Schmitt (1986) donnent des suggestions pour vérifier et modifier des leçons tirées de guides pédagogiques:

a. Déterminez si les trois types de connaissances sont présents dans la leçon (connaissances déclaratives, procédurales et pragmatiques). Parmi les quatre questions (quoi, pourquoi, comment, quand), lesquelles sont décrites de façon adéquate?

b. Ajoutez du matériel pour les parties manquantes.

    Quoi S'il manque les connaissances déclaratives, fournissez une définition de la stratégie à l'étude.

    Pourquoi S'il n'existe pas d'informations sur le rôle de la stratégie, expliquez aux élèves pourquoi cette habileté les rendra meilleurs lecteurs. Si vous n'arrivez pas à formuler une raison d'enseigner la stratégie, il se peut que ce soit tout simplement parce qu'il ne s'agit pas d'une stratégie utile.

    Comment S'il manque des éléments dans l'enseignement de la procédure, complétez les étapes en gardant à l'idée le passage graduel de la responsabilité de l'enseignant à celle de l'élève.

Quand   S'il manque des renseignements sur le moment d'utilisation de cette stratégie, expliquez clairement aux élèves à quel moment il leur sera utile d'utiliser la stratégie en question.

Bref, la formule **quoi-pourquoi-comment-quand** fournit un cadre simple mais bien fondé théoriquement pour préparer ou compléter une leçon de lecture.

Vers l'autonomie du lecteur

L'objectif final de l'enseignement explicite de la compréhension en lecture est de rendre l'élève autonome dans sa recherche de sens. Le graphique suivant résume bien la philosophie de ce modèle qui vise essentiellement à faciliter l'acquisition de l'autonomie (Pearson et Leys, 1985). La démarche est représentée en trois grandes étapes :

1) la prise en charge de la responsabilité par l'enseignant ;
2) le passage graduel de la responsabilité de l'enseignant à celle de l'élève ;
3) la prise en charge de la responsabilité par l'élève.

On a constaté de façon répétée que passer par les trois étapes permettait à l'élève de maîtriser plus facilement les stratégies. (Pearson et Dole, 1987).

FIGURE 2.1 :   Partage de la responsabilité dans l'enseignement explicite

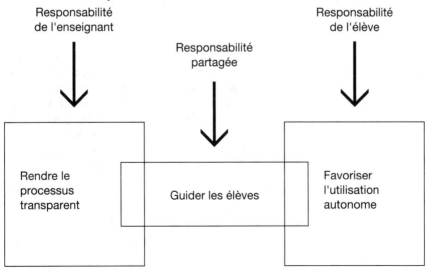

SOURCE: Adaptée de Pearson et Leys (1985).

Selon Pearson et Leys (1985), deux types d'enseignement se caractérisent par l'utilisation du côté droit seulement du graphique, c'est-à-dire des types d'enseignement qui orientent directement les élèves vers l'utilisation autonome de la stratégie sans passer par les autres étapes, ce sont:

1) l'enseignement fait avec des cahiers d'exercices: dans ce cas, l'enseignant demande à l'élève d'utiliser une habileté et s'il y a échec, il lui donne un exercice supplémentaire;

2) l'enseignement issu de l'approche «apprendre à lire en lisant»: le fondement de cette approche est qu'il suffit de placer l'élève en situation réelle et fonctionnelle de lecture pour que l'apprentissage se réalise.

Il est curieux de constater que deux approches aussi différentes l'une de l'autre que «apprendre à lire par des cahiers d'exercices» et «apprendre à lire en lisant» pèchent toutes deux par le même excès, celui de tenir pour acquis que le lecteur deviendra automatiquement autonome par la seule répétition de la tâche de lecture. Comme le disent si bien Herber et Nelson-Herber (1987): «On ne peut s'attendre à ce que les élèves deviennent des lecteurs autonomes de façon autonome». Au contraire, il faut leur montrer comment devenir autonomes.

L'enseignement explicite et les autres modèles d'enseignement

Malgré sa valeur indéniable, l'enseignement explicite n'est pas une panacée (Baumann, 1987). Son usage est approprié dans l'enseignement des stratégies comme celle de comprendre l'idée principale d'un texte, celle d'écrire des résumés, ou celle d'utiliser un schéma de récit... Cependant, quand il s'agit de stratégies plus complexes qui impliquent un aspect esthétique (ex.: celle d'apprécier la poésie), l'enseignement explicite n'est pas le plus adéquat. Il doit faire partie du programme de lecture, mais il peut cohabiter avec l'apprentissage coopératif, l'enseignement réciproque, la découverte indépendante ou d'autres méthodes.

De plus, il importe de ne pas oublier que ce modèle d'enseignement explicite ne vise que l'enseignement de stratégies spécifiques. Il arrive souvent en classe que l'enseignant ne désire pas mettre l'accent sur une stratégie particulière, mais qu'il désire simplement placer les élèves dans les meilleures conditions pour comprendre le texte. L'objectif poursuivi est alors que l'élève puisse utiliser de façon intégrée l'ensemble des stratégies préalablement enseignées. À ce moment, le modèle d'en-

seignement sera plutôt du type «intervention **avant–pendant–après**
la tâche de lecture» (figure 2.2).

FIGURE 2.2:   Modèle général d'intervention en lecture

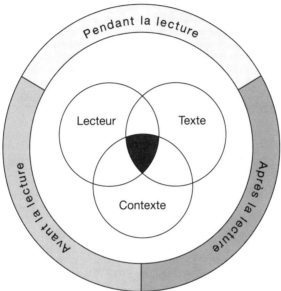

Après avoir placé les élèves dans des conditions favorables à la
compréhension, l'enseignant intervient d'abord avant la lecture, en sti-
mulant leurs connaissances, en leur demandant de faire des prédictions
sur le contenu, en les amenant à préciser leur intention de lecture...
Pendant la lecture, l'enseignant peut inciter les élèves à vérifier leurs
prédictions de départ et à en formuler de nouvelles, à relier le contenu
du texte à leurs connaissances... Après la lecture, l'enseignant peut
demander aux élèves de résumer le texte, de vérifier si leur intention
de lecture a été satisfaite, de porter un jugement sur le texte... (Schmitt
et Baumann, 1986)

Le modèle d'enseignement explicite offre un cadre intéressant à
l'enseignant qui veut travailler activement la compréhension en lecture
avec ses élèves. Ce modèle propose des étapes spécifiques partant de la
prise en charge de la responsabilité et conduisant à l'autonomie des
élèves-lecteurs. Au cours de ces étapes, l'enseignant définit la stratégie
à enseigner, illustre concrètement son fonctionnement, interagit avec
les élèves pour les guider dans la maîtrise et l'utilisation autonome de
cette stratégie.

Les chapitres qui suivent porteront sur chacune des grandes familles de processus nécessaires à la compréhension d'un texte : les microprocessus, les processus d'intégration, les macroprocessus, les processus d'élaboration et les processus métacognitifs.

3

Les microprocessus

Les microprocessus permettent de comprendre l'information contenue dans une phrase. À première vue, il serait tentant d'assimiler microprocessus à reconnaissance de mots. Or, la reconnaissance de mots ne constitue qu'une des habiletés nécessaires à la réalisation des microprocessus; en effet, le lecteur doit aussi savoir regrouper les mots en unités signifiantes et sélectionner les éléments de la phrase importants à retenir (microsélection). Ce chapitre portera donc sur les trois habiletés fondamentales des microprocessus: 1) la reconnaissance de mots, 2) la lecture par groupes de mots, 3) la microsélection.

LA RECONNAISSANCE DE MOTS

Les bons lecteurs reconnaissent plus facilement les mots qu'ils rencontrent que les lecteurs moins habiles. Ils ont automatisé ce processus de reconnaissance. Cette automaticité est utile parce qu'elle libère de l'énergie pour les processus de plus hauts niveaux qui requièrent plus d'attention consciente (Orasanu et Penney, 1986). Il est donc important d'amener le jeune lecteur à reconnaître les mots de façon automatique.

On s'entend habituellement pour distinguer, en lecture, trois catégories de mots :

1) les mots connus à l'oral, mais non à l'écrit ;
2) les mots connus à l'oral et à l'écrit ;
3) les mots inconnus autant à l'oral qu'à l'écrit.

La première catégorie de mots concerne principalement les lecteurs débutants : il s'agit de mots que le lecteur débutant possède dans son langage oral, mais qu'il rencontre pour la première fois à l'écrit et qu'il ne peut lire de façon instantanée. La deuxième catégorie s'applique à la très grande majorité des mots rencontrés dans un texte par un lecteur : des mots qu'il connaît à l'oral et qu'il a déjà vus souvent à l'écrit. La troisième catégorie réfère aux mots de vocabulaire nouveaux. Ce sont des mots inconnus du lecteur, mais qui peuvent prendre sens au cours de la lecture grâce au contexte. (Cette catégorie sera traitée dans le chapitre sur l'acquisition du vocabulaire.)

Nous aborderons, dans ce chapitre, les deux premières catégories de mots, c'est-à-dire celle contenant les mots que l'élève connaît à l'oral, mais non à l'écrit, et celle regroupant les mots qu'il connaît à la fois à l'oral et à l'écrit. Pour ce faire, nous tenterons de préciser les rôles respectifs du décodage et de la reconnaissance de mots. Par décodage, nous entendons l'utilisation des correspondances lettres–sons et des syllabes pour trouver la prononciation d'un mot. Nous reprendrons, dans la prochaine partie, les propos de Maclean (1988) permettant de relever deux paradoxes qui ont contribué à embrouiller la conception des notions de décodage et de reconnaissance de mots.

Le paradoxe du rôle du décodage dans le processus de lecture

D'une part, plusieurs recherches ont montré qu'un enseignement explicite du décodage en première année favorise à long terme l'habileté à reconnaître les mots. D'autre part, pendant la dernière décennie, des psycholinguistes, comme F. Smith et K. Goodman, ont souligné le fait que le lecteur habile ne décode pas chaque mot, mais reconnaît plutôt instantanément les mots rencontrés. Le premier paradoxe pourrait donc se formuler ainsi :

> Il est utile d'enseigner aux lecteurs débutants une habileté dont ils n'auront à peu près pas besoin comme lecteurs compétents.

Pour résoudre ce paradoxe, il faut en fait établir une distinction entre le décodage et la reconnaissance de mots, plus précisément entre l'**identification** et la **reconnaissance** de ce mot.

IDENTIFIER UN MOT	Utiliser un moyen quelconque pour trouver la prononciation d'un mot.
RECONNAÎTRE UN MOT	Donner une réponse instantanée à un mot qui a déjà été identifié dans d'autres lectures.

Le lecteur compétent «reconnaît» la très grande majorité des mots qu'il rencontre alors que le lecteur débutant, faute de posséder la connaissance des mots qu'il rencontre dans ses lectures doit, à l'inverse, «identifier» la plupart de ces mots.

Le décodage permet au lecteur débutant d'identifier de façon autonome un mot qui ne fait pas encore partie de son répertoire de mots lus instantanément. En décodant les mots, c'est-à-dire en les identifiant, le jeune lecteur devient peu à peu visuellement plus familier avec ces mots et il pourra par la suite les reconnaître dans d'autres lectures. Le décodage est donc un **intermédiaire** vers la reconnaissance de mots. La reconnaissance est ici le but à atteindre et le décodage un moyen pour y parvenir.

Outre le décodage, le jeune lecteur peut, pour identifier un mot, utiliser les indices fournis par la syntaxe, le sens et les illustrations. Ces différents indices ne doivent pas être considérés comme étant en «compétition» ou incompatibles. Il ne s'agit pas, par exemple, d'enseigner à utiliser le contexte **ou** le décodage. Il faut enseigner à utiliser le contexte **et** le décodage : le lecteur efficace se sert d'une combinaison de ces indices. Rappelons que l'identification des mots doit toujours être considérée comme une étape transitoire vers la reconnaissance instantanée qui sera, elle, une habileté importante des microprocessus.

Une autre façon de permettre aux enfants de reconnaître automatiquement les mots est l'enseignement global du vocabulaire. Il a comme fonction d'amener les enfants à reconnaître certains mots sans passer par la phase d'identification. Cependant, il est reconnu que tous les mots ne pourraient être appris de façon globale car après l'acquisition d'un premier bagage de vocabulaire visuel, il se produit rapidement une saturation de l'apprentissage.

La figure 3.1 illustre de façon approximative la courbe d'apprentissage d'un jeune lecteur auprès de qui on n'aurait fait qu'un enseignement global des mots. Au début de l'apprentissage, les premiers mots sont appris très rapidement, puis cet apprentissage ralentit jusqu'à l'atteinte d'un plateau. Les mots nouveaux sont alors très difficiles à apprendre, car ils sont confondus avec des mots appris précédemment. Ce phénomène s'explique par le fait que le lecteur, dans ce type d'apprentissage, ne se sert que de l'indice de la forme du mot et de celui des premières lettres.

FIGURE 3.1 : Courbe d'apprentissage en enseignement global du vocabulaire

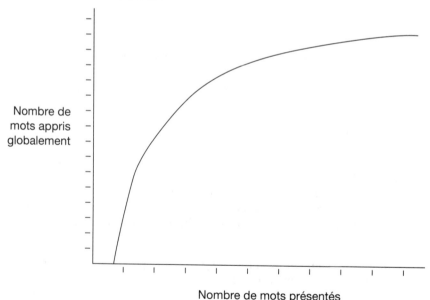

On constate que le processus de reconnaissance des mots est complexe. La figure 3.2 propose une schématisation de ce processus.

Lorsque le lecteur pourra reconnaître instantanément la plupart des mots, le processus d'identification ne sera nécessaire que pour quelques mots isolés. Bien sûr, même le lecteur compétent continuera à utiliser des indices pour reconnaître les mots, mais il n'aura plus à accorder autant d'énergie cognitive au traitement des mots.

FIGURE 3.2:   Processus de reconnaissance

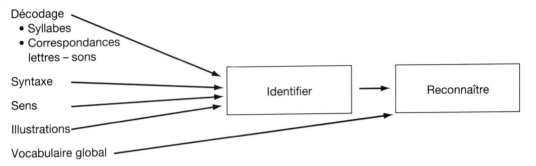

Décodage
* Syllabes
* Correspondances
  lettres – sons

Syntaxe

Sens

Illustrations

Vocabulaire global

Identifier

Reconnaître

Le paradoxe de l'efficacité de l'enseignement du décodage

Maclean (1988) parle d'un deuxième paradoxe concernant l'enseignement du décodage. D'une part, il est possible d'enseigner efficacement aux apprentis lecteurs à décoder, mais d'autre part, les lecteurs n'utilisent pas, pour décoder, les indices qui leur ont été enseignés, c'est-à-dire les règles de correspondance lettres–sons. De plus en plus de recherches montrent que, contrairement à la croyance bien établie, ces règles ne reflètent pas vraiment le processus cognitif mis en cause dans le décodage. Ces règles sont beaucoup trop complexes pour être utilisées telles quelles par les lecteurs. Le deuxième paradoxe se formule donc ainsi :

> On peut enseigner efficacement des stratégies de décodage qui n'ont que peu de liens avec la façon dont le décodage sera utilisé en pratique par les élèves.

Pour concrétiser ce paradoxe, faites l'exercice de dégager les règles de décodage nécessaires pour lire une courte liste de mots. Imaginez, par exemple, que vous devez enseigner à un ordinateur à décoder les mots suivants : Daniel, André, Annie.

Quelles règles devrez-vous programmer ? Pensez à inclure des règles de correspondance lettres–sons, des règles de fusion syllabique et des règles de séparation du mot en syllabes.

Règles de correspondance graphèmes-phonèmes

1) d = [d]
2) a = [a]
3) n = [n]
4) i = [i]
5) el = [l]

6) an = [ã]
7) r = [r]
8) é = [e]
9) ie = [i]

Règles de fusion

1) d + a = [da]
2) n + i = [ni]
3) d + r + é = [dre]
4) n + ie = [ni]

Règles de séparation des syllabes

1) Si **an** est suivi d'une voyelle, il faut séparer les syllabes entre le **a** et le **n** (Da/niel).

2) Si **an** est suivi d'une consonne, il faut séparer les syllabes entre **n** et la consonne suivante (An/dré).

3) Si **an** est suivi de la consonne **n**, il se prononce [a] comme s'il était suivi d'une voyelle (A/nnie).

4) Si **ie** est placé à la fin du mot, il se prononce [i] (Annie).

5) Si **ie** est placé à l'intérieur du mot, le **i** se lit seul et le **e** se prononce avec la consonne suivante (Daniel).

Il est assez évident qu'aucun lecteur n'utilise ces règles de façon systématique lorsqu'il décode un mot. Il choisit plutôt des raccourcis qu'il a expérimentés dans d'autres mots.

Si l'apprenti lecteur n'utilise pas en fait les règles qui lui sont enseignées, comment expliquer qu'il apprend quand même à décoder? En réponse à cette question, Mclean dira que dans plusieurs domaines, il est difficile d'enseigner directement la façon dont les experts fonctionnent. Ce qui est enseigné aux novices est en fait une sorte de représentation «artificielle», mais susceptible de leur faire comprendre la nature du processus. Une fois maîtrisée, cette représentation est transformée en stratégies qui ressemblent plus à celles que les experts utilisent en pratique. L'enseignement du décodage permettrait donc au lecteur de comprendre un principe de base, **c'est-à-dire qu'il existe une relation régulière (jusqu'à un certain point) entre l'oral et l'écrit.** Une fois ce principe compris, le jeune lecteur aura à trouver lui-même les stratégies qui seront pour lui les plus efficaces.

Cependant, plusieurs élèves ne font pas ce passage des règles artificielles aux règles fonctionnelles: ils restent attachés à des règles improductives qu'ils appliquent de façon mécanique. Ils n'ont pas réalisé que les règles de correspondance lettres–sons ne pouvaient leur donner qu'une approximation du mot et qu'ils devaient eux-mêmes à partir de cette approximation trouver une prononciation qui corresponde à un mot connu. Ces élèves n'ont pas besoin d'un enseignement supplémentaire de décodage, mais plutôt d'occasions pour appliquer leurs connaissances de façon à découvrir une approche plus efficace pour eux.

LA LECTURE PAR GROUPES DE MOTS

La lecture par groupes de mots, la deuxième habileté des microprocessus, consiste à utiliser les indices syntaxiques pour identifier dans la phrase les éléments qui sont reliés par le sens et qui forment une sous-unité.

Exemple :

Le petit oiseau de toutes les couleurs

Sa définition et son rôle dans la compréhension

Le fait de regrouper les éléments signifiants permet une lecture fluide, sans effort. Les auteurs sont unanimes à reconnaître que la lecture par groupes de mots est un processus de base employé par les bons lecteurs (Allington, 1983 ; O'Shea et Sindelar, 1983 ; Screiber, 1980). Même si le lecteur comprend tous les mots individuellement, il doit également organiser l'information pour bien en saisir le sens global. La lecture par groupes de mots est nécessaire à une lecture efficace et elle demande la participation active du lecteur.

Concrètement, comment la lecture par groupes de mots intervient-elle dans la compréhension ? La meilleure façon d'expliquer le rôle de la lecture par groupes de mots est de passer par les notions de mémoire à court et à long terme (Frank Smith, 1975). Dans une tâche de lecture, les informations sont d'abord retenues dans la mémoire à court terme pendant qu'elles sont traitées. La mémoire à court terme ne peut contenir que quatre ou cinq éléments à la fois ; ces éléments ne restent en place que quelques secondes. Il n'y a que deux issues pour l'information qui entre dans la mémoire à court terme: elle est traitée en unités signifiantes et transférée dans la mémoire à long terme ou elle est oubliée. Si une nouvelle information entre alors que celle qui est en place n'est pas traitée, le contenu de cette dernière est perdu.

Ces quatre ou cinq éléments retenus dans la mémoire à court terme peuvent être des regroupements plutôt que des unités: un groupe de mots, par exemple, ne comptera que pour une seule unité. Ainsi, un lecteur qui lit péniblement mot à mot n'aura que quatre ou cinq mots à la fois dans sa mémoire, ce qui rendra plus difficile la recherche de signification. Par contre, un autre lecteur qui lit par groupes de mots aura dans sa mémoire plus d'éléments (5 groupes de 4 mots = 20 mots) pour trouver une signification qui sera transférée dans la mémoire à long terme.

Pour concrétiser cette notion de mémoire à court terme, faites l'expérience suivante: lisez la liste de mots qui suit (une fois seulement), puis écrivez sur une feuille les mots que vous avez retenus. La tâche ressemble à une lecture mot à mot sans regroupement.

comme	Poussy	un	faire
se	la	à	avait
dans	alors	moteur	se
s'il	petit	aime	gorge
ronronner	caresser	met	il

Lisez maintenant les mots suivants et essayez de redire la phrase.

Poussy aime se faire caresser. Il se met alors à ronronner comme s'il avait un petit moteur dans la gorge.

Vous avez certainement retenu plus de mots dans le deuxième exercice que dans le premier, même s'il s'agit des mêmes mots dans les deux tâches. Dans le deuxième cas, les mots sont regroupés de façon signifiante: la rétention en est grandement facilitée. Il en va de même lorsqu'un lecteur peut regrouper des mots plutôt que de les lire de façon isolée.

Pourquoi la lecture par groupes de mots est-elle difficile?

La sensibilité aux groupes de mots se développe graduellement: à mesure qu'ils évoluent, les jeunes lecteurs deviennent plus habiles à lire par groupes de mots plus larges. Cependant, plusieurs élèves éprouvent de la difficulté à effectuer le passage de la lecture mot à mot à la lecture par groupes de mots. Pourquoi cet apprentissage est-il difficile?

L'hypothèse la plus plausible se fonde sur l'absence, à l'écrit, d'indices qui permettent de séparer les unités signifiantes alors qu'à l'oral, ces indices existent de façon abondante et sont très bien connus par l'enfant; pensons ici aux pauses, aux intonations... (Rasinski, 1989). On sait que certains enfants qui n'arrivent pas à comprendre un texte à l'écrit comprennent bien ce même texte à l'oral (Weiss, 1983). La réussite qu'ils obtiennent à l'oral est due aux indices prosodiques (intonation) qui révèlent la structure sous-jacente du discours. Pour lire par groupes de mots, l'enfant doit apprendre à compenser l'absence d'indices prosodiques en utilisant des indices graphiques.

La langue française écrite ne facilite cependant pas la tâche au jeune lecteur, car les groupes ne sont pas marqués sur le plan graphique. La ponctuation, il est vrai, joue ce rôle, mais pour de larges unités de sens seulement; elle est beaucoup moins efficace au niveau de l'analyse fine du texte. Ainsi, quand l'enseignant suggère à l'élève d'utiliser la ponctuation pour lire par groupes de mots, il lui donne un moyen de lire par unités signifiantes certes utile, mais bien partiel.

Les stratégies pédagogiques

Il n'y a pas lieu de penser à un entraînement spécifique à la lecture par groupes de mots pour tous les lecteurs, cependant il peut être utile d'intervenir auprès d'élèves qui lisent constamment mot à mot. Avant de poursuivre, rappelons que le meilleur enseignement de la lecture par groupes de mots sera toujours l'enseignement indirect par l'exposition fréquente à un matériel varié de niveau de difficulté approprié. La plupart des élèves ont appris à regrouper les mots par ce type d'activité. Toutefois, dans certains cas, l'enseignant peut sentir le besoin d'utiliser des techniques plus spécifiques.

Ainsi, il existe deux catégories d'intervention pour améliorer la lecture par groupes de mots. La première catégorie consiste à intervenir au niveau de l'habileté du lecteur par la **lecture répétée** et la deuxième consiste à travailler sur le matériel à lire en effectuant **un découpage du texte en unités**. Les deux techniques se sont révélées efficaces, mais il semblerait que la lecture répétée donne des résultats supérieurs au découpage de texte (Taylor *et al.*, 1985).

La lecture répétée

Les types d'intervention

Depuis longtemps, la technique de la lecture répétée est reconnue comme une stratégie pédagogique utile aux lecteurs qui restent accrochés au mot à mot et qui n'arrivent pas à effectuer une lecture fluide (Chomsky, 1976; Herman, 1985; Taylor *et al.*, 1985; Dowhower, 1989). Plusieurs résultats de recherche ont montré que la lecture répétée améliorait la vitesse et la reconnaissance de mots et que cette fluidité acquise dans des textes se généralisait à la lecture de textes nouveaux (Carver et Hoffman, 1981; Rashotte et Torgesen, 1985). Des résultats significatifs se retrouvent également au niveau de la compréhension (Dowhower, 1987; Herman, 1985). Il peut être étonnant, à première vue, qu'une technique qui ne demande que de relire le texte puisse intervenir au niveau de la compréhension. Cependant, le fait peut fort bien s'expliquer par le travail cognitif effectué au cours des relectures: premièrement, l'énergie du lecteur n'étant plus mobilisée par le décodage, elle devient disponible pour les processus de compréhension; deuxièmement, on sait que la première lecture d'un texte n'amène parfois qu'une compréhension superficielle alors que des relectures permettent une compréhension plus approfondie et plus structurée. C'est ce qui se passe dans la technique de la lecture répétée.

La technique de la lecture répétée offre deux variantes: la lecture répétée supervisée par un moniteur et la lecture répétée avec enregistrement.

1. La lecture répétée supervisée par un moniteur   Il s'agit de présenter un texte à l'élève et de lui demander de le lire plusieurs fois, c'est-à-dire jusqu'à ce qu'il ait atteint un certain seuil (ex.: 100 mots/minute). Cette technique demande une supervision individuelle: le moniteur calcule les résultats, encourage l'élève et apporte son aide lorsque celui-ci bute sur un mot.

2. La lecture effectuée en écoutant un texte enregistré   La technique consiste à enregistrer un texte et à demander à l'élève de l'écouter tout en essayant de le lire en même temps que l'enregistrement. L'élève peut se retirer à l'écart pour exécuter ce travail et il doit se sentir libre de reprendre la lecture autant de fois qu'il le désire. Sa seule contrainte est de lire le texte devant l'enseignant (ou toute autre personne désignée) lorsqu'il se sent capable de lire sans l'aide de l'enregistrement. Cette technique demande moins de supervision que la précédente, car l'élève peut travailler seul et ne rencontrer l'enseignant (ou le moniteur) que lorsqu'il est prêt à lire le texte.

Laquelle des deux variantes est-il préférable de choisir, la lecture avec enregistrement ou sans enregistrement? Pour répondre à cette question, Dowhower (1987) a comparé l'effet de ces deux stratégies auprès d'élèves de deuxième année, des élèves qui par définition sont en phase de transition, c'est-à-dire capables de décoder, mais encore très près de la lecture mot à mot. Les résultats montrent que les deux techniques augmentent la vitesse, la précision, la compréhension et la prosodie (lire par groupes de mots signifiants). La prosodie est meilleure encore avec la lecture enregistrée. L'auteur a constaté également que les élèves qui lisaient moins de 45 mots/minute préféraient la lecture avec enregistrement parce qu'ils la trouvaient plus facile; par contre, lorsque ces enfants avaient atteint un rythme de 65 mots/minute, ils choisissaient plutôt la lecture répétée sans enregistrement. Il est possible qu'à ce niveau l'enfant ait besoin d'**exercice** seulement alors qu'avant il avait besoin de **soutien**.

Signalons cependant que même si le critère de la vitesse fait partie de ces techniques, il ne faudrait pas assimiler ces techniques aux activités d'évaluation de la vitesse de la lecture: le but ici n'est pas d'améliorer la vitesse de la lecture, mais sa fluidité. La vitesse n'est utilisée qu'à titre d'indice.

Quelques suggestions concrètes

Voici quelques suggestions concrètes susceptibles de faciliter l'utilisation de la technique de la lecture répétée.

1) Choisir des passages courts: 50 à 300 mots; de sources variées.

2) Ne pas donner un texte trop difficile au point de départ.

3) Préparer une série de textes de même niveau et garder le même niveau de difficulté jusqu'à ce que l'élève y soit à l'aise.

4) Augmenter le niveau de difficulté graduellement lorsque le critère de fluidité est atteint pour un niveau.

5) Pour varier, utiliser la lecture répétée en classe en appariant les élèves (Dowhower, 1989):

    a. Les élèves choisissent un passage de 50 mots dans un texte.

    b. Ils choisissent un partenaire et décident qui lira en premier.

c.   L'élève lit le texte trois fois de suite et son partenaire lui dit comment il s'est amélioré après la deuxième et la troisième lecture.

d.   Les élèves inversent leur rôle.

Découpage du texte en unités

Une deuxième façon d'intervenir au niveau de la lecture par groupes de mots consiste à découper le texte en unités de sens. Cette stratégie part de l'hypothèse que si l'utilisation de la structure de la phrase est importante pour la compréhension, la présentation de textes qui marquent graphiquement cette structure devrait faciliter la compréhension.

Dans la plupart des recherches sur le sujet, on a montré que le découpage du texte en unités de sens facilitait la compréhension des lecteurs moins habiles, mais n'avait pas d'effet sur les lecteurs habiles (Rasinski, 1989). Il est fort probable que ce résultat soit dû au fait que cette habileté est déjà acquise par les bons lecteurs (Gerrell et Mason, 1983; O'Shea et Sindelar, 1983; Stevens, 1981; Weiss, 1983).

Si l'enseignant choisit cette technique, il devient pertinent pour lui de connaître les façons utilisées habituellement pour séparer le texte en unités signifiantes.

Les types de découpage

Il existe en fait deux façons de découper les textes: la segmentation syntaxique et la segmentation par les pauses.

La segmentation syntaxique consiste à découper les phrases à partir d'unités grammaticales comme les groupes nominaux, les propositions... (O'Shea et Sindelar, 1983). La segmentation par les pauses consiste à identifier les endroits où 50 % des adultes effectueraient une pause en lisant un passage oralement, soit pour ajouter du sens ou pour accentuer un mot, soit pour reprendre son souffle. Il semblerait que le découpage syntaxique et celui par les pauses donnent des résultats similaires (Weiss, 1983). Il n'est donc pas nécessaire d'utiliser une analyse compliquée pour effectuer la segmentation: l'enseignant peut se fier à son propre jugement de lecteur.

Une fois les unités déterminées, il reste à choisir un type de présentation visuelle; les plus fréquents sont les suivants (Rasinski *et al.*, 1988):

1)   Ménager des espaces très marqués entre les groupes de mots.

2) Intégrer des barres obliques dans le texte.

3) Présenter une unité par ligne.

Les étapes d'enseignement

La toute première étape de la technique de découpage du texte en unités est d'expliquer aux élèves que les indices visuels (comme les barres obliques, les espaces...) représentent des unités de pensée et que s'ils lisent en utilisant ces indices, ils comprendront mieux le texte. Il s'agit ensuite de donner des exemples aux élèves et de discuter avec eux avant de leur demander d'utiliser la technique (Stevens, 1981).

Les indices ne seront qu'une étape temporaire. Pour faciliter le retrait des indices, on suggère de commencer par présenter une unité par ligne, puis de découper le texte avec des barres obliques, et finalement de ne découper que le début du texte et demander à l'élève de continuer à lire par groupes de mots.

LA MICROSÉLECTION

La microsélection constitue la troisième habileté importante des microprocessus. C'est elle qui amène le lecteur à décider quelle information il doit retenir dans une phrase. De façon générale, la microsélection pourrait correspondre à la détermination de l'idée principale de la phrase.

Ce processus est important, car si le lecteur essayait de tout retenir, il se produirait rapidement un blocage au niveau du traitement de l'information. En passant d'une phrase à une autre, une partie de l'information des phrases lues doit être retenue dans la mémoire à court terme de façon à ce que la nouvelle information soit intégrée à l'ancienne. Comme la capacité de la mémoire à court terme est limitée, le lecteur doit posséder de bonnes stratégies pour choisir l'information à retenir parce que s'il choisit des détails mineurs, ils ne seront pas reliés à ce qu'il lira par la suite et le processus en sera perturbé (Kintsch, 1987).

Le jeune lecteur peut rencontrer des problèmes pour retenir un élément d'information parce que sa mémoire à court terme est occupée par des processus non automatisés (Kintsch, 1987). La microsélection est donc dépendante de l'habileté à reconnaître aisément les mots rencontrés dans le texte. Elle sera également fortement reliée aux macroprocessus puisqu'une information ne peut être jugée importante dans le seul contexte de la phrase; c'est aussi l'ensemble du texte qui détermine si telle information mérite d'être retenue en mémoire.

Pour sensibiliser les élèves à la microsélection, l'enseignant doit d'abord leur expliquer qu'ils ne doivent retenir que l'information importante, autrement ils risquent de s'embourber en essayant de tout retenir. Il a tout avantage de plus à illustrer la microsélection en disant par exemple: «Ce que je veux retenir de cette phrase, c'est... parce que...»

Prenons comme exemple un extrait de *L'enchanteur du pays d'Oz* (Warnant-Côté, 1977):

> *Le premier jour, tout se passa bien. Mais le lendemain et les jours suivants, de gros nuages cachèrent le soleil, et nos amis se mirent à errer parmi les prés fleuris de boutons d'or et de marguerites jaunes, sans savoir s'ils continuaient dans la bonne direction.* (p. 85)

L'enseignant peut dire qu'il ne retient dans la phrase que «nos amis se mirent à errer parmi les prés... sans savoir s'ils continuaient dans la bonne direction». Cette information est importante parce que les personnages essaient de se rendre à la cité des émeraudes et qu'ils semblent avoir perdu leur chemin. Par contre, il n'est pas nécessaire de retenir le nom des fleurs dans les prés.

Par ailleurs, l'enseignant peut demander aux élèves de poser une question sur ce qui est important dans la phrase. Il amène les élèves à comparer des questions portant sur des détails comme: «Quels types de fleurs se trouvaient dans le pré?» ou «De quelle couleur étaient les marguerites?» avec des questions sur l'information centrale, comme: «Les personnages s'en allaient-ils dans la bonne direction?»

La microsélection peut être travaillée dès le début du primaire. Elle sensibilise dès le départ les jeunes lecteurs à la notion d'idée importante et les amène à concentrer leurs efforts vers la compréhension de l'essentiel d'un texte.

Les microprocessus sont des processus de base en lecture, car ils sont responsables de la compréhension de la phrase. Même si les microprocessus peuvent paraître simples à première vue, ils comportent néanmoins des aspects complexes comme le regroupement de mots et la microsélection. Aussi importants qu'ils soient, ces processus doivent être complétés par d'autres processus qui joueront un rôle non seulement au niveau de la phrase, mais également aux autres niveaux du texte.

4

Les processus d'intégration

Ce chapitre sera consacré aux processus qui permettent d'effectuer des liens entre les propositions ou entre les phrases : les processus d'intégration. La première partie du chapitre présente les deux principaux types d'indices de cohésion : les référents et les connecteurs ; alors que la deuxième partie aborde la notion d'inférence.

DEUX TYPES DE PROCESSUS D'INTÉGRATION

Les processus d'intégration ont pour fonction d'effectuer des relations entre les propositions ou les phrases. L'auteur utilise habituellement des indices comme des répétitions, des pronoms, des connecteurs, etc., pour établir les liens entre les phrases. Ce sont ces liens qui assurent, en partie du moins, la cohésion du texte. Il est donc primordial que le lecteur puisse identifier et comprendre les indices de cohésion.

Mais en plus d'avoir à identifier les indices de cohésion présents dans le texte, le lecteur doit également inférer les liens qui y sont implicites; c'est alors qu'on parlera d'inférences. En fait, un auteur ne décrit jamais une situation dans ses moindres détails; il laisse au lecteur la tâche de remplir les cases vides, c'est-à-dire d'ajouter les informations qui ne sont pas explicitées dans le texte. Si l'auteur ne tenait pas pour acquis que le lecteur utilise ses propres connaissances pour comprendre le texte, il devrait écrire avec un luxe de détails qui rendraient rapidement la lecture pénible. Pour comprendre un texte, il faut donc être capable d'inférer l'information implicite.

Concrètement, les processus d'intégration consistent à:

- comprendre les indices explicites qui indiquent une relation entre les propositions ou les phrases, soit les référents et les connecteurs;
- inférer les relations implicites entre les propositions ou les phrases; ces inférences peuvent être fondées soit sur le texte, soit sur les connaissances du lecteur.

En plus d'établir des liens entre les propositions ou les phrases, le lecteur doit également dégager des relations entre les phrases et l'ensemble du texte. On distingue habituellement les indices qui assurent la cohésion *locale*, c'est-à-dire la cohésion dans une partie du texte, des indices qui veillent à la cohésion *globale* de l'ensemble du texte. Dans ce chapitre, nous parlerons des relations *locales*, alors que les relations *globales* seront abordées dans les chapitres portant sur les macroprocessus.

COMPRENDRE LES INDICES DE RELATION

Les indices de relation comprennent principalement les référents et les connecteurs. Il n'est pas nécessaire d'enseigner systématiquement tous les indices à tous les élèves, car certains ont appris par eux-mêmes à utiliser ces indices pour comprendre un texte. Par contre, on rencontre régulièrement en classe des élèves pour qui cet apprentissage n'est pas maîtrisé, ce qui peut les conduire à des problèmes de compréhension.

Les référents

On parle de référent ou d'anaphore quand un mot (ou une expression) est utilisé pour en remplacer un autre. L'exemple le plus courant est celui du pronom qui remplace un nom.

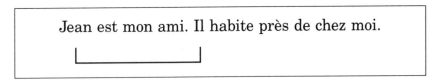

Trois éléments sont importants dans la définition du processus de référence (Baumann et Stevenson, 1986) :

A. le référent ou antécédent, c'est-à-dire le concept qui sera remplacé ;

B. le terme qui remplace l'antécédent ;

C. la relation entre A et B.

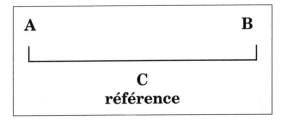

En fait, tout le travail du lecteur consiste à établir la relation (C) entre le référent (A) et le terme qui le remplace (B). Si dans certains cas, cette relation semble évidente, il n'en est pas toujours de même comme en fait foi la classification des référents présentée dans la section suivante.

Classification des référents

Les référents ont d'abord été étudiés par les linguistes qui ont essayé d'en dresser une liste exhaustive ; leur préoccupation se situait au niveau de la description de la langue et non au niveau de la pédagogie, c'est pourquoi les classifications linguistiques ne sont pas directement applicables en classe. Ensuite, les pédagogues se sont penchés sur les référents. Ils ont puisé, dans les travaux des linguistes, les référents les plus susceptibles d'être utiles dans la compréhension de textes à l'école et ils les ont regroupés dans une séquence pédagogique.

Le tableau 4.1 est inspiré de Baumann (1987) et présente une proposition de classification des référents; cette classification n'est pas la seule possible et, dans ce domaine, les résultats de recherche ne sont pas assez nombreux pour penser à établir des critères de classification immuables.

La taxinomie présentée ici met en évidence deux entrées: le type de mot remplacé et le type de mot par lequel il est remplacé. Nous pouvons voir sur le tableau que le mot remplacé peut être un nom, un verbe, une proposition; le mot peut être remplacé par un pronom, un synonyme, un terme générique... ou être tout simplement sous-entendu.

Autre classification des référents

Les référents peuvent également être classés selon deux autres critères:

- les référents de types *adjacent–éloigné*;
- les référents de type *avant–après*.

Dans le cas de relations *adjacentes*, l'antécédent et le terme qui le remplace sont dans des phrases qui se suivent. Dans le cas de relations *éloignées*, au moins une phrase sépare l'antécédent du mot qui le remplace.

Exemple d'une relation éloignée:

> *Un jour,* **le fils du gérant** *les invita tous à jouer chez lui. À peine arrivés, on leur recommanda de ne pas oublier de bien s'essuyer les pieds pour ne pas salir le parquet et de ne pas s'appuyer contre le mur à cause du papier peint qui venait d'être posé. Si, malgré cet affront, ils demeurèrent encore copain avec* **lui***, ce fut bien à cause de l'examen. Parce que le fils du gérant était fort en maths et, sans son aide, ils ne seraient jamais arrivés à résoudre certains problèmes.* (Korczak, 1980, p. 136)

Dans les relations de type *avant*, l'antécédent apparaît avant le mot qui le remplace, alors que dans les relations de type *après*, l'antécédent ne vient qu'après le mot qui le remplace.

TABLEAU 4.1 :   Classification des référents

Ce qui est remplacé	Ce par quoi il est remplacé	Exemple
NOM	**A.** Un pronom	
	1. personnel	
	– singulier :	*Jean* et *Marie* aiment le sport. *Il* pratique le ski et, *elle*, la natation.
	– pluriel :	*Alice et Catherine* sont de bonnes amies. *Elles* jouent toujours ensemble. « Invitons Nadine à jouer avec *nous* », dit Alice.
	2. démonstratif :	« Veux-tu un *gâteau* ? » « Oui, je prendrais *celui-ci*. »
	3. autres (relatif, interrogatif,...) :	*Pierre, qui* vient d'avoir dix ans, est le plus grand de la classe.
	B. Autre chose qu'un pronom	
	1. Adverbe de lieu :	Il est né en *Russie* ; il a passé son enfance *là-bas*.
	2. Adverbe de temps :	« Ne travailles-tu pas habituellement le *samedi* ? » « Oui, mais *demain*, exceptionnellement, je ne travaille pas. »
	3. Synonyme :	« Viens avec moi, » dit le loup à la *fillette*. « Non, répondit la *petite fille*, je vais chez grand-mère. »
	4. Terme générique :	Grand-père amena *Pierre, Anne et Louis* jouer au parc ; les *enfants* s'en donnèrent à cœur joie toute la matinée.
	5. Adjectif numéral :	*Marie et Jean* sont tous *deux* mes amis.
	C. Sous-entendu :	J'aime tous les *bonbons* mais les boules noires sont les meilleurs [bonbons].
VERBE OU PROPOSITION	**A.** Pronom :	« Est-ce que *Marie viendra demain* ? » « Je *le* pense. »
	B. Autre chose qu'un pronom :	*Sébastien aime lire* ; c'est pour cette *raison* qu'il se rend à la bibliothèque tous les samedis.
	C. Sous-entendu :	Tu *aimes les framboises*. Moi aussi [j'aime les framboises].

SOURCE : Adapté de Baumann (1987)

Exemple d'une relation dans laquelle l'antécédent arrive après le mot qui le remplace :

> **Il** *est arrivé dans le village à la brunante, un soir d'automne. C'était la première fois que* **Théodore**, *le vieux mendiant, se rendait aussi loin dans sa tournée.*

Niveau de difficulté des référents

Plusieurs recherches ont eu pour but de comparer les niveaux de difficulté que présente l'utilisation des différents types de référents. Bien que les résultats ne soient pas tous concluants, il semble se dégager toutefois certaines constantes (Baumann, 1987) :

- les relations *éloignées* sont plus difficiles à établir que les relations *adjacentes* ;
- les relations de type *après* sont plus difficiles à établir que celles de type *avant* ;
- les relations dans lesquelles le pronom réfère à une proposition sont plus difficiles à établir que les relations dans lesquelles le pronom réfère à un nom.

Il ne faut pas oublier cependant que plusieurs facteurs peuvent intervenir dans la compréhension des référents dont, entre autres, le type de texte et les connaissances préalables.

Enseignement des référents

Le modèle d'enseignement explicite peut fort bien s'appliquer aux référents. Baumann (1986b) a utilisé ce modèle pour enseigner les référents en troisième année ; cette approche s'est révélée plus efficace qu'un enseignement traditionnel. Le tableau suivant présente la séquence choisie par le chercheur.

Leçon 1 : Nom remplacé par un pronom personnel (singulier ou pluriel) sauf les pronoms possessifs.

Leçon 2 : Nom remplacé par un pronom possessif singulier ou pluriel.

Leçon 3 : Revue de tous les pronoms.

Leçon 4 : Nom remplacé par un pronom démonstratif ou par un adverbe de lieu.

Leçon 5 : Nom remplacé par un adverbe de temps ou un adjectif numéral.

Leçon 6 : Revue de 1-5.

Leçon 7 : Nom remplacé par un synonyme ou un terme générique.

Leçon 8 : Verbes et propositions remplacés par un pronom (ou autre chose qu'un pronom).

Leçon 9 : Revue de 1-8.

Dans cette expérience, le chercheur a commencé par expliquer aux élèves pourquoi comprendre les référents pouvait leur être utile en lecture. La partie suivante présente les explications données aux élèves au début de l'entraînement.

L'enseignant donne les directives suivantes :
*Quand les gens écrivent, ils utilisent parfois des mots à la place d'autres mots. Des mots comme **il**, **elle**, **je**, **vous** sont des exemples de mots utilisés à la place d'autres mots. Les auteurs utilisent des mots comme **il**, **elle**, **je**, **vous** parce que ce serait très ennuyant si on utilisait toujours les mêmes mots. Écoutez cette petite histoire et je pense que vous comprendrez ce que je veux dire.*

L'enseignant lit le texte oralement :
Jean et Sylvie sont allés au zoo. Jean et Sylvie sont allés à pied au zoo. Jean et Sylvie ont mangé du popcorn et Jean et Sylvie ont mangé de la crème glacée. Jean est allé voir les singes ; ensuite Jean est allé voir les lions. Sylvie est allée voir les oiseaux et ensuite Sylvie est allée voir les poissons. Jean et Sylvie ont eu du plaisir au zoo. Jean et Sylvie ont décidé de retourner au zoo la semaine prochaine.

L'enseignant poursuit :
*Avez-vous remarqué combien de fois j'ai utilisé les mots Jean et Sylvie ? C'est plutôt ennuyeux, n'est-ce pas ? Les gens n'écrivent pas de cette façon. Au lieu de cela, les auteurs utilisent des mots comme **ils** à la place de Jean et Sylvie. Mais les mots qui en remplacent d'autres nous causent parfois des problèmes. Par exemple, le mot **ils** peut remplacer différentes personnes dans la même histoire. C'est important que vous soyez capables de trouver*

ce que ces mots remplacent. C'est une habileté de compréhension importante parce que si vous comprenez bien les mots qui en remplacent d'autres vous comprendrez mieux l'histoire.

Après l'explication du rôle de la stratégie, le chercheur a illustré la façon d'effectuer les liens entre le référent et l'antécédent et a fourni aux élèves des situations d'apprentissages, guidé par le modèle de l'enseignement explicite. Les résultats de l'expérience ont révélé que les élèves qui avaient reçu ce type d'enseignement sur les référents surpassaient les élèves du groupe contrôle dans leur compréhension des référents et ce, dans différents types de textes.

En résumé, les référents sont présents dans tous les textes, même dans les plus simples. Il est important que les jeunes lecteurs puissent effectuer les liens entre les référents et les mots qui les remplacent.

Les connecteurs

Les connecteurs sont des mots qui relient deux événements entre eux; ils peuvent être utilisés pour unir deux propositions ou deux phrases. Si certains connecteurs sont facilement compris par les élèves, ils peuvent par contre, dans plusieurs situations, leur causer des problèmes. Par exemple, face à une phrase comme : «Jean est revenu de l'école après Marie», plusieurs jeunes lecteurs penseront que Jean est revenu le premier, car il est mentionné avant Marie dans la phrase. Une attention particulière doit donc être portée aux connecteurs dans le cadre de la compréhension en lecture.

Classification des connecteurs

Plusieurs auteurs ont présenté des classifications de connecteurs ou de marqueurs de relation. Nous regroupons ci-dessous les principaux connecteurs, empruntés à Irwin (1986) et Blain (1988):

- conjonction : *et, aussi...*
- disjonction : *ou...*
- exclusion : *sauf, excepté que...*
- temps : *avant, lorsque...*
- lieu : *devant, au-dessus de...*
- cause : *parce que, en raison de...*
- comparaison : *comme, ainsi que...*
- contraste : *contrairement à...*
- opposition : *malgré, bien que...*

- concession : *bien que...*
- conséquence : *de manière à, à tel point que...*
- but : *pour, afin que...*
- condition : *si, à moins que...*
- manière : *comme...*

Les connecteurs peuvent être soit explicites, soit implicites, comme le montrent les phrases suivantes :

> Jean a mal au ventre **parce qu**'il a mangé trop de pommes vertes. (connecteur explicite)

> Jean a mal au ventre. Il a mangé trop de pommes vertes. (connecteur implicite)

Les connecteurs implicites sont plus difficilement compris par les élèves que les connecteurs explicites. Lorsque le lecteur doit inférer un connecteur, il doit consacrer une partie de son énergie à cette tâche. On a souvent tendance, dans la préparation de textes de lecture, à raccourcir la longueur des phrases pour les lecteurs plus jeunes. Il est vrai que, de façon générale, les phrases courtes sont plus faciles à lire que les phrases plus longues. Cependant, si on raccourcit la phrase au détriment des connecteurs, tout l'avantage des phrases courtes disparaît. En effet, il est plus difficile pour le lecteur de comprendre deux phrases courtes sans connecteur qu'une phrase plus longue avec un connecteur explicite.

Signalons que les connecteurs de temps et les connecteurs de cause sont les deux connecteurs les plus souvent implicites dans les textes. On sait de plus que les connecteurs de cause sont loin d'être maîtrisés au primaire. En effet, les relations de cause–effet sous-entendent habituellement des connaissances qui ne sont pas courantes chez les élèves du primaire. Il est certain que même un très jeune enfant peut comprendre une relation de cause–effet s'il connaît bien les facteurs mis en jeu, mais très souvent les connecteurs de cause impliquent des motivations humaines ou des connaissances sur des phénomènes complexes que les jeunes lecteurs saisissent difficilement. Ainsi, il importe de porter une attention particulière aux connecteurs de cause ; d'une part, ce sont des connecteurs difficiles à comprendre et d'autre part, ces connecteurs sont souvent implicites dans les textes.

En plus d'être omis, les connecteurs peuvent être trop éloignés ou imprécis. Si les deux parties à réunir sont trop éloignées, le lecteur doit chercher dans sa mémoire, relire ou faire une inférence, ce qui peut nuire à la compréhension.

Enseignement des connecteurs

La première étape consiste à choisir un passage qui contient le connecteur que vous voulez évaluer. Rédigez ensuite des questions exigeant
la compréhension de ce connecteur. Ajoutez des questions sur les faits
et les connaissances antérieures nécessaires à la compréhension du
passage. Si l'élève peut répondre aux questions factuelles et aux questions sur les connaissances antérieures, mais ne peut répondre aux
questions sur le connecteur, il a probablement besoin qu'on lui enseigne
ce connecteur. Par contre, si le lecteur ne peut répondre aux questions
sur les connaissances mises en jeu dans la phrase, il est fort possible
qu'il n'ait pas simplement un problème d'identification des connecteurs,
mais un problème de manque de connaissances. Il est difficile de comprendre un connecteur si on ne possède pas de connaissances sur le
sujet traité.

LES INFÉRENCES

Comme nous l'avons vu précédemment, identifier et comprendre les
référents et les connecteurs constituent une des facettes des processus
d'intégration. Il existe un autre aspect indispensable à la reconstruction
des relations entre les phrases, il s'agit de l'inférence.

Qu'est-ce qu'une inférence? Quels sont les différents types d'inférence? Plusieurs auteurs ont tenté de répondre à ces questions de
définition et de classification des inférences et ils ont présenté des
taxinomies différentes (Trabasso, 1981; Beach et Brown, 1987). Ces
taxinomies ne sont malheureusement pas toujours compatibles les unes
avec les autres.

Le modèle conceptuel des inférences de Cunningham

Dans ce manuel, nous avons choisi de présenter le modèle conceptuel
de J. Cunningham (1987) sur les inférences. Ce modèle ne regroupe pas
les types d'inférence en catégories isolées, mais les place plutôt sur une
échelle comme le montre la figure 4.1.

Dans son modèle, J. Cunningham (1987) commence par identifier
ce qui est de l'inférence et ce qui n'en est pas; il distingue ensuite les

inférences fondées sur le texte et les inférences fondées sur les connaissances ou schémas du lecteur, puis il présente la notion d'inférence
créative.

FIGURE 4.1 :   Échelle des inférences de Cunningham

Réponses fondées sur le texte		Réponses fondées sur les schémas
Compréhension littérale	Compréhension inférentielle	Réponses créatives
	Inférences logiques Inférences pragmatiques	

À gauche de la figure se trouvent les réponses qui s'inspirent uniquement du texte (compréhension littérale) et à droite, celles qui proviennent presque uniquement de la tête du lecteur (compréhension
créative). Le graphique met bien en évidence qu'il est difficile d'effectuer
une coupure nette entre les catégories. Il est plus profitable de conceptualiser l'inférence en se représentant «jusqu'à quel point le lecteur
utilise le texte et jusqu'à quel point il utilise ses propres connaissances».
Ce sont les parts attribuées à ces deux éléments qui déterminent la
place de la réponse sur l'échelle d'inférence.

Ce qu'est l'inférence

Pour parler d'inférence, il faut que le lecteur dépasse la compréhension
littérale, c'est-à-dire qu'il aille plus loin que ce qui est présent en surface
du texte. Cunningham considère qu'une réponse est littérale si elle est
sémantiquement équivalente ou synonyme d'une partie du texte, ce qui
peut être démontré à l'aide de la grammaire, de la syntaxe et de la
connaissance des synonymes.

L'auteur donne l'exemple suivant :

Texte: Les Indiens se dirigeaient vers le soleil couchant.

Réponse: Les Indiens voyageaient vers le soleil couchant.

Type de compréhension: Compréhension littérale.

Il s'agit d'un exemple de compréhension littérale parce que les termes «se dirigeaient» et «voyageaient» peuvent être considérés comme synonymes. Par contre, l'exemple qui suit en est un de compréhension inférentielle.

Texte: Les Indiens se dirigeaient vers le soleil couchant.

Réponse: Les Indiens se dirigeaient vers l'ouest.

Type de compréhension: Compréhension inférentielle.

Dans cet exemple, le texte et la réponse ne sont pas synonymes, c'est-à-dire que l'on ne peut pas prouver à l'aide de la grammaire ou de la syntaxe que ces deux phrases sont équivalentes. En effet, «l'ouest» est une information supplémentaire à «soleil couchant», il s'agit donc d'une inférence.

Les inférences logiques et les inférences pragmatiques

Après avoir distingué la compréhension inférentielle de la compréhension littérale, Cunningham, à l'instar de plusieurs auteurs, distingue deux grandes catégories d'inférences:

— les inférences fondées sur le texte (inférences logiques);
— les inférences fondées sur les connaissances ou schémas du lecteur (inférences pragmatiques).

Pour distinguer les deux types d'inférences, disons que l'inférence fondée sur le texte (inférence logique) est nécessairement incluse dans la phrase, alors que l'inférence fondée sur les schémas du lecteur ne l'est pas; elle y est probablement sous-entendue, mais cela n'est pas nécessairement vrai. Examinons les exemples A et B.

Exemple A

Texte: Les Indiens se dirigeaient vers le soleil couchant.

Réponse: Les Indiens se dirigeaient vers l'ouest.

Type de réponse: Inférence logique.

Exemple B

Texte: Les Indiens se dirigeaient vers le soleil couchant.

Réponse: Les Indiens se dirigeaient à cheval vers le soleil couchant.

Type de réponse: Inférence pragmatique.

L'exemple A constitue une inférence logique parce que la réponse est nécessairement contenue de façon implicite dans la phrase (le lecteur s'est appuyé sur le texte pour parler de l'ouest) alors que l'exemple B est une inférence pragmatique, car s'il est possible que les Indiens voyageaient à cheval, cette hypothèse ne se vérifie pas nécessairement.

L'auteur propose une règle pour classer les inférences logiques et les inférences pragmatiques.

> *Si, à partir d'une phrase, on en sous-entend une autre par inférence pragmatique, lorsqu'on nie la seconde et qu'on joint les deux à l'aide de la conjonction **mais**, cela devrait produire une phrase acceptable. Dans le cas de l'inférence logique, la phrase produite sera inacceptable.*

Appliquons la règle à l'exemple A:

> Les Indiens se dirigeaient vers le soleil couchant, **mais** ils ne se dirigeaient pas vers l'ouest.

Cette phrase est inacceptable, l'inférence est donc logique. Si nous appliquons cette règle à l'exemple B, nous avons:

> Les Indiens se dirigeaient vers le soleil couchant, **mais** ils ne se dirigeaient pas à cheval vers le soleil couchant.

La phrase produite est acceptable, nous avons donc une inférence pragmatique. Prenons un deuxième exemple. Un texte dit: «Sébastien a reçu un animal en cadeau, le 25 décembre.» Un premier lecteur rapporte la phrase de la façon suivante: «Sébastien a reçu un chien en cadeau, le 25 décembre.» Un deuxième lecteur dit: «Sébastien a reçu un animal en cadeau, le jour de Noël.» Soumettons ces deux réponses à l'analyse.

Application de la règle à la réponse 1

Sébastien a reçu un animal en cadeau, le 25 décembre,
mais il n'a pas reçu un chien en cadeau, le 25 décembre.

La phrase produite est acceptable, il s'agit donc d'une inférence pragmatique.

Application de la règle à la réponse 2

Sébastien a reçu un animal en cadeau, le 25 décembre,
mais il n'a pas reçu un animal en cadeau le jour de Noël.

La phrase produite est inacceptable, l'inférence est donc logique.

Ce type d'application de règles n'est certes pas à utiliser directement avec les élèves; il devrait plutôt servir de guide à l'enseignant lorsqu'il veut vérifier le type de réponse qu'il attend à la suite des questions d'évaluation.

Les inférences créatives

Dans son modèle des inférences, Cunningham définit ensuite les inférences créatives. Tout comme les inférences pragmatiques, ce sont des réponses inférentielles qui sont constituées presque entièrement d'éléments provenant des connaissances ou schémas du lecteur.

Pour distinguer l'inférence créative de l'inférence pragmatique, Cunningham propose une règle simple : une inférence sera pragmatique si le lecteur moyen (comparé à son groupe d'appartenance) a tendance à la donner après incitation, autrement, si l'inférence n'est commune qu'à certains lecteurs, il s'agira d'une inférence créative. Il faut bien noter qu'ici il ne s'agit pas de faire appel à l'**imagination** ou au **jugement** du lecteur, mais bien à ses **connaissances** antérieures. Il est certain que plus un lecteur possède de connaissances sur un sujet, plus il lui sera possible d'effectuer des inférences créatives.

Pour conclure cette présentation du modèle de Cunningham, nous pourrions ainsi résumer les traits qui distinguent les types d'inférences. Il existe des inférences logiques, qui découlent du texte et qui sont nécessairement vraies ainsi que des inférences pragmatiques, qui sont possiblement vraies, et communes à l'ensemble des lecteurs; il existe également des inférences créatives, qui sont possiblement vraies, non indispensables à la compréhension et particulières à quelques lecteurs.

Le développement de la capacité à inférer

Au primaire, les enseignants du deuxième cycle se plaignent souvent que les élèves éprouvent de la difficulté avec les inférences. Cependant, au premier cycle, on demande très peu aux élèves de faire des inférences parce que la tâche est jugée trop difficile.

La capacité à faire des inférences, il est vrai, augmente avec l'âge, mais elle commence très tôt; en fait, la plupart des connaissances acquises par les enfants sont le fruit d'inférences qu'ils ont faites sur le monde qui les entoure. Quand un enfant voit de la fumée, il fait l'inférence qu'il y a du feu. L'inférence est fondée sur ses expériences antérieures. Les jeunes enfants sont capables de faire des inférences lorsque les éléments sur lesquels portent l'inférence sont localisés les uns près des autres. Prenons l'exemple qui suit :

> La mère de Mireille écouta les nouvelles de la météo à
> la radio. Elle décida de sortir les bottes et le parapluie
> de Mireille.

Si vous demandez à des élèves du premier cycle du primaire : «Que pensez-vous que la mère de Mireille a entendu aux nouvelles de la météo?», la plupart des élèves pourront répondre à la question. Mais si les deux phrases sont séparées par d'autres informations, peu d'élèves pourront faire le lien. Ils auront besoin que l'enseignant les aide à converger vers l'inférence. En fait, les jeunes lecteurs sont capables de faire des inférences, mais ils ne sont pas organisés dans leur démarche.

Même si la capacité à inférer se développe graduellement avec l'âge, on a montré qu'elle pouvait être améliorée par l'enseignement. Certaines stratégies pédagogiques vont donc améliorer l'habileté à produire des inférences. Mentionnons qu'en classe, les enseignants posent cinq fois plus de questions littérales que de questions inférentielles. Qu'en serait-il de l'habileté des élèves à inférer si on inversait cette proportion?

L'enseignement de l'inférence

Comme nous l'avons vu précédemment, il existe des inférences reliées aux textes et des inférences reliées aux connaissances ou schémas des lecteurs (inférences logiques et inférences pragmatiques). Dans les écrits sur la compréhension de textes, on retrouve actuellement peu de recherches portant sur les inférences logiques (reliées aux textes), par contre, les éléments sont beaucoup plus nombreux en ce qui concerne les inférences reliées aux schémas des lecteurs. La prochaine partie portera donc sur l'enseignement en regard des inférences reliées aux schémas des lecteurs.

Classification des inférences reliées aux schémas des lecteurs

Plusieurs auteurs ont suggéré, pour l'enseignement, des classifications de types d'inférences fondées sur les connaissances du lecteur. Nous avons retenu celle de Johnson et Johnson (1986) qui est composée de 10 types d'inférences et qui, selon les auteurs, devrait fournir une base solide pour répondre aux tâches d'inférence dans la plupart des textes.

1) **Lieu**

   Après l'inscription, le garçon nous aida à transporter nos bagages dans notre chambre.

   Où sommes-nous?

2) **Agent**

   Avec le peigne dans une main et les ciseaux dans l'autre, Christian s'approcha de la chaise.

   Qui est Christian?

3) **Temps**

   Lorsque la lampe du portique s'éteignit, la noirceur fut complète.

   À quel moment se passe la scène?

4) **Action**

   Bernard arqua son corps et fendit l'eau d'une façon absolument impeccable.

   Que fit Bernard?

5) **Instrument**

   D'une main sûre, Dr Grenon mit l'instrument bruyant dans ma bouche.

   Quel instrument Dr Grenon utilisa-t-il?

6) **Catégorie**

   La Toyota et la Volvo se trouvaient dans le garage et la Audi à l'extérieur.

   De quelle catégorie d'objets s'agit-il ici?

7) **Objet**

Le géant rutilant, avec ses 18 roues, surplombait les véhicules plus petits sur l'autoroute.

Quel est ce géant rutilant?

8) **Cause–effet**

Le matin, nous avons constaté que plusieurs arbres étaient déracinés et que d'autres avaient perdu leurs branches.

Qu'est-ce qui a causé cette situation? (Dans cet exemple, la cause doit être inférée. Parfois une cause est mentionnée et l'effet doit être inféré.)

9) **Problème–solution**

Pierre avait le côté de la figure tout enflé et sa dent le faisait terriblement souffrir.

Comment Pierre pourrait-il solutionner son problème? (Quelquefois une solution est mentionnée et le problème doit être inféré.)

10) **Sentiment–attitude**

Pendant que je montais sur l'estrade pour recevoir mon diplôme, mon père applaudit, les larmes aux yeux.

Quel sentiment éprouvait mon père?

Enseignement des inférences reliées aux schémas des lecteurs

À partir de la classification présentée précédemment, Reutzel et Hollingsworth (1988) ont expérimenté avec succès en troisième année une séquence d'enseignement visant à rendre les élèves plus actifs dans l'acquisition de la stratégie.

Les leçons ont été présentées dans l'ordre suivant:

Leçon 1	Lieu	Les élèves apprennent à inférer «à quel endroit un événement s'est produit».
Leçon 2	Agent	Les élèves apprennent à inférer «qui a fait l'action».
Leçons 3 et 4	Temps	Les élèves apprennent à inférer «quand s'est produit un événement».

Leçons 5 et 6	Action	Les élèves apprennent à inférer «ce que la personne fait».
Leçons 7 et 8	Instrument	Les élèves apprennent à inférer «ce que la personne utilise comme outil ou instrument».
Leçons 9 et 10	Catégorie	Les élèves apprennent à inférer le concept générique recouvrant un groupe de mots.
Leçons 11 et 12	Objet	Les élèves apprennent à inférer «quelque chose qui peut être vu, touché ou dont on peut parler».
Leçon 13	Cause–effet (inférer la cause)	Les élèves apprennent à inférer «quelque chose qui produit un résultat ou un effet».
Leçon 14	Cause–effet (inférer l'effet)	Les élèves apprennent à inférer «l'effet, le résultat, la conséquence...»
Leçon 15	Problème–solution (inférer une solution)	Les élèves apprennent à inférer «une solution reliée à un problème».
Leçon 16	Problème–solution (inférer une cause)	Les élèves apprennent à inférer «un problème relié à une solution».
Leçons 17 et 18	Sentiment	Les élèves apprennent à inférer un sentiment ou une attitude.
Leçon 19	Révision	Les élèves révisent les inférences qui demandent encore de l'attention.

Nous rapportons ci-après de quelle façon a été planifiée la participation des élèves dans la recherche Reutzel et Hollingsworth (1988) ainsi que les textes qui ont servi de support à la leçon sur l'inférence de type «action».

Après avoir expliqué le type d'inférence qui fait l'objet de la leçon, l'enseignant explique, à partir d'un exemple, quels mots dans le texte peuvent servir d'indices pour élaborer l'inférence en question; il énonce ensuite l'inférence et la justifie. Graduellement, les élèves doivent participer à la tâche.

Paragraphe 1 :

- L'enseignant met les indices en évidence.

- L'enseignant effectue l'inférence.
- L'enseignant justifie l'inférence.

> Caroline versa la farine dans le bol et ajouta de la poudre à lever. Elle cassa alors des œufs dans un autre bol et les battit avec du lait. Elle avait déjà mélangé le beurre et le sucre.
>
> Que fait Caroline?

Paragraphe 2:

- L'enseignant met les indices en évidence.
- Les élèves effectuent l'inférence.
- L'enseignant justifie l'inférence.

> Alice baissa la tête. Elle n'avait pas voulu faire cela. C'est juste qu'elle n'avait pas réussi à contrôler la balle. «C'était mon plus beau rosier!» dit M. Renaud. «Comment as-tu pu faire cela?»
>
> Qu'a fait Alice?

Paragraphe 3:

- Les élèves mettent les indices en évidence.
- L'enseignant effectue l'inférence.
- L'enseignant justifie l'inférence.

> Guillaume mordillait le bout de son crayon. Il ne savait pas quoi écrire. Il n'avait pas vu sa tante Suzanne depuis si longtemps qu'il se souvenait à peine d'elle. Mais elle lui avait envoyé un cadeau d'anniversaire. En soupirant, Guillaume prit une nouvelle feuille et recommença.
>
> Que fait Guillaume?

Paragraphe 4:

- Les élèves mettent les indices en évidence.
- Les élèves effectuent l'inférence.
- L'enseignant justifie l'inférence.

> La cloche sonna au milieu du cours d'anglais et retentit à travers toute l'école. Les élèves se mirent immédiatement en rang et sortirent de l'école de façon ordonnée.
>
> Que font les élèves?

Paragraphe 5:

- Les élèves mettent en évidence les mots indices.
- Les élèves effectuent l'inférence.
- Les élèves justifient l'inférence.

> Un grondement parvint de la terre. Les édifices se mirent à trembler et certains s'effondrèrent.
>
> Que se passe-t-il?

Autre stratégie d'entraînement aux inférences

Holmes (1983a) présente une stratégie qui s'est révélée efficace avec des lecteurs de quatrième et cinquième année en difficulté. L'auteur met l'accent sur les indices qui mènent à l'inférence et sur la façon de vérifier ces indices.

1. Lire un passage et poser une question d'inférence
Exemple de passage:

> Plus Antoine marchait, plus il faisait noir. Il devait se pencher pour ne pas se heurter la tête sur les rochers humides. À sa gauche, courait un petit ruisseau souterrain. C'était le seul son qu'il entendait à part celui de ses pas qui crissaient sur les pierres et le sol. Quand il regarda tout autour, Antoine vit l'endroit où il était arrivé. C'était un puits de lumière.

Question: Où est Antoine?

2. Faire émettre une hypothèse
Les élèves génèrent des réponses à partir de leurs connaissances et de leurs expériences. Les réponses peuvent être, par exemple: sur une plage, sur une montagne, dans une cave.

Il arrive parfois que des lecteurs en difficulté ne répondent pas correctement à ce type de question. Ainsi, à la question «Quand l'histoire se passe-t-elle?», des élèves vont répondre «dans le salon» ou «le pompier». Il faut alors travailler spécifiquement sur l'association entre les questions «Qui? Quand? Où? Pourquoi?» et les réponses.

3. Identifier les mots clés
L'enseignant demande aux élèves d'identifier les mots clés du paragraphe: par exemple *marchait, plus noir, crissaient, rochers humides, heurter la tête*.

4. Formuler des questions de type oui–non et y répondre   L'enseignant formule des questions de type oui–non à partir des hypothèses des élèves et des mots clés. Si les élèves disent qu'Antoine peut être à la plage, l'enseignant démontre comment ils pourraient poser des questions pour voir si les mots clés vont avec «plage».

Si Antoine était à la plage,

- – pourrait-il marcher? (oui)
- – pourrait-il se heurter la tête sur les rochers? (non)
- – pourrait-il faire de plus en plus noir? (oui, si c'est le soir)

Après avoir éliminé une possibilité, on passe à la suivante (ex.: cave). Cette étape a pour objectif de montrer aux élèves comment être systématiques dans leur recherche de solution et de les encourager à être actifs dans leur lecture.

Graduellement, les élèves commencent à poser leurs propres questions. Ils peuvent même poser leurs questions aux autres élèves.

5. Porter un jugement final   Il s'agit de continuer jusqu'à ce que tous les mots soient passés en revue. Lorsque les questions ont toutes obtenu une réponse, les élèves peuvent être assez certains qu'ils ont trouvé une réponse adéquate à la question d'inférence.

Dans ce chapitre, nous avons voulu mettre en évidence les processus permettant de comprendre les liens entre les propositions ou entre les phrases. Certains processus servent à comprendre les liens explicites et d'autres à inférer les liens implicites. Même si la capacité à inférer n'atteint pas sa pleine maturité au primaire, il est possible de favoriser ce développement chez les élèves par des stratégies pédagogiques appropriées.

5

Les macroprocessus

Première partie : l'idée principale et le résumé

Les macroprocessus sont orientés vers la compréhension du texte dans son entier. Ces processus comprennent l'identification des idées principales, le résumé et l'utilisation de la structure du texte. Ce chapitre sera consacré à la première partie des macroprocessus, c'est-à-dire l'idée principale et le résumé, et fera état des connaissances actuelles sur la nature de ces habiletés, sur leur maîtrise par les élèves et sur les stratégies pédagogiques qui s'y rattachent.

L'IDÉE PRINCIPALE

Dans l'enseignement de la lecture, la notion d'idée principale a subi une évolution marquée. Au début du siècle, on avait tendance à considérer toutes les informations d'un texte comme étant au même niveau d'importance; bien des progrès ont été accomplis depuis ce temps et, aujourd'hui, les programmes d'enseignement accordent à l'information importante dans le texte la place qui lui revient. Malgré cette évolution, il est reconnu que les élèves ne maîtrisent pas cette habileté au primaire. Deux possibilités s'offrent aux enseignants pour pallier ce problème: améliorer les stratégies des élèves ou modifier les textes qu'on leur donne à lire. Il est de plus en plus admis que la compréhension des idées principales peut être améliorée grâce à l'application de certaines règles lors de la construction des textes, mais étant donné que les élèves auront souvent à lire des textes qui ne respectent pas ces règles, l'enseignement des stratégies de compréhension sera toujours nécessaire (Baumann, 1986a).

L'idée principale est un concept qui demande à être défini de façon plus spécifique. Ce concept d'idée principale se retrouve sous différents vocables: message de l'auteur, vision d'ensemble, éléments importants, point de vue principal, cœur du passage, essentiel du texte... Ces différentes appellations reflètent la diversité des conceptions qu'on se fait de l'idée principale. Dans cette perspective, Cunningham et Moore (1986) ont demandé à des élèves de sixième année et à des enseignants de trouver l'idée principale d'un court texte; les auteurs ont pu identifier, chez les sujets, neuf conceptions différentes de la notion d'idée principale et ce, autant chez les enseignants que chez les élèves. Ces résultats peuvent expliquer pourquoi bien peu d'enseignants se risquent à donner un exercice sur l'idée principale d'un texte sans avoir le guide des réponses en main.

Qu'est-ce qu'une information importante?

Il est reconnu que le jugement sur ce qui est important dans un texte peut varier d'un lecteur à l'autre, d'une situation à l'autre. Est-ce dire qu'il est impossible de déterminer avec certitude quelles sont les idées importantes dans un texte? Non. Mais il importe cependant de réaliser qu'il existe deux catégories d'information importante: l'information «*textuellement importante*» et l'information «*contextuellement importante*» (van Dijk, 1979).

1) L'information peut être importante parce que **l'auteur** la présente comme telle. (textuellement importante)

2) L'information peut être importante parce que le **lecteur** la considère comme telle en raison de son intention de lecture. (contextuellement importante)

Plusieurs études rapportent que les jeunes lecteurs et les lecteurs moins habiles éprouvent de la difficulté à identifier l'information que l'auteur considère comme importante dans un texte. En fait, ce n'est pas que les lecteurs faibles ou plus jeunes ne sont pas assez sensibles à l'importance des informations, mais plutôt qu'ils ont une conception différente de ce qu'est l'information importante. Ils considèrent comme importante une idée qui les intéresse personnellement et non pas ce que l'auteur a lui-même marqué comme central ou essentiel (Winograd, 1984); en d'autres mots, ils sont davantage centrés sur l'information *contextuellement importante*.

Les lecteurs habiles sont plus flexibles dans leur recherche d'informations importantes : ils se servent à la fois de leur intention de lecture et des indices placés par l'auteur pour déterminer l'importance de l'information dans un texte. Il est donc primordial que les élèves qui ne sont pas déjà sensibilisés à cette notion apprennent à faire la distinction entre les deux types d'information.

Les causes de confusion au sujet de l'idée principale

L'idée principale et les types de textes

Une des causes de confusion concernant l'idée principale provient du fait qu'elle varie selon les types de textes (Williams, 1986): en effet, dans un récit, l'idée principale concerne les événements et leur interprétation alors que dans les textes informatifs, ce qui est important peut être un concept, une généralisation, une règle... Plusieurs auteurs suggèrent de limiter l'utilisation de la notion d'idée principale au texte informatif. Cela n'implique pas que l'enseignant n'amènera pas les élèves à identifier les éléments importants d'un récit; au contraire, il s'agit là d'une activité nécessaire, mais l'élève se référera alors aux éléments apportés par la grammaire de récit.

Le sujet d'un texte et l'idée principale

Une deuxième cause de confusion dans l'enseignement de l'idée principale réside dans le manque de distinction entre le sujet d'un texte et l'idée principale de ce texte. La plupart des auteurs suggèrent de distinguer, dans l'enseignement, la notion de sujet de celle d'idée principale (Aulls, 1986).

Sujet   Lorsque l'enseignant demande aux élèves: «De quoi parle ce paragraphe» ou «De quoi traite cet article?», il leur demande de trouver le sujet du texte. Habituellement, le sujet peut être résumé par un mot ou une expression.

Idée principale   Lorsque l'enseignant demande: «Quelle est la chose la plus importante que l'auteur veut nous dire dans son texte?», il s'attend à obtenir une idée principale comme réponse. L'idée principale d'un texte représente l'information la plus importante que l'auteur a fournie pour expliciter le sujet. Elle est généralement exposée dans une seule phrase, mais elle peut parfois se retrouver dans deux phrases adjacentes. De plus, il arrive que l'idée principale soit implicite; dans ce cas, elle doit alors être inférée à partir des informations contenues dans le texte.

On voit bien, par les deux exemples qui suivent, la différence entre le sujet et l'idée principale.

Sujet	Idée principale
Les chiens	Il existe plusieurs races de chien qui présentent un ensemble de caractéristiques communes.
Les étudiants handicapés	Depuis une dizaine d'années, les autorités scolaires ont fait un effort considérable pour répondre aux besoins des étudiants handicapés.

Relativement à l'enseignement du sujet et de l'idée principale, Aulls (1986) suggère trois principes généraux susceptibles d'être utiles aux enseignants.

1) Les élèves doivent apprendre que le sujet est différent de l'idée principale parce qu'utiliser les deux termes indifféremment peut créer des confusions cognitives.

2) Les élèves doivent apprendre ce qu'est un sujet avant d'apprendre ce qu'est une idée principale parce qu'ils acquièrent la compétence cognitive qui permet d'identifier un sujet avant celle qui permet d'identifier une idée principale.

3) Les élèves doivent apprendre à identifier d'abord le sujet et ensuite l'idée principale dans un texte parce qu'ordinairement le sujet est introduit plus tôt dans le texte que l'idée principale.

L'idée principale implicite et l'idée principale explicite

Selon les textes, l'idée principale peut être exprimée de différentes façons. Dans certains textes, elle est explicite; dans d'autres, elle est implicite. Enfin, dans certains autres textes, elle est ambiguë, c'est-à-dire que ces textes ne contiennent pas de véritable idée principale. Ces diverses possibilités seront illustrées ci-après à partir de textes traduits et adaptés de Flood *et al.* (1986).

Le texte suivant donne un exemple d'idée principale clairement exprimée:

> *Devenir chanteur d'opéra demande beaucoup de préparation. Avant de pouvoir se produire dans un rôle, les chanteurs doivent étudier pendant des années pour préparer leur voix. Et, puisque les opéras sont écrits dans différentes langues, les chanteurs doivent apprendre à chanter dans des langues étrangères. Les chanteurs doivent aussi apprendre à jouer la comédie, puisque, après tout, l'opéra est une forme de théâtre. Pour se préparer à chanter dans un opéra, les chanteurs entraînent leur voix comme les athlètes entraînent leur corps.*

L'idée principale est formulée textuellement dans la première phrase: «Devenir un chanteur d'opéra demande beaucoup de préparation.» Les autres phrases concourent à développer cette idée principale.

Dans le texte suivant, l'idée principale peut être considérée comme implicite.

> *La partie la plus ancienne de la ville est entourée de murs épais. À l'intérieur se retrouvent un fouillis de rues étroites et de petites boutiques dans lesquelles on vend de tout. Partout, il y a des gens – beaucoup trop de gens – de nombreux mendiants et des enfants*

> *en haillons. Le bruit est assourdissant, le soleil est brûlant et les odeurs nauséabondes. Comme c'est différent des rues larges et propres de la partie moderne de la ville!*

Dans ce texte, l'idée principale n'est pas exprimée explicitement (la nouvelle partie de la ville est plus agréable que l'ancienne). Même si le texte est aussi facile à comprendre que le premier, en trouver l'idée principale est une tâche plus difficile.

Enfin, voici un texte qui n'est pas réellement organisé autour d'une idée principale.

> *La fonction du squelette humain est de protéger les organes du corps. Ses 202 os supportent le corps et servent également de points d'attache pour les muscles. Le squelette, qui représente environ 18 % du corps, est maintenu par des ligaments qui s'étirent pour permettre aux os de bouger. Le point de jonction entre deux os est appelé une articulation. Une fonction majeure du squelette est de protéger le cœur et les reins.*

Dans ce dernier texte, l'idée principale n'est pas clairement exprimée. La première phrase semble être une idée principale, mais les phrases suivantes contiennent des informations qui ne se rattachent pas directement à cette idée.

L'idée principale est donc exprimée de différentes façons dans les textes ; l'habileté des élèves à identifier l'idée principale sera étroitement dépendante de la façon dont elle est présentée dans le texte, l'idée principale explicite étant toujours plus facile à identifier, et ce, quel que soit l'âge des élèves.

La localisation de l'idée principale et autres variables

Dans un texte, l'idée principale peut apparaître au début du texte, à la fin ou au milieu du texte, ou à la fois au début et à la fin du texte. Il a été maintes fois démontré que l'idée principale exprimée dans la première phrase du paragraphe est plus facile à dégager par les élèves que l'idée principale placée au milieu ou à la fin du paragraphe (Hare *et al.*, 1989).

De plus, l'idée principale est plus facile à identifier si le texte est court et si sa structure est de type descriptif ou de type séquentiel, par comparaison à une structure de type cause–effet (Hare *et al.*, 1989).

L'enseignement de l'idée principale

L'auto-observation de l'enseignant

Le premier conseil à donner aux enseignants est de s'observer eux-mêmes lorsqu'ils cherchent l'idée principale d'un texte et cela pour deux raisons (Afflerback, 1987):

- d'abord, l'enseignant comprendra mieux les processus exigés par cette tâche;
- ensuite, il évaluera mieux ce qu'il exige des élèves quand il leur demande de trouver l'idée principale.

L'enseignement de l'idée principale explicite

Pour enseigner aux élèves à identifier l'idée principale, la meilleure démarche consiste à procéder selon les étapes de l'enseignement explicite, c'est-à-dire à expliquer aux élèves le pourquoi de la stratégie, à illustrer la stratégie afin de rendre le processus transparent, à leur fournir de l'aide lors de leurs essais et à leur procurer des occasions pour appliquer la stratégie.

Concrètement, pour la partie *illustration* de la stratégie, il s'agit de choisir un texte avec une idée principale explicite, par exemple, un texte sur les différents services que nous rendent les animaux. Pour chaque phrase qui ne renferme pas l'idée principale du paragraphe, il faut expliquer aux élèves pourquoi le contenu de cette phrase n'est pas justement l'idée principale du paragraphe. Ainsi, l'enseignant peut dire aux élèves, par exemple: «La phrase 2 ne peut résumer l'idée principale du paragraphe parce qu'elle ne mentionne qu'un des services que nous rendent les animaux. Il n'y a que la phrase 4 qui nous parle de l'idée d'ensemble du paragraphe, à savoir que les animaux nous rendent différents services.»

Une leçon sur l'idée principale implicite

De façon générale, trouver l'idée principale implicite dans un texte est une tâche difficile qui n'est pas maîtrisée au primaire. Cependant, certaines études ont montré qu'il était possible d'enseigner efficacement à des élèves de sixième année à identifier l'idée principale implicite dans un paragraphe (Baumann, 1984). La démarche suivante est une façon d'enseigner à trouver l'idée principale implicite (Baumann et Schmitt, 1986).

Étape 1   Le **quoi**: ce qu'est la stratégie.

Dans notre dernière leçon, nous avons appris à trouver l'idée principale d'un paragraphe lorsque celle-ci était exprimée dans une phrase. Aujourd'hui, nous allons apprendre à trouver l'idée principale dans des paragraphes, mais cette fois-ci l'idée principale ne sera pas exprimée dans une phrase. Il y aura quand même une idée principale dans ces paragraphes, mais elle ne sera pas formulée.

Étape 2   Le **pourquoi**: pourquoi la stratégie est importante.

Apprendre à trouver l'idée principale d'un paragraphe quand cette idée n'est pas exprimée dans une phrase est une habileté de lecture importante, car vous rencontrerez souvent des paragraphes de ce genre. Si vous trouvez l'idée importante de ces paragraphes, vous saurez ce que l'auteur considérait, lui, comme essentiel lorsqu'il les a écrits. De cette façon, vous serez capables de vous souvenir des informations importantes du texte et de les apprendre. Ceci vous sera particulièrement utile dans vos travaux de sciences humaines et de sciences de la nature.

Étape 3   Le **comment**: comment procéder pour trouver l'idée principale.

Il y a trois étapes à suivre pour trouver l'idée principale d'un paragraphe quand celle-ci n'est pas exprimée dans une phrase...
  1) Trouvez le sujet du paragraphe: le sujet, c'est comme un titre composé d'un ou de deux mots et qui dit de quoi on parle dans le paragraphe.
  2) Lisez le texte pour voir ce qui est dit du sujet. Écrivez une phrase qui inclut le sujet et l'essentiel de ce qui est dit sur ce sujet: vous obtenez l'idée principale.
  3) Vérifiez votre réponse. Relisez le texte et à chaque phrase demandez-vous: «Est-ce que cette phrase se rattache à l'idée principale?» Si oui, il s'agit d'une idée secondaire qui appuie l'idée principale. Si vous trouvez plusieurs phrases qui ne se rattachent pas à l'idée principale, revenez à l'étape 1.

Étape 4   Le **quand**: quand utiliser la stratégie.

Remarquez que les textes que nous avons utilisés étaient des textes contenant des informations, c'est-à-dire des textes informatifs. Ce sont les seuls textes dans lesquels il est possible de trouver l'idée principale au moyen de la stratégie que nous venons de présenter. Lorsque vous lisez une histoire, ne tentez pas de trouver l'idée principale à l'aide de cette méthode. Il y a certainement des informations importantes dans une histoire, mais l'auteur ne les présente pas de la même façon qu'il le fait dans les textes informatifs. N'utilisez cette technique que lorsque vous avez de la difficulté à comprendre un paragraphe. Par exemple, si vous lisez un texte en sciences humaines et que vous ne comprenez pas ce que l'auteur veut dire, demandez-vous : «Quelle est l'idée principale ici ?» Si vous arrivez à la trouver, vous comprendrez mieux le texte.

LE RÉSUMÉ

L'habileté à résumer est régulièrement sollicitée dans la vie quotidienne de chacun et chacune; comme adulte, nous avons souvent à résumer un livre, une pièce de théâtre ou un film, si ce n'est par écrit, du moins de façon orale. «L'utilité sociale du résumé est difficile à nier» (Laurent, 1985, p. 71). À l'école, les premiers contacts des élèves avec le résumé sont, d'une part, l'obligation de résumer des livres et d'autre part, celle d'effectuer des travaux documentaires sur un thème particulier (animaux, planètes, groupes de chanteurs...).

Malgré son importance dans la vie quotidienne et scolaire, le résumé ne fait l'objet de recherches que depuis quelques années. L'intérêt pour le résumé a d'abord été engendré par le désir de vérifier l'hypothèse selon laquelle, pour comprendre un texte, le lecteur se ferait une représentation globale du texte, représentation qui serait en fait une sorte de résumé du texte (Kintsch et van Dijk, 1978). Le résumé, de ce fait, a été considéré comme une façon de cerner le processus de compréhension.

Du domaine des chercheurs, le résumé est ensuite passé entre les mains des pédagogues. Les enseignants ont commencé à se poser les questions suivantes: «Les élèves savent-ils résumer? Est-il possible d'améliorer cette habileté et si oui, de quelle façon?»

Ce qu'est un résumé

Selon Laurent (1985), le résumé serait «la réécriture d'un texte antérieur selon une triple visée : le maintien de l'équivalence informative, la réalisation d'une économie de moyens signifiants et l'adaptation à une situation nouvelle de communication» (p. 73).

Trois éléments essentiels apparaissent donc reliés au résumé:

1) **Le maintien de l'équivalence informative**   Le résumé doit représenter la pensée de l'auteur et contenir l'essentiel des informations livrées par le texte.

2) **L'économie de moyens**   Le résumé doit présenter, en diminuant le nombre de mots utilisés, la même information que celle paraissant dans le texte original. Certaines informations doivent, de ce fait, être éliminées: ce sont les informations redondantes et les informations secondaires.

3) **L'adaptation à une situation nouvelle de communication** Un résumé est toujours écrit en fonction d'un auditoire particulier; il faut tenir compte de ce facteur dans la façon de présenter les informations. Ainsi, un texte ne sera pas résumé de la même façon s'il s'adresse à des gérants de banque ou s'il vise des clients potentiels.

Ce que n'est pas le résumé

Il importe d'établir une distinction entre redire oralement un texte (faire le rappel d'un texte) et résumer un texte. Il est plus difficile de résumer un texte que d'en faire le rappel parce qu'un résumé sous-entend l'élimination de certains éléments. Dans un sens, redire un texte reflète la compréhension du lecteur, alors que résumer un texte révèle en plus chez lui des habiletés supplémentaires de jugement sur l'information. Dans un résumé, il faut prendre des décisions sur l'importance relative des éléments, il faut sélectionner et hiérarchiser, ce qui exige une participation plus active que la compréhension seule.

En principe, un résumé sera donc moins long qu'un rappel; cependant, il faut être alerte avec les jeunes lecteurs qui fournissent des rappels courts et ne pas confondre ces rappels avec de véritables résumés. En produisant un rappel court, l'élève n'a pas éliminé délibérément l'information, il a simplement peu retenu du texte.

Les règles de résumé

Les premières recherches sur le résumé ont consisté à dégager les règles que le bon lecteur utilise (souvent inconsciemment) pour extraire l'information importante d'un texte. En s'appuyant sur le modèle de Kintsch et van Dijk (1978), Brown et Day (1983) ont identifié six règles d'élaboration d'un résumé :

A. Élimination

    1) Éliminer l'information secondaire.

    2) Éliminer l'information redondante.

B. Substitution

    1) Remplacer une liste d'éléments par un terme englobant.

    2) Remplacer une liste d'actions par un terme englobant.

C. Macrosélection et invention

    1) Choisir la phrase qui contient l'idée principale.

    2) S'il n'y a pas de phrase contenant l'idée principale, en produire une.

Ces règles sont celles que l'on observe chez les adultes ; elles évoluent constamment du primaire jusqu'au niveau universitaire.

Les recherches sur l'habileté des élèves à résumer

Certains chercheurs ont tenté de déterminer dans quelle séquence étaient maîtrisées les six règles de composition d'un résumé. Brown et Day (1983) ont analysé comment des élèves de cinquième, septième* et dixième année ainsi que des adultes utilisaient les règles pour construire leur résumé.

A. Règle d'élimination : cette règle est utilisée avec succès par tous les sujets même par les élèves de cinquième année.

B. Règle de substitution : les élèves de cinquième année l'utilisent peu, ceux de septième année en font un usage plus important, mais souvent inefficace, alors que les élèves de dixième année et du collégial la maîtrisent.

C. Règle de sélection : une évolution graduelle se manifeste suivant l'âge croissant des élèves.

D. Règle d'invention : la règle d'invention est la plus difficile. Peu d'élèves de cinquième l'utilisent et, au collégial, elle n'est encore choisie que dans la moitié des cas où elle serait appropriée.

---

* La septième année correspond au secondaire 1 dans le système scolaire québécois.

La séquence d'acquisition des règles nécessaires à l'élaboration d'un résumé serait donc la suivante: règle de suppression, règle de substitution, règle de sélection et règle d'invention.

Certains auteurs ont également constaté différents niveaux dans la maîtrise des tâches relatives au résumé. Ainsi, Garner (1985) a comparé trois tâches relatives au résumé chez des élèves de cinquième année: 1) reconnaître un bon résumé; 2) réussir un bon résumé; 3) réfléchir sur un résumé et expliquer les étapes de sa production. Tous les lecteurs, c'est-à-dire les faibles et les forts, réussissent bien la première tâche qui consiste à reconnaître un bon résumé. Les deux autres tâches sont mieux réussies par les bons lecteurs: un certain nombre d'entre eux réussissent à écrire un bon résumé, mais très peu peuvent expliquer comment ils ont procédé pour composer leur texte.

Pourquoi est-il difficile de résumer?

Lorsque les élèves ont à résumer un texte, leur comportement diffère selon qu'ils ont le droit ou non de se référer au texte qu'on leur demande de résumer. Les enseignants remarquent souvent que lorsque les élèves n'ont pas le texte en main pour effectuer le résumé, ils écrivent tout ce dont ils se souviennent. Si, par contre, ils peuvent revenir au texte, la stratégie la plus fréquemment utilisée est celle de *copier–éliminer* (Brown et Day, 1983). Ils copient de larges extraits, puis éliminent complètement certaines parties. Tous les enseignants sont familiers avec ce type de comportement. Mais pourquoi les élèves conservent-ils longtemps ce type de stratégie? Est-ce parce qu'ils ne possèdent pas le développement intellectuel nécessaire pour procéder autrement? Est-ce plutôt parce qu'ils croient avoir fait un bon résumé?

Plusieurs facteurs peuvent influencer le degré de réussite des élèves dans la tâche de résumer un texte, entre autres, leur **conception de la tâche**, leur **difficulté à appliquer les règles du résumé** et leur **manque d'expérience**.

La conception de la tâche

Les élèves comprennent-ils bien ce que l'enseignant attend d'eux au moment de l'élaboration d'un résumé? Pour répondre à cette question, K. Taylor (1986) a demandé à des élèves de quatrième et de cinquième année qui réussissaient moins bien dans cette tâche ce qu'ils y trouvaient difficile. Ils ont répondu: «C'est de trouver des mots pour remplacer ceux de l'auteur». À cette même question, les élèves qui parvenaient mieux à résumer un texte ont répondu: «C'est de trouver les idées principales». La conception du résumé est donc tout à fait différente chez ces deux groupes. De plus, ceux qui ont moins bien réussi ont affirmé que résumer était une tâche plutôt facile et qu'ils croyaient avoir fait un assez bon résumé, alors que ceux qui avaient réalisé de bons résumés ont admis qu'il s'agissait d'une tâche difficile et qu'ils étaient sceptiques par rapport à leur réussite.

Par contre, Winograd (1984) a trouvé, avec des élèves du secondaire, que même les élèves moins habiles à résumer semblaient assez bien comprendre les attentes de leur professeur lorsqu'il leur donnait pour tâche de résumer un texte. Garner (1985) obtient le même genre de résultats avec les élèves du collégial: ceux-ci semblent comprendre en quoi consiste la tâche de résumer un texte (mieux que les élèves du secondaire) même quand ils ont de la difficulté dans la production du résumé.

La conception que se font les élèves de la tâche exigée au moment de l'élaboration d'un résumé serait donc un facteur à considérer dans leur réussite à cette tâche et ceci particulièrement pour les lecteurs plus jeunes.

La difficulté à appliquer les règles du résumé

Certains chercheurs sont d'avis que les problèmes à résumer un texte rencontrés par les élèves peuvent provenir en bonne partie des inhabiletés de production, c'est-à-dire de la difficulté à appliquer les règles du résumé (Head, 1987). Parmi ces règles, celles qui concernent l'idée principale sont les plus difficiles à maîtriser.

Ainsi, des chercheurs ont observé que les élèves du primaire (de quatrième et cinquième année) incluent souvent dans leur résumé l'information qui est rare ou nouvelle pour eux et laissent de côté des informations jugées importantes par l'auteur. Leur raisonnement est le suivant: si l'information est courante et déjà connue, elle n'a pas besoin d'être résumée. En somme, ils font un résumé subjectif. Les notions d'information textuellement importante et d'information contextuellement importante peuvent fort bien s'appliquer ici: les élèves identifient plus facilement une information contextuellement importante qu'une information textuellement importante (Taylor, 1984).

Signalons que même si des problèmes au niveau du résumé peuvent être symptomatiques de problèmes de compréhension, un lecteur qui connaît des difficultés à résumer n'est pas nécessairement un lecteur qui éprouve des problèmes de compréhension. Dans plusieurs cas, il peut s'agir de difficultés à effectuer des opérations secondaires utiles à la condensation de l'information. Travailler la compréhension n'améliore donc pas automatiquement l'habileté à résumer (Winograd, 1984). Cette nuance est importante surtout lorsqu'on a affaire à de jeunes lecteurs.

Le manque d'expérience

De façon générale, les techniques pour résumer un texte ne font pas partie des guides pédagogiques ni vraiment des préoccupations des enseignants. La plupart des élèves à la fin du primaire n'ont pas reçu d'enseignement spécifique concernant le résumé. Au secondaire et au collégial, les manuels semblent sous-entendre que l'habileté à résumer est déjà acquise. Taylor (1983) a vérifié l'habileté à résumer des étudiants du niveau collégial et a trouvé que très peu d'entre eux savaient résumer de façon efficace. Apparemment, personne encore ne leur avait enseigné (ou ils n'avaient pas compris) quel était le degré de spécificité généralement attendu de leur part dans un résumé; ils n'avaient pas réalisé non plus que l'auditoire auquel ils s'adressaient avait une influence sur le niveau de généralité du résumé. Cependant, au début de l'expérience, la moitié d'entre eux croyaient posséder les habiletés nécessaires pour résumer un texte de façon adéquate.

L'enseignement du résumé

Si l'habileté à résumer s'améliore avec l'âge, cette habileté est également susceptible d'être modifiée par l'entraînement. Plusieurs recherches ont permis de constater une capacité nettement supérieure à résumer un texte de la part d'élèves qui ont subi un entraînement spécifique: Bean et Steenwyk (1984) et Head (1987) l'ont observé chez des élèves de sixième année, K. Taylor (1986) dans des classes de quatrième et cinquième année, Hare et Borchardt (1984) au secondaire ainsi que Rinehart et al. (1986) et King et al. (1984) chez des étudiants de niveau collégial.

L'entraînement à résumer a un effet sur la compréhension du texte à résumer et un effet de transfert sur la compréhension d'autres textes (Rinehart et al., 1986).

Principes généraux de l'enseignement du résumé

Différentes techniques ont été proposées pour améliorer l'habileté à résumer des élèves. Cependant, avant de décrire des techniques spécifiques, il convient d'exposer certains principes qui devraient guider tout enseignement du résumé; les principes qui vont suivre sont tirés de Taylor (1984).

Bien comprendre avant de résumer

Le résumé dépendra de la façon dont le texte a été lu. Il faut sensibiliser les élèves au fait que les textes narratifs et les textes informatifs ne seront pas lus de la même façon lorsqu'il sera question d'en faire un résumé. Par exemple, dans un texte narratif, le lecteur attendra d'avoir une bonne idée du caractère des personnages, de leur motivation et de la situation dans laquelle ils se trouvent avant de tirer une conclusion, alors que dans un texte informatif, le lecteur utilisera, dès le début de sa lecture, les mots clés et les phrases servant à résumer la pensée de l'auteur, qui ont été inclus par l'auteur lui-même. Les lecteurs sensibilisés à ce fait se rendront compte que l'auteur a déjà réalisé une bonne partie du résumé pour eux. En d'autres mots, la signification d'une histoire prend souvent forme vers la fin du texte alors que la signification d'un texte informatif se construit tout au long de sa lecture.

L'enseignant doit insister sur le fait qu'une seule lecture n'est pas suffisante pour effectuer un bon résumé. Taylor (1984) a observé que les élèves habiles à résumer prennent plus de temps à lire qu'à écrire alors que c'est l'inverse pour ceux qui sont moins habiles à effectuer cette tâche. En fait, si le travail de réflexion a été fait durant la lecture, l'écriture se fera relativement rapidement.

Prendre des notes

Il est pertinent d'initier les élèves à la façon de prendre des notes et de marquer le texte dans le but de le résumer. D'ailleurs, presque tous les lecteurs habiles procèdent ainsi. Ces notes autour du texte permettent de se souvenir de ce qui a été lu, de discriminer l'important du secondaire et de localiser les idées sur lesquelles il faut revenir plus tard.

Bien identifier les idées principales

Il est reconnu que le résumé est intimement lié à la capacité d'identifier les idées principales d'un texte. Toutefois, cette habileté n'est pas complètement maîtrisée à la fin du primaire. Il sera donc important de sensibiliser les élèves aux différences existant entre «idée principale» et «idée secondaire», de les amener non seulement à sélectionner l'idée principale mais également à formuler leur propre idée principale.

Séquence d'enseignement ou gradation de la tâche

La tâche de résumer un texte est complexe et nécessite un enseignement graduel. Hidi et Anderson (1986) ont regroupé toute une série de recommandations adressées aux enseignants et de nature à simplifier cette tâche aux élèves dès le début.

Longueur du texte   Même les jeunes élèves réussiront à effectuer un certains résumé si le texte est court.

Gradation: augmenter graduellement la longueur du texte à résumer.

Types de textes   Les jeunes élèves résument plus facilement les textes narratifs.

Gradation: passer plus tard à d'autres types de texte.

Complexité du texte   Les premiers textes à résumer doivent contenir des concepts familiers et surtout être rédigés de façon à ce que les idées principales soient bien mises en relief.

Gradation: plus tard, présenter aux élèves des textes plus complexes contenant des idées principales implicites.

Présence du texte   Il est plus facile pour les jeunes élèves de résumer un texte qu'ils ont sous les yeux que de résumer un texte de mémoire (Head, 1987). La présence du texte cependant peut inciter les élèves à utiliser la stratégie *copier–éliminer*. Il faut les amener à écrire le résumé dans leurs propres mots.

Gradation: après avoir laissé les élèves réaliser le résumé avec le texte sous les yeux, passer à la composition de résumés sans recours au texte.

Auditoire   Au début, les élèves peuvent écrire des résumés pour eux-mêmes. Ils n'ont pas la tâche de tenir compte d'un auditoire. Cependant, le fait d'écrire un résumé pour soi ne veut pas dire que ce résumé sera «bâclé». Au contraire, les élèves doivent comprendre qu'ils auront besoin de leur résumé plus tard et qu'il est important de le faire de façon complète et compréhensible. L'enseignant peut démontrer l'importance de cette tâche en leur demandant de relire leur résumé après quelques jours.

Gradation: plus tard, les élèves pourront apprendre à rédiger des résumés pour quelqu'un d'autre.

Longueur du résumé   Au début, l'enseignant doit permettre aux élèves d'écrire des résumés relativement longs. Dans les premiers résumés, les élèves ont tendance à redire le texte en enlevant seulement quelques informations.

Gradation: exiger ensuite que le résumé soit de plus en plus court.

Quelques stratégies spécifiques

Différentes techniques d'enseignement peuvent être utilisées pour entraîner les élèves à développer leur habileté à résumer.

A. L'enseignement explicite des règles du résumé.

B. Le résumé en 15 mots.

C. Le résumé hiérarchique.

D. Le résumé coopératif.

E. Le calcul du taux d'efficacité.

Enseignement explicite des règles du résumé

Plusieurs auteurs suggèrent de présenter les règles du résumé aux élèves en leur enseignant explicitement à les utiliser. Pour ce faire, il s'agit de présenter les règles une à une, à l'aide d'un rétroprojecteur, en les accompagnant de courts textes et d'exemples d'applications (Guido et Colwell, 1987).

Première règle   Ne pas inclure de détails inutiles, même si ce sont des détails qui vous intéressent.

Utilisez un paragraphe de quelques phrases, trouvez avec les élèves les informations non importantes et rayez-les.

Ex.:   La fillette portait une couronne dorée sur des cheveux bouclés couleur de feu. Sur la couronne était inscrit à la peinture verte: Princesse Maude.

La fillette portait une couronne sur laquelle était inscrit: Princesse Maude.

Deuxième règle   Ne pas répéter ce que vous avez déjà dit.

Ex.:   Pierre était très fâché contre son frère. Il était en colère parce que son frère avait brisé sa bicyclette.

Pierre était fâché contre son frère parce qu'il avait brisé sa bicyclette.

Troisième règle   Employer un terme générique pour remplacer une liste d'objets.

Ex.:   Jessica a cueilli des marguerites, des boutons d'or et des iris.

Jessica a cueilli des fleurs.

Quatrième règle   Utiliser un mot pour décrire une série d'actions présentées dans une ou plusieurs phrases.

Ex.:   Et je la vois qui se ratatine, qui rabougrit, qui se dégonfle et se défait, comme si elle fondait...

Elle rapetisse.

Commencez par une activité guidée en groupe, puis suggérez un travail en équipe et enfin des activités autonomes. De plus, remettez aux élèves une grille d'analyse ou une liste de critères qui leur permettra d'évaluer leur résumé.

Un résumé en 15 mots

Cette technique consiste globalement à limiter le résumé à 15 mots. Même si les règles ne sont pas présentées explicitement, les élèves en viennent à les appliquer intuitivement, car pour réussir cette tâche, ils doivent éliminer l'information secondaire et ne conserver que l'information importante (Bean et Steenwyk, 1984).

Voici les étapes du résumé en 15 mots :

1) Choisissez un paragraphe de 3 à 5 phrases. Il est nécessaire que la première phrase contienne plus de 15 mots.

2) Inscrivez 15 tirets au tableau et présentez la première phrase aux élèves à l'aide d'un rétroprojecteur.

3) Demandez au groupe de résumer cette première phrase en 15 mots ou moins. Complétez les tirets du tableau à l'aide du résumé proposé par la classe.

4) Effacez le tableau et réécrivez 15 nouveaux tirets. Présentez à l'aide du rétroprojecteur deux phrases (la phrase présentée précédemment et une nouvelle phrase) et demandez au groupe de résumer

ces deux phrases en 15 mots ou moins. Inscrivez le résultat au tableau en complétant toujours les tirets.

5) Effacez de nouveau le tableau et tracez encore 15 tirets. Présentez trois phrases au rétroprojecteur : les deux que vous avez déjà présentées ainsi que la troisième phrase du texte. Faites résumer par les élèves ces trois phrases en 15 mots. Continuez de la sorte jusqu'à ce que tout le texte soit résumé en 15 mots.

6) Lorsque le groupe se montre capable d'écrire une phrase pour résumer un paragraphe entier, faites travailler les élèves en équipe, puis enfin de façon individuelle.

Le résumé hiérarchique

La technique du résumé hiérarchique consiste essentiellement à relever les sous-titres qui apparaissent dans le texte à résumer et à écrire l'idée principale de chaque paragraphe ainsi que quelques idées secondaires se rattachant à ces idées principales. Taylor (1982) a utilisé avec succès cette technique auprès des élèves de cinquième année et, en collaboration avec Beach (1984), auprès des élèves de septième année.

Le résumé hiérarchique n'est pas à utiliser chaque fois que les élèves ont à lire un chapitre de manuel. Cependant, cette technique peut être utile pour montrer aux élèves comment aller chercher l'information importante dans un texte. Une fois qu'ils auront maîtrisé la technique, l'enseignant encouragera les élèves à utiliser ce type de résumé lorsqu'ils auront à étudier un matériel particulièrement difficile à retenir.

Signalons également que l'utilisation de cette technique repose sur la qualité des titres et des sous-titres : il est évident que tous les textes ne se prêteront pas à ce genre de résumé.

B. Taylor (1986) présente les étapes suivantes :

1) Après avoir parcouru rapidement le texte, préparez un squelette de résumé en écrivant sur une feuille chacun des sous-titres contenus dans le texte, numérotez-les de 1 à ... et laissez de la place pour écrire trois ou quatre phrases en dessous de chaque sous-titre. Réservez également un espace en haut de la page pour écrire l'idée générale du texte.

2) Pour chaque sous-titre, choisissez deux ou trois mots qui reflètent le sujet traité dans cette section. Utilisez ensuite ces deux ou trois mots pour écrire une phrase qui donne l'idée principale de cette même section et soulignez la phrase ainsi obtenue.

3) Écrivez, dans vos propres mots, deux ou trois phrases qui donnent des informations sur l'idée principale. Ce sont les idées secondaires.

4) Continuez de cette façon pour tous les autres sous-titres.

5) À la fin, retournez au haut de la page et écrivez une phrase qui donne l'idée principale du texte.

6) Vous pouvez vous servir de ce genre de résumé pour mémoriser les informations importantes dans un texte.

FIGURE 5.1:   Schéma du résumé hiérarchique

Idée principale du texte

Section 1

Mots clés:
Idée principale:

Idées secondaires
–
–
–

Section 2

Mots clés:
Idée principale:

Idées secondaires
–
–
–

Section 3

Mots clés:
Idée principale:

Idées secondaires
–
–
–

Le résumé coopératif

La technique du résumé hiérarchique peut s'utiliser en équipe sous forme de résumé coopératif. Même s'il est peu utilisé en classe, l'apprentissage coopératif est une autre possibilité intéressante. Les discussions ayant lieu dans les groupes favorisent davantage le développement de stratégies cognitives de haut niveau que le raisonnement pratiqué dans des situations d'apprentissage individuelles et compétitives (B. Taylor, 1986).

Pour produire un résumé coopératif, les étapes à suivre sont essentiellement les mêmes que celles prévues pour la composition du résumé hiérarchique, bien qu'elles soient adaptées aux sous-groupes.

1) Il s'agit de diviser les élèves en groupes de trois.

2) Chaque équipier lit à voix haute une section du texte.

3) Ensemble, les équipiers choisissent deux ou trois mots qui représentent le thème exploité dans le texte.

4) Chacun donne une suggestion d'idée principale et l'équipe choisit ensuite la meilleure.

5) Chaque membre de l'équipe suggère deux idées secondaires, puis l'équipe sélectionne celles qui se rattachent le mieux à l'idée principale.

Le calcul du taux d'efficacité

Hahn (1984) suggère d'utiliser le calcul du taux d'efficacité pour améliorer la capacité de l'élève à résumer. Notons qu'il est préférable d'enseigner cette technique à des élèves plus âgés.

Voici les étapes pour le calcul du taux d'efficacité :

1) Choisir un texte informatif (environ 250 mots).

2) Identifier les idées importantes du texte. Pour ce faire, demander l'aide d'un collègue et vérifier si vous vous entendez tous les deux sur les idées importantes contenues dans ce texte.

3) Demander aux élèves de lire le texte et d'écrire toutes les idées qu'ils considèrent importantes.

4) Demander ensuite aux élèves de tirer un trait sous les idées importantes qu'ils ont relevées et de les résumer en moins de mots possible.

5) Calculer ensuite le taux d'efficacité. Ce taux consiste à diviser le nombre d'idées importantes mentionnées par un élève par le nom-

bre de mots contenus dans son résumé. Par exemple, un élève a mentionné cinq idées importantes et son résumé contient 30 mots, son taux d'efficacité est de 16 %. Un taux de 16 % peut être considéré comme faible et un taux de 26 % comme bon.

6) Expliquer aux élèves ce qui rend un taux plus faible et revenir sur l'importance des idées principales ainsi que sur l'importance d'utiliser un nombre restreint de mots.

Les notions d'idée principale et de résumé sont fondamentales en lecture. En effet, une bonne partie de notre enseignement de la compréhension consiste à amener l'élève à dégager ce qui est important dans un texte. L'habileté à identifier les idées importantes et l'habileté à résumer un texte se développent graduellement et il ne faut pas s'attendre à ce qu'elles soient complètement maîtrisées à la fin du primaire. Cependant, il est possible de sensibiliser peu à peu les élèves à ces notions en ajustant les exigences de la tâche à leurs propres capacités.

6

Les macroprocessus

Deuxième partie : les textes narratifs

Outre l'habileté à identifier les idées principales et à résumer le texte, les macroprocessus comprennent également l'habileté à tirer parti de la structure du texte, c'est-à-dire à tenir compte de la façon dont les idées sont organisées à l'intérieur du texte. On sait que les lecteurs efficaces utilisent la structure du texte pour mieux comprendre et retenir l'information. Le présent chapitre abordera l'utilisation de la structure des textes narratifs, alors que le chapitre suivant portera sur l'utilisation de la structure des textes informatifs. Dans le cadre des textes narratifs, nous exposerons les notions de grammaire et de schéma de récit, puis nous suggérerons des activités pédagogiques élaborées à partir des résultats de recherche sur la compréhension de récit. Une attention particulière sera accordée au rappel de récit.

LA STRUCTURE DES TEXTES NARRATIFS

Il existe une variété de textes narratifs : la légende, le conte, la fable...
Le récit, qui est aussi un texte de structure narrative, est probablement
le type de texte qui a reçu le plus d'attention et qui a suscité le plus
grand nombre de recherches en éducation durant les dix dernières
années. C'est pourquoi, depuis quelques années, les notions de grammaire de récit et de schéma de récit ont fait leur entrée dans le milieu
scolaire.

La grammaire de récit

La grammaire de récit concerne la structure sous-jacente aux histoires.
Concrètement, la grammaire de récit est un système de règles dont le
but est de décrire les régularités trouvées dans les récits. Ces règles
décrivent les parties qui composent une histoire et la façon dont elles
sont organisées. Les grammaires de récit les plus connues sont celles
de Mandler et Johnson (1977), de Rumelhart (1975), de Stein et Glen
(1979) et de Thorndike (1977). L'ouvrage *Il était une fois* de Denhière
(1984) offre par ailleurs une recension détaillée des recherches sur le
récit.

Bien que l'identification des parties essentielles du récit puisse varier
de l'une à l'autre de ces grammaires, plusieurs éléments leur sont par
contre communs. Le tableau 6.1 fait état des différentes catégories habituellement retrouvées dans les grammaires de récit.

La plupart des catégories sont présentes dans un récit, mais certaines peuvent être à peine mentionnées ou encore absentes. Par exemple, le temps ou le lieu, lorsqu'ils sont moins importants dans un récit,
sont parfois imprécis. Il en est de même pour la fin ou la morale qui ne
sont pas toujours explicites.

Pour mieux cerner les catégories du récit, analysons l'histoire présentée à la figure 6.1, une histoire simple, mais qui comprend chacune
des parties d'un récit canonique (Spiegel, 1985).

TABLEAU 6.1 Les catégories du récit

1)	Exposition	Description du ou des personnages, du temps, du lieu ainsi que de la situation initiale, c'est-à-dire la situation dans laquelle se trouve le personnage au tout début de l'histoire. Souvent introduite par: «Il était une fois...»
2)	Événement déclencheur	Présentation de l'événement qui fait démarrer l'histoire. Souvent introduite par: «Un jour...»
3)	Complication	Comprend: – la réaction du personnage: ce que le personnage pense ou dit en réaction à l'élément déclencheur. – le but: ce que le personnage décide de faire à propos du problème central du récit. – la tentative: l'effort du personnage pour résoudre ce problème.
4)	Résolution	Dévoilement des résultats fructueux et infructueux de l'essai du personnage, c'est-à-dire la résolution du problème.
5)	Fin	La conséquence à long terme de l'action du personnage. (facultative) Exemple: «Ils vécurent heureux jusqu'à la fin de leurs jours.»
6)	Morale	Précepte ou leçon que l'on peut tirer de l'histoire. (facultative)

FIGURE 6.1: Analyse d'un texte à partir des catégories de récit.

EXPOSITION Il était une fois (**temps**) un dragon féroce (**personnage**) qui vivait dans une caverne surplombant un village (**lieu**) et qui effrayait tout le monde (**situation initiale**). **ÉLÉMENT DÉCLENCHEUR** Un jour ce dragon tomba dans un lac et perdit sa capacité de lancer des flammes. Il ne pouvait plus effrayer les villageois en soufflant du feu dans leur direction. **COMPLICATION** Le dragon avait peur que les villageois ne viennent dans sa caverne pour le chasser (**réaction**); il voulait absolument produire du feu à nouveau (**but**). Aussi le dragon courut-il au restaurant mexicain le plus près. Il commanda le *taco* le plus piquant, le *chili* le plus fort et un extra de piment rouge. Il avala tout cela et il souffla (**tentative**). **RÉSOLUTION** Whoooh! Le feu jaillit! Le dragon pouvait à nouveau lancer des flammes. **FIN** Il retourna dans sa caverne et il vécut heureux le reste de sa vie à effrayer les villageois avec ses merveilleuses flammes.

Il est à remarquer que l'histoire précédente ne contient qu'un épisode; certaines histoires cependant sont composées de plusieurs épisodes qui mènent à la résolution de l'intrigue. Dans ces récits, chaque épisode comporte une tentative du personnage (ou des personnages) pour résoudre le problème et le résultat de cette tentative. L'histoire bien connue de Boucles d'or nous servira à illustrer le récit comportant plusieurs épisodes.

TABLEAU 6.2   Exemple de récit comportant plusieurs épisodes

Boucle d'or et les trois ours

Exposition	Boucles d'or est perdue dans les bois.

Épisode 1

Élément déclencheur	Elle voit une maison.
Réaction	Elle est soulagée
But	et elle décide d'aller voir si quelqu'un dans la maison peut l'aider.
Tentative	Elle entre dans la maison.
Résolution	Il n'y a personne pour l'aider.

Tout ce qui suit est la FIN de l'épisode 1.

Épisode 2

Élément déclencheur	Elle voit de la soupe sur la table.
Réaction	Elle réalise qu'elle a faim
But	et décide de manger de la soupe.
Tentative	Elle goûte à la soupe du premier bol,
Résolution	mais elle est trop chaude.
Tentative	Elle goûte à la soupe du deuxième bol,
Résolution	mais elle est trop froide.
Tentative	Elle goûte à la soupe du troisième bol,
Résolution	elle est parfaite et elle la mange toute.

Tout ce qui suit est la FIN de l'épisode 2.

Épisode 3

Élément déclencheur	Ensuite Boucles d'or voit des chaises.
Réaction	Elle se sent fatiguée
But	et elle décide de se reposer.
Tentative	Elle s'assoit sur la première chaise,
Résolution	mais elle la trouve trop petite.
Tentative	Elle s'assoit sur la deuxième chaise,

Résolution	mais elle la trouve trop grosse.
Tentative	Elle s'assoit sur la troisième chaise,
Résolution	elle est juste comme il faut.

Tout ce qui suit est la FIN de l'épisode 3.

Épisode 4

Élément déclencheur	Enfin, Boucles d'or voit trois lits.
Réaction	Elle est très fatiguée maintenant
But	et elle décide de faire une sieste.
Tentative	Elle se couche dans le premier lit,
Résolution	mais elle le trouve trop dur.
Tentative	Elle se couche dans le deuxième lit,
Résolution	mais elle le trouve trop mou.
Tentative	Elle se couche dans le troisième lit,
Résolution	et il est parfait.

| Fin | Pendant qu'elle dort, les trois ours reviennent à la maison. Ils découvrent que quelqu'un a mangé leur soupe, s'est assis sur leurs chaises et s'est couché dans leurs lits. Boucles d'or s'échappe par la fenêtre. |

SOURCE: Traduit de J. Whaley (1981).

Le schéma de récit

Alors que la grammaire de récit concerne la structure des textes, le schéma de récit fait référence au lecteur et peut être défini comme étant «une représentation interne idéalisée des parties d'un récit typique» (Mandler et Johnson, 1977, p. 111; traduction de l'auteure). Le schéma de récit fait référence à une structure cognitive générale dans **l'esprit** du lecteur, que ce dernier utilise pour traiter l'information du récit. Le lecteur utilise ce schéma pour prédire ce qui se passera ensuite dans l'histoire, pour en déterminer les éléments importants...

Cette connaissance du récit est intuitive chez la plupart des lecteurs; elle commence à apparaître dès le préscolaire et se développe avec l'âge. Ainsi, les chercheurs ont-ils réalisé que les enfants avaient une certaine attente face à ce qui devait composer un récit. Les récits bien structurés et qui répondent aux attentes des enfants sont mieux retenus par ceux-ci. Cependant, les enfants ne comprennent pas les récits de la même manière que les adultes: ils incluent dans leur résumé des informations littérales, mais rarement des informations concernant les relations de cause à effet ou concernant les motivations des personnages, comme le font les adultes. Le manque d'expérience sociale des enfants peut expliquer ce comportement. En effet, pour comprendre un récit, le lecteur doit identifier les motivations et les intentions des personnages à partir des connaissances qu'il a acquises au cours de sa propre vie; ces connaissances sont, évidemment, beaucoup plus limitées chez les enfants.

LA GRAMMAIRE DE RÉCIT DANS L'ENSEIGNEMENT

Quel profit l'enseignant peut-il tirer des recherches sur la grammaire de récit? Comment peut-on traduire en stratégies pédagogiques les données issues des études sur le récit?

Le débat autour du récit

Puisque les recherches ont établi un lien entre la connaissance de la structure de récit et sa compréhension, plusieurs auteurs ont supposé que rendre plus consciente cette connaissance intuitive chez les élèves devrait être un atout dans leur compréhension de textes narratifs. C'est à partir de cette hypothèse que certains ont suggéré d'entraîner spécifiquement les élèves à identifier les parties du récit. D'autres, par contre, se sont opposés à cette approche directe, en favorisant plutôt une approche indirecte qui consisterait, par exemple, à poser aux élèves, après la lecture d'un récit, des questions formulées de façon à ce qu'ils puissent cerner l'information contenue dans chacune des catégories du récit. On assiste donc actuellement au débat suivant en pédagogie: doit-on ou non enseigner directement aux élèves à identifier les catégories définies par les grammaires de récit? Fitzgerald (1989) résume bien les principaux arguments émis en faveur et en défaveur de l'enseignement direct des catégories de récit (tableau 6.3).

L'état des recherches

Du côté de la recherche sur l'enseignement des catégories du récit, les résultats ne sont pas homogènes: certaines études ont montré que l'entraînement explicite des élèves aux catégories de récit avait un effet

TABLEAU 6.3:   Arguments pour et contre l'enseignement spécifique des catégories de récit

Arguments contre	Arguments pour
1) Connaître la structure canonique du récit n'aidera pas l'élève à comprendre les nombreux récits non canoniques qu'il rencontrera.	1) Enseigner la structure canonique des récits aux élèves les aidera à comprendre et à produire la plupart des récits.
2) La plupart des élèves apprendront d'eux-mêmes les parties du récit.	2) Plusieurs élèves n'acquièrent pas complètement d'eux-mêmes les connaissances sur la structure de récit.
3) Il n'est pas nécessairement vrai que les élèves ont besoin d'une connaissance «consciente» des parties du récit.	3) Certains élèves qui n'ont qu'une connaissance intuitive de la structure de récit pourraient bénéficier d'un enseignement qui amènerait leurs connaissances à un niveau conscient.
4) Les activités sur les parties du récit mettent trop l'accent sur la structure du texte et négligent son contenu.	4) Pour résoudre le problème de la prépondérance de la structure sur le contenu d'un texte, l'enseignant peut fort bien veiller à ce qu'à la fois la structure et le contenu du récit soient mis en évidence dans les activités sur le récit.

positif sur leur compréhension de récits ultérieurs, alors que d'autres recherches n'ont trouvé d'amélioration chez les élèves qu'en ce qui touche leur capacité même à classer les parties du récit (Hartman, 1986).

Par exemple, Spiegel et Fitzgerald (1986) ont entraîné des élèves de quatrième année à l'identification des parties du récit et ils ont constaté que ce type d'entraînement améliorait leur compréhension ainsi que leur production de récits. Cudd et Roberts (1987) ont constaté que les enfants de première année sensibilisés par ce type d'activité posaient plus de questions orientées vers les éléments importants du récit lorsqu'ils avaient à formuler leurs propres questions sur un texte. Par exemple, les enfants posaient des questions du type: «Quel est le problème d'Édouard?» plutôt que «Dans quel appartement vivait Édouard?» Nolte et Singer (1985) ont enseigné à des élèves de quatrième et de cinquième année à se poser des questions fondées sur la grammaire de récit au cours de la lecture: les auteurs ont noté chez ces élèves une amélioration de leur compréhension des textes. D'autres résultats positifs ont été obtenus par Morrow (1985), et de Varnhagen et Goldman (1986).

Par ailleurs, Tackett *et al.* (1984) montrent que, même si des élèves de sixième année entraînés à l'identification de la structure de récit rapportent plus d'informations dans leur rappel de texte, ces informations ne sont pas nécessairement les plus importantes. Dreher et Singer (1980), avec une approche centrée sur l'enseignement direct des catégories de récit, n'ont pas obtenu, eux non plus, d'amélioration de la compréhension chez des élèves de cinquième année. Sébesta et al. (1982) n'ont pas obtenu plus de succès avec des élèves de cinquième année en difficulté.

En fait, ces études ne remettent pas en cause l'importance du schéma de récit dans le processus de compréhension, mais elles apportent un doute sur le type d'intervention le plus utile aux élèves. Par ailleurs, elles permettent de conclure qu'il est pertinent pour un enseignant d'utiliser les catégories de récit s'il garde toujours à l'esprit que les activités centrées sur la structure de récit n'ont pas comme objectif de rendre les élèves habiles à déterminer les parties d'un récit, mais de les aider à mieux comprendre les récits. Il est essentiel de ne pas confondre la fin et les moyens : la connaissance de la structure de récit est un moyen pour mieux comprendre un texte narratif, ce ne peut être une fin en soi (sauf dans des cours avancés de littérature). La grammaire de récit sera donc avant tout un outil pour l'enseignant, une grille lui permettant d'identifier les éléments importants de l'histoire lorsqu'il prépare des activités de lecture portant sur des textes narratifs.

Même si le débat autour de l'enseignement des catégories de récit n'est pas entièrement résolu, il n'en demeure pas moins que plusieurs interventions pédagogiques ont fait leur preuve au cours des dernières années et peuvent être suggérées aux enseignants. Quelques-unes de ces activités seront présentées dans la section suivante.

Des activités pédagogiques centrées sur le schéma de récit

La grammaire de récit a ouvert la voie à plusieurs activités pédagogiques qui ont été expérimentées au primaire et au secondaire. Dans plusieurs cas, en fait, il s'est agi de rafraîchir des activités déjà utilisées en classe en les replaçant dans l'optique de la grammaire de récit. Les activités suivantes sont tirées des ouvrages d'auteurs comme Whaley (1981), Spiegel et Fitzgerald (1986), Stahl-Gemake et Guastello (1984).

Les cadres de récit

L'objectif du cadre de récit est de fournir aux élèves une structure leur permettant de se concentrer sur les éléments importants du récit et sur leur enchaînement. Utilisé jusqu'à présent dans des activités d'écriture, le cadre de récit peut être utilisé avec avantage dans des tâches de lecture. En fait, il s'agit de suggérer aux élèves qui ont lu un récit une sorte de schéma ou de cadre qui, une fois rempli, reflétera l'essentiel du récit.

Plusieurs formes de cadre de récit ont été proposées au cours des dernières années. Les premiers cadres ne comportaient en fait que le nom de chacune des catégories du récit (figures 6.2 et 6.3) et s'organisaient différemment selon le nombre d'épisodes du récit.

Par la suite, certains auteurs ont proposé des cadres plus concrets constitués d'un ensemble de mots clés reliés par des espaces à remplir. Ce type de cadre de récit pourrait être désigné par le terme «macroclosure». L'élève doit remplir les espaces, non pas par un seul mot comme dans la technique de closure classique, mais par une idée. Woods (1984), par exemple, a suggéré un cadre de base qui devrait idéalement correspondre à l'ensemble des récits (figure 6.4).

Cependant, comme le soulèvent Cudd et Roberts (1987), il est difficile de faire entrer toutes les histoires dans le même cadre, car même si tous les éléments sont présents dans toutes les histoires, ils ne sont pas forcément organisés de la même manière partout: par exemple, il peut y avoir trois ou quatre étapes menant à la résolution du problème, ou on peut rencontrer un épisode majeur et un mineur; la séquence

FIGURE 6.2:   Cadre de récit standard pour un récit comportant un seul épisode

1. Situation initiale _____

2. Élément déclencheur _____
    _____

3. Complication _____
    _____

4. Résolution _____
    _____

5. Fin _____
    _____

FIGURE 6.3:   Cadre de récit standard pour un récit comportant
plusieurs épisodes

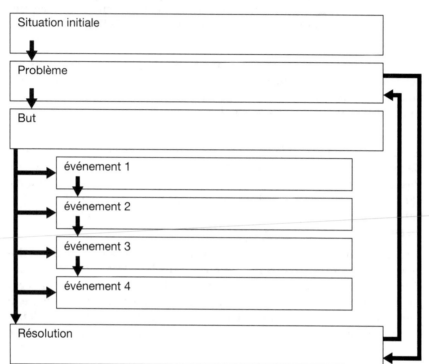

d'événements peut aussi jouer un rôle plus ou moins important. Ces
auteurs ont donc suggéré d'adapter le cadre à chaque histoire en modi-
fiant le cadre initial afin qu'il corresponde mieux à l'histoire présentée
(figure 6.5).

Les questions orientées vers la structure de récit

Il arrive souvent, dans les manuels scolaires, que les questions sur les
récits ne forment pas un tout. Il est alors impossible de dégager à partir
de ces questions un fil conducteur, une logique qui permettrait aux élèves
de se faire une représentation cohérente de l'ensemble de l'histoire. Le
fait d'utiliser la grammaire de récit comme grille pour poser des questions sur le récit offre l'avantage de centrer l'attention des élèves sur
les éléments importants de l'histoire et d'en favoriser ainsi le rappel.

Les questions devraient donc récapituler la progression logique de
l'histoire. Nous sommes trop souvent préoccupés par la nécessité de

FIGURE 6.4:   Cadre de récit avec mots clés

Titre : _____

L'histoire se passe _____ .

_____ est un personnage qui _____

_____ . Un problème survient

lorsque _____ . Après cela,

_____ . Ensuite

_____ . Le problème est réglé

lorsque _____

_____ .

À la fin _____ .

SOURCE: Adaptée de Woods (1984).

FIGURE 6.5:   Macroclosure

Queue-rouge apprend une leçon

Le problème dans cette histoire commença *parce qu'un écureuil gourmand ne voulait pas partager ses glands.*

Les autres animaux avertirent Queue-Rouge *qu'un jour il pourrait avoir besoin de leur aide.*

Après cela, *une tempête fit tomber la maison de Queue-Rouge.*

Alors tous les glands *disparurent* parce que *l'arbre tomba dans la rivière.* Enfin, *les autres animaux partagèrent leurs glands avec Queue-Rouge.* Le problème fut réglé lorsque *Queue-Rouge comprit qu'il était préférable de partager.*

À la fin, *Queue-Rouge et ses amis mangèrent ensemble.*

SOURCE: Adaptée de Cudd et Roberts (1987).

poser des questions sur les processus cognitifs et nous oublions alors l'essentiel de l'histoire. Si nous posons des questions sur chacune des catégories du récit, nous avons de fortes chances de toucher par le fait même tous les types de questions (Sadow, 1982).

Concrètement, il s'agit de commencer par poser des questions sur le lieu et le temps de l'histoire; si ces éléments ne sont pas importants dans l'histoire lue par les élèves, il suffit de passer outre. Il s'agira ensuite de poursuivre en posant des questions sur le ou les personnages, puis sur le problème soulevé dans le récit et sur sa résolution.

1) Où et quand les événements ont-ils eu lieu et qui était concerné?

2) Quel événement a fait démarrer l'histoire?

3) Quelle a été la réaction du personnage à cet événement?

4) Qu'a fait le personnage en réaction à...?

5) Quel a été le résultat de l'action du personnage principal?

Le résumé de livre

Pour compléter les informations données dans le chapitre précédent sur les techniques de résumé, nous ajoutons ici l'apport spécifique de la grammaire de récit au résumé de textes narratifs plus longs, c'est-à-dire au résumé de livre. On sait que le résumé de livre est souvent considéré comme difficile par les élèves. La grammaire de récit peut faciliter le déroulement de cette activité en fournissant aux élèves un cadre dans lequel ils pourront organiser leurs informations. Olson (1984) propose le questionnaire suivant pour permettre aux élèves de structurer leur résumé de livre*.

---

1) **Quel est le héros de l'histoire?**

2) **Où et quand l'histoire s'est-elle passée?**

   Est-ce important pour comprendre l'histoire?

3) **Quel est l'événement déclencheur? Qu'est-ce qui a fait démarrer le récit?**

   a. Pourquoi le héros avait-il un problème?

   b. De quoi le héros avait-il besoin?

---

* Questionnaire adapté par l'auteure.

4) **Quel était le but du héros?**

    a.   Quel problème le héros veut-il résoudre?

    b.   Qu'est-ce que le héros a besoin de faire?

5) **Quels sont les principaux événements du récit?**

    a.   Qu'a fait le héros en premier pour résoudre son problème?

    b.   Cela a-t-il réussi? Le héros a-t-il atteint son but?

    c.   Si la tentative n'a pas réussi, qu'a fait alors le héros?

    d.   Le héros a-t-il essayé autre chose? Si oui, quoi?

6) **Qu'est-il arrivé à la fin de l'histoire? Comment l'histoire finit-elle?**

7) **Qu'as-tu appris par cette histoire?**

    a.   Y a-t-il une leçon à retirer de cette histoire?

    b.   Aurais-tu fait quelque chose de différent si tu avais fait partie de l'histoire?

    c.   Aimerais-tu relire cette histoire? Suggérerais-tu à quelqu'un de la lire?

Les prédictions

L'activité qui consiste à demander aux élèves comment ils entrevoient la fin d'une histoire est connue de tous les enseignants; mais cette activité prend une allure nouvelle si l'enseignant demande aux élèves de prédire l'une après l'autre les catégories du récit.

Voici une variante amusante. Divisez la classe en cinq groupes, remettez à chaque groupe une copie de la même histoire sur laquelle vous remplacez une catégorie du récit par un blanc: la catégorie remplacée est différente pour chaque groupe. Dans le texte du premier groupe, il manque la situation initiale, dans celui du deuxième, il manque l'élément déclencheur, dans celui du troisième, la complication, dans celui du quatrième, la résolution du problème, et dans le dernier, la fin ou la morale de l'histoire. Les équipes doivent combler la partie manquante dans leur texte. Puis, à tour de rôle, chaque équipe lit sa partie oralement. Enregistrez le tout et faites jouer l'enregistrement: ceci donnera une toute nouvelle histoire. Lisez ensuite l'histoire originale et animez une discussion sur les ressemblances et les différences existant entre l'histoire générée par le groupe et l'histoire originale.

Les histoires à remettre en ordre

La plupart des enseignants ont, un jour ou l'autre, demandé à leurs élèves de reconstituer une histoire à partir de phrases présentées en vrac. La même activité peut être reprise en divisant l'histoire non pas par phrases, mais selon les catégories de la grammaire de récit. Cette façon de faire présente deux avantages. Le premier est d'orienter les élèves vers les catégories de récit, donc vers les informations importantes contenues dans le texte. Le deuxième est de résoudre les ambiguïtés générées par le découpage du texte en phrases; en effet, lorsqu'un texte est divisé par phrases, il arrive souvent qu'une d'elles puisse être placée à différents endroits, ce qui complique l'évaluation de la tâche. Lorsque le texte est divisé selon les catégories du récit, il ne subsiste aucune ambiguïté quant à la façon de replacer ses éléments. En effet, il serait impossible d'inverser, par exemple, la complication et la résolution de problème ou l'élément déclencheur et la fin de l'histoire.

Les histoires cumulatives

Dans cette activité, un élève écrit la situation initiale d'une histoire dans le haut d'une feuille, il passe la feuille à un autre élève qui écrit la catégorie suivante et ainsi de suite, jusqu'à ce que l'histoire soit complétée. Avant de passer la feuille à son voisin, l'élève vérifie si l'information qu'il a ajoutée correspond bien à la catégorie qui lui était assignée. Cette activité était auparavant utilisée en classe d'écriture mais elle portait davantage sur la créativité que sur les catégories du récit.

Les graphiques

Une autre façon de travailler la structure du texte narratif est de présenter cette structure sous forme graphique. Les figures 6.6 et 6.7 représentent des exemples de graphiques pour les histoires classiques et les histoires cumulatives.

LE RAPPEL DE RÉCIT

Il serait difficile de parler du récit sans aborder le thème du rappel de récit. Étant donné l'importance de ce thème en recherche, nous y consacrons une place particulière à l'intérieur de ce chapitre en abordant son rôle à la fois dans l'enseignement et dans l'évaluation.

FIGURE 6.6 :   Graphique de récit classique

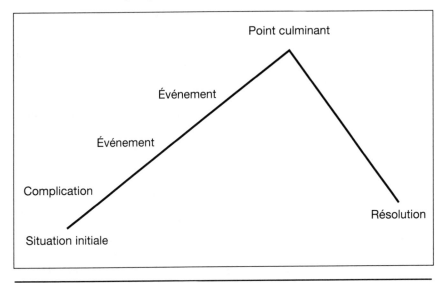

SOURCE: Adaptée de Cullinan (1987).

FIGURE 6.7 :   Graphique d'histoire cumulative

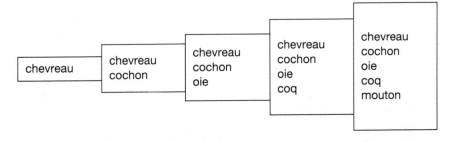

SOURCE: Adaptée de Cullinan (1987) et appliqué à l'histoire *Jean le chevreau* de N. Hogrogian (1972).*

---

*   L'histoire *Jean le chevreau* se résume ainsi: Jean le chevreau n'a pas l'intention de se laisser manger par ses maîtres. Il s'en va chercher refuge dans les bois. En route, il rencontre d'abord le cochon qui décide de partir avec lui. Accompagné du cochon, Jean le chevreau rencontre l'oie qui décide de les accompagner et ainsi de suite...

La description et l'origine de la technique

Le rappel de récit (retelling) consiste à demander à un élève de lire une histoire et de la redire dans ses propres mots. Avec les plus jeunes, le rappel se fait oralement, mais les élèves plus âgés peuvent produire un rappel écrit.

À l'origine, le rappel était dévolu à l'évaluation de la compréhension dans les recherches sur le texte. Aujourd'hui, cette technique commence à être utilisée en classe à la fois comme instrument d'évaluation et comme outil d'intervention en compréhension.

Même si cette technique porte le nom de «rappel» de texte, il faut cependant préciser que le rappel de l'information n'est qu'une partie du processus en cause dans cette activité. En effet, quand les élèves redisent une histoire, ils s'appuient, certes, sur des éléments du texte, mais ils créent jusqu'à un certain point une nouvelle histoire, car ils organisent leur rappel autour de ce qu'ils considèrent être l'information importante du texte. Le fait d'avoir à redire le texte demande aux élèves de réorganiser les éléments d'information de façon personnelle. La sélection qu'ils font de ces éléments révèle leur manière de comprendre l'histoire.

De plus, étant donné que la stratégie de rappel centre l'attention sur la restructuration du texte, elle est de nature à rendre le lecteur plus actif. Cette stratégie est également plus holistique que celle qui consiste à poser des questions spécifiques sur le texte: en effet, les questions incitent souvent le lecteur à redonner des morceaux textuels d'information, ce qui ne renseigne pas sur son habileté à se rappeler l'information d'une façon structurée.

Enfin, le rappel fournit plus d'information que le jugement d'ensemble porté sur le texte par les élèves. Si vous demandez aux élèves ce qu'ils pensent d'un texte, ils diront: «c'est intéressant», «c'est ennuyant»..., mais si vous leur demandez de raconter l'histoire, vous en saurez beaucoup plus sur ce qu'ils pensent réellement du texte (Kalmbach, 1986).

Les résultats de recherche

Le rappel de texte, pourtant utilisé depuis de nombreuses années en recherche, a été relativement peu exploité en classe; il suscite cependant de plus en plus d'intérêt depuis quelques années.

En enseignement, cette technique a d'abord été utilisée avec des enfants de maternelle à qui on racontait une histoire et qui devaient par la suite redire tout ce dont ils se souvenaient. Les résultats ont montré une amélioration de la compréhension de l'histoire par ces enfants, une amélioration de leur sensibilité à la structure du récit et une augmentation de la complexité de leur langage oral (Morrow, 1985, 1986; Pellegrini et Galda, 1982).

Récemment, les chercheurs ont commencé à explorer cette technique en l'utilisant comme stratégie de lecture avec des élèves du primaire. Les résultats obtenus jusqu'à présent montrent une augmentation du rendement en compréhension de texte. Par exemple, Grambell *et al.* (1985) ont comparé dans des classes de quatrième année deux groupes à qui ils ont demandé, au premier, de redire l'histoire et au second, de l'illustrer : les élèves du premier groupe se sont souvenus d'un plus grand nombre d'éléments de l'histoire et ils ont répondu à plus de questions littérales et inférentielles que les élèves du deuxième groupe. Dans une autre recherche, le rappel de texte s'est avéré plus efficace que l'imagerie mentale (Rose *et al.*, 1984). Enfin, dans une autre (Kapinus *et al.*, 1987), le rappel s'est révélé aussi efficace que des questions de compréhension sur le texte.

Cette stratégie a également fait ses preuves auprès des lecteurs en difficulté. Par exemple, Kapinus *et al.* (1987) ont constaté une améliora-tion de la compréhension en lecture après seulement quatre séances de rappel. Dans cette recherche, le rappel a augmenté autant la quantité que la qualité de ce qui avait été appris du texte. Rose *et al.* (1984) et Gambrell *et al.* (1989) ont également obtenu à l'aide de cette technique des résultats positifs avec des groupes d'élèves en difficulté.

Le rappel comme stratégie d'enseignement

Si la technique de rappel de l'histoire est relativement peu utilisée à l'école, c'est en partie parce que les enseignants trouvent qu'il est difficile pour l'élève d'accomplir cette tâche. Il s'agit en effet d'une tâche com-plexe. Les enseignants qui ont fait l'expérience de demander aux élèves de raconter leurs vacances ou leur fin de semaine ont souvent obtenu des rappels confus ou interminables. Les élèves doivent donc être guidés dans leurs premières tâches de rappel de texte.

Voici une séquence pouvant être utilisée pour initier les élèves au rappel de texte (Koskinen *et al.*, 1988):

1) **Expliquer la stratégie**   Dire aux élèves qu'ils vont s'exercer à redire une histoire pour développer des habiletés à raconter; leur dire que nous avons souvent à raconter à un copain quelque chose qu'il n'a pas vu ou entendu et que cet exercice les aidera à être de meilleurs raconteurs. Leur mentionner également que le rappel les aidera à vérifier s'ils ont compris les histoires qu'ils lisent.

2) **Illustrer la stratégie**   Illustrer concrètement comment utiliser la stratégie à partir d'un exemple. Après avoir lu un court texte à haute voix, faire le rappel du texte dans vos propres mots. S'assurer de bien connaître l'histoire afin de fournir aux élèves un bon modèle de rappel.

3) **Guider les élèves**   Demander aux élèves de lire silencieusement un texte. Guider ensuite le rappel de ce texte en groupe en donnant des indices lorsque cela s'avère nécessaire. Voici des exemples d'indices à utiliser:

   – De qui parle-t-on dans l'histoire?

   – À quel moment se passe l'histoire (matin, soir, été, hiver)?

   – Où se passe l'histoire?

   – Quel était le problème du personnage principal?

   – Qu'a-t-il fait en premier?

   – Comment le problème a-t-il été réglé?

   – Comment l'histoire se termine-t-elle?

4) **Favoriser l'utilisation de la stratégie**   Il est certain qu'un rappel de texte individuel demande beaucoup de temps, c'est pourquoi certains auteurs suggèrent de faire travailler les élèves en équipe lors de la pratique de cette habileté.

   Les élèves sont groupés par équipes de deux et lisent silencieusement un texte; un premier élève redit l'histoire dans ses propres mots et l'autre l'écoute. Il est important de donner à celui qui écoute un rôle actif. Son objectif sera d'identifier un aspect qu'il a aimé dans la façon de redire l'histoire de son compagnon. Pour lui faciliter la tâche, l'enseignant peut remettre à l'élève une grille qui contient des éléments dont il faut tenir compte dans le rappel d'une histoire (figure 6.8). Les éléments de cette grille peuvent de plus aider celui qui écoute à structurer son propre rappel lorsque viendra son tour.

   Au début, choisir des textes courts et bien structurés permettant une activité de 10 à 15 minutes.

FIGURE 6.8 :   Grille d'analyse par les pairs

Nom _____   Date _____

J'ai écouté _____

Choisis un point que ton partenaire a bien réalisé :

    Il a parlé des personnages.   _____

    Il a parlé du temps et du lieu.   _____

    Il a parlé des événements importants de l'histoire.   _____

    Son histoire a un commencement.   _____

    Son histoire a une fin.   _____

Dis à ton partenaire un élément que tu as apprécié dans son histoire.

SOURCE : Adaptée de Koskinen *et al.* (1988).

5) **L'application**   Lorsque la technique est maîtrisée, les élèves doivent ensuite être sensibilisés au fait que le rappel de texte est une stratégie utile pour mieux comprendre et retenir un texte. Il serait donc important de leur suggérer de redire dans leur tête un texte dont ils ont besoin de se souvenir.

Le rappel comme technique d'évaluation

Le rappel de texte peut être utilisé comme technique d'évaluation de la compréhension en lecture. Il existe globalement deux façons complémentaires d'évaluer le rappel d'un récit : il s'agit d'abord d'une analyse quantitative qui compare le rappel de l'histoire avec le texte lu afin de voir quelle quantité de texte le lecteur peut redonner et d'une analyse qualitative qui tient compte des éléments que le lecteur a ajoutés dans son rappel ainsi que de sa compréhension générale de l'histoire.

L'analyse quantitative

Pour analyser un rappel de texte de façon quantitative, il s'agit de diviser le texte lu en unités et de comparer par la suite le rappel avec ce texte initial (Clark, 1982 ; Laplante et Van Grunderbeeck, 1988 ; Morrow, 1988). Ces unités peuvent être : 1) des propositions (prédicat et arguments), 2) des unités déterminées par les pauses, 3) des éléments de la structure de récit.

L'analyse propositionnelle (ou l'analyse prédicative) a fait l'objet d'études systématiques en recherche (Denhière, 1983), mais cette analyse n'est pas conçue pour l'utilisation en classe. Nous nous attarderons sur les deux types d'unités susceptibles d'être utiles en classe : les unités déterminées par les pauses et les éléments de la structure de récit.

La division du texte en unités déterminées par les pauses

Cette technique consiste à séparer le texte aux endroits où la majorité des lecteurs adultes ferait une pause lors de la lecture orale d'un texte. La plupart du temps, ces pauses se font aux signes de ponctuation et devant certains connecteurs comme *et, parce que, bien que...* Cette évaluation fournit trois types de données : la quantité d'information rappelée, la séquence de rappel et le niveau d'importance de l'information rappelée. L'évaluation peut être utilisée périodiquement et les résultats comparés d'une séance à l'autre. Vous trouverez ci-après une suggestion concrète de démarche pour l'analyse quantitative du rappel de texte.

1) Divisez le passage à lire en unités. Marquez la fin de chaque unité à l'aide d'une barre oblique.

2) Sur une feuille, placez vos unités en séquence, avec des espaces libres à droite et à gauche de chaque unité de façon à aménager trois colonnes.

3) Attribuez à chaque unité une cote de 1 à 3 : la cote 1 pour une idée très importante, la cote 2 pour une unité modérément importante et la cote 3 pour un détail sans trop d'importance ; inscrivez ce nombre à gauche de chaque unité.

   Clark (1982) suggère de lire d'abord le texte une première fois et d'attribuer la cote 1 aux éléments les plus importants, puis de le relire une deuxième fois et d'attribuer la cote 3 aux éléments les moins importants ; les autres éléments recevront la cote 2. Cette façon de procéder a le mérite de refléter ce que vous, comme enseignant, considérez comme important dans le texte.

4) Faites lire le texte à l'élève sous sa forme originale et demandez-lui de redire le texte comme s'il devait le raconter à un copain qui ne l'a pas lu.

   La formulation des directives est importante dans les tâches de rappel de texte. En effet, si l'enseignant insiste sur le fait que l'élève doit dire tout ce dont il se rappelle, il ne l'oriente pas nécessairement vers une organisation de l'information. Par contre, si l'enseignant lui demande de raconter l'histoire pour un ami qui ne l'a pas lue, il insiste davantage sur la compréhension du texte par l'élève que sur sa mémoire.

Si l'élève ne donne qu'un rappel très pauvre du texte, posez-lui des questions en vous servant des catégories du récit. Si l'élève réussit alors à répondre à ces questions, vous pouvez supposer que son problème n'est pas au niveau de la mémorisation, mais au niveau de la récupération de l'information en mémoire.

5) Enregistrez le rappel de l'élève.

6) Analysez le rapport de l'élève en numérotant dans la colonne de droite de votre grille les unités selon la séquence utilisée par l'élève. Laissez libres les unités non rapportées par l'élève.

7) Comparez la séquence de l'élève avec la séquence originale du texte.

8) Inscrivez le nombre total d'unités du texte, comptez le nombre d'unités rappelées et inscrivez-le ; calculez le pourcentage d'unités rappelées en divisant le nombre d'unités rappelées par le nombre total d'unités.

9) Comptez le nombre total d'unités du texte pour chaque niveau d'importance et le nombre d'unités rappelées pour chacun de ces niveaux.

10) Calculez le pourcentage d'unités rappelées pour chaque niveau. Les résultats indiquent jusqu'à quel point la compréhension de l'élève s'oriente vers les éléments les plus importants de l'histoire.

TABLEAU 6.4 :   Exemple d'analyse quantitative du rappel de texte

Niveau d'importance	Unités	Séquence de rappel
2	1. Le petit chacal aimait beaucoup les crustacés.	
3	2. Chaque jour	1
2	3. il descendait au bord du fleuve	2
3	4. pour y chercher des crabes.	
3	5. Lorsqu'il voyait les crabes sortir de l'eau,	
3	6. il allongeait la patte	
3	7. et les attrapait.	
1	8. Un jour,	3
2	9. il avait très faim,	4
1	10. il mit sa patte dans l'eau	5

2	11. sans regarder.	
1	12. Snap! Le vieux crocodile saisit la patte	6
2	13. dans sa gueule.	7
3	14. Pauvre de moi! pensa le petit chacal.	
2	15. Le crocodile tient ma patte.	
2	16. Il va me tirer dans l'eau	
2	17. et me manger.	
1	18. Que pourrais-je lui dire pour qu'il me lâche?...	8
2	19. Il réfléchit	
2	20. et eut une idée.	
1	21. Oh! oh! oh! s'écria-t-il,	9
1	22. est-ce que Monsieur Crocodile est aveugle?	
1	23. Il a attrapé une vieille racine	10
1	24. et il croit que c'est ma patte.	11
1	25. J'espère qu'il la trouvera tendre.	12
2	26. Le vieux crocodile était couché dans la vase.	
1	27. Il pensa: Tiens, je me suis trompé.	13
1	28. Il desserra les mâchoires,	14
1	29. et le petit chacal, libéré, se sauva	15
2	30. en criant: Oh! Monsieur Crocodile.	
2	31. C'est bien aimable à vous de me laisser partir.	
3	32. Vous avez trop de bonté.	
3	33. Le crocodile frappa de la queue	
3	34. avec colère,	
3	35. mais le petit chacal était déjà loin...	

Nombre total d'unités: 35
Nombre d'unités rappelées: *15*   Pourcentage rappelé: *42 %*

Nombre total d'unités de niveau 1: 12
Nombre d'unités rappelées de niveau 1: *11*   Pourcentage rappelé de niveau 1: *91 %*

Nombre total d'unités de niveau 2: 13
Nombre d'unités rappelées de niveau 2: *3*   Pourcentage rappelé de niveau 2: *23 %*

Nombre total d'unités de niveau 3: 10
Nombre d'unités rappelées de niveau 3: *1*   Pourcentage rappelé de niveau 3: *10 %*

Séquence: *excellente*

La division du texte à l'aide de la structure de récit

Il est également possible d'effectuer une analyse quantitative du rappel de texte à partir des parties importantes de l'histoire. Il s'agit, dans ce cas, d'identifier les catégories du récit à présenter et de comparer le rappel de l'élève à cette analyse du récit. Pour faciliter l'utilisation du rappel en classe, Marshall (1983) propose une grille qui comporte deux axes : le nom des élèves et les éléments importants de l'histoire (tableau 6.5). L'auteure suggère d'utiliser la séance de lecture habituelle. Lorsque le groupe a lu une histoire, l'enseignant demande à un élève de raconter cette histoire ; il remplit immédiatement la fiche, puis discute de l'histoire avec le groupe. Si un élève différent est choisi à chaque fois, l'évaluation de toute la classe peut se faire sans recourir à des périodes supplémentaires. Il est suggéré d'utiliser cette grille à quelques reprises au cours de l'année pour évaluer chacun des élèves de la classe.

TABLEAU 6.5 :   Grille d'analyse du rappel de texte pour un groupe d'élèves

Noms des élèves	Le rappel contient				
	situation	personnages	problème	essais	résultats
1					
2					
3					
4					
5					
...					

Légende :

+ : mentionné spontanément

× : mentionné après une question ou après avoir obtenu de l'aide

− : non mentionné même après une question

SOURCE : Adapté de Marshall (1983).

L'analyse qualitative

Si l'analyse quantitative est importante, l'analyse qualitative ne l'est pas moins. La technique quantitative ne tient pas compte des inférences faites par le lecteur, car ce qui ne correspond pas à un élément du texte n'est pas noté (Morrow *et al.*, 1986). L'analyse qualitative a justement comme objectif de tenir compte des interprétations de l'élève, de son habileté à résumer, de ses inférences correctes et erronées.

Irwin et Mitchell (1983) ont proposé une grille d'analyse qualitative du rappel de texte comportant cinq niveaux. Cette grille est présentée ci-dessous accompagnée d'une matrice qui en résume les points essentiels (tableaux 6.6 et 6.7).

TABLEAU 6.6 :   Critères pour une évaluation qualitative d'un rappel de texte

Niveau	Critères d'évaluation des niveaux
5	L'élève fait des généralisations qui vont au-delà du texte ; il inclut des énoncés qui résument une partie du texte ; il énonce toutes les idées importantes du texte ainsi que les idées secondaires appropriées ; il ajoute des éléments pertinents au texte ; son rappel est très cohérent, complet et compréhensible.
4	L'élève inclut des énoncés qui résument une partie du texte ; il énonce toutes les idées importantes du texte ainsi que les idées secondaires appropriées ; il ajoute des éléments pertinents au texte ; son rappel est très cohérent, complet et compréhensible.
3	L'élève rapporte les idées principales ; il inclut des idées secondaires appropriées et ajoute des éléments pertinents ; son rappel est cohérent, complet et compréhensible.
2	L'élève rapporte quelques idées principales et quelques idées secondaires ; il inclut des informations non pertinentes ; son rappel montre un certain degré de cohérence, il est relativement complet et assez compréhensible.
1	L'élève ne rapporte que des détails ; il ajoute ou non des éléments non pertinents ; son rappel est peu cohérent, incomplet et incompréhensible.

Légende :

5 = niveau le plus élevé

1 = niveau le plus faible

SOURCE : Adapté de Irwin et Mitchell (1983).

TABLEAU 6.7:   Matrice reprenant les critères de l'évaluation qualitative du rappel

	5	4	3	2	1
Généralisations	X				
Énoncés de type résumé	X	X			
Idées principales	X	X	X	?	?
Idées secondaires	X	X	X	X	?
Ajouts	pertinents	pertinents	pertinents	non pertinents	non pertinents
Cohérence	élevée	bonne	moyenne	présente	faible
Complétude	élevée	bonne	moyenne	présente	faible
Compréhensibilité	élevée	bonne	moyenne	présente	faible

SOURCE: Adapté de Irwin et Mitchell (1983).

Bref, le rappel de récit est une stratégie relativement peu utilisée, mais qui aurait avantage à l'être tant pour ce qui touche l'enseignement que l'évaluation. Il est vrai qu'il s'agit d'une stratégie d'intervention difficile à manipuler avec un grand groupe d'élèves. Mais il est possible de trouver des arrangements concrets qui permettent d'utiliser la stratégie avec toute une classe; des pistes comme celles proposées par Marshall (1983) et Koskinen *et al.* (1988) sont certainement à explorer.

Utiliser la structure des textes narratifs pour comprendre une histoire fait partie des macroprocessus. L'enseignant peut favoriser l'acquisition de ces processus par le biais de la grammaire de récit. En gardant en tête les éléments qui y sont privilégiés, l'enseignant a ainsi la possibilité de rendre explicite pour les élèves le schéma selon lequel la plupart des histoires tournent autour d'un personnage qui essaie de résoudre un problème ou d'atteindre un but; il peut ensuite encourager les élèves à traiter eux-mêmes les histoires de cette façon. La plupart des activités sur le récit utilisées actuellement en classe seraient facilement rafraîchies si l'on utilisait le schéma de récit comme grille d'analyse.

7

Les macroprocessus

Troisième partie : les textes informatifs

Tout comme il utilise la structure de récit pour comprendre les histoires, le lecteur habile se sert de la structure des textes informatifs pour mieux comprendre et retenir l'information qui y est présentée. Ce chapitre décrira les différentes structures des textes informatifs ainsi que les activités pédagogiques susceptibles d'améliorer l'utilisation de ces structures par les élèves.

LA STRUCTURE DES TEXTES INFORMATIFS

Les élèves ont plus de difficulté à comprendre les textes informatifs que les textes narratifs. Certains auteurs, dont Muth (1987a), expliquent cette situation par le fait que les textes informatifs contiennent souvent un contenu non familier, des concepts nouveaux, des phrases longues et des structures syntaxiques complexes. D'autres invoquent par contre le manque d'intérêt et de motivation des élèves face à ce genre de texte (Armbruster *et al.*, 1987; Spiro et Taylor, 1987).

Plusieurs auteurs ont également proposé comme explication le manque de sensibilité des élèves à la structure du texte. Un auteur choisit une structure parce que, selon lui, elle convient le mieux à l'organisation des idées qu'il veut présenter. Certains lecteurs sont sensibles à la structure de texte utilisée par l'auteur alors que d'autres ne le sont pas (Boyer, 1985; McGee, 1982; Winograd, 1986). Il existe une relation entre la sensibilité à la structure du texte et le type et la quantité d'informations rappelées (Richgels *et al.*, 1987); les lecteurs qui sont sensibles à la structure du texte rappellent plus d'informations et des informations de plus haut niveau.

Ainsi, le lecteur habile aborde le texte avec une certaine connaissance de la façon dont les textes sont organisés. Il choisit parmi son répertoire de structures celle qui correspond le mieux à la structure du texte à lire. Certains aspects du texte, certains indices de signalement lui indiquent le type de structure utilisé par l'auteur. Même si l'habileté à se servir de la structure de texte se développe avec le temps, il arrive que des lecteurs n'utilisent pas cette structure parce qu'ils ne savent pas qu'il est utile de le faire; d'où l'importance d'enseigner cette habileté.

Une classification des textes informatifs

Plusieurs auteurs ont proposé des classifications de textes informatifs, mais la classification la plus connue est certainement celle de Meyer (1985), qui catégorise les textes informatifs selon les relations logiques de base qui y sont contenues. Sa classification comporte cinq catégories: 1) description, 2) énumération, 3) comparaison, 4) cause–effet, 5) problème–solution.

1) **Description**   Ce type de texte donne des informations sur un sujet en spécifiant certains de ses attributs ou certaines de ses

caractéristiques. Ordinairement, la proposition principale est présentée en premier et elle est suivie de propositions qui apportent des détails concernant, par exemple, la couleur, la forme...

Exemple : un texte décrivant différentes caractéristiques du raton-laveur.

2) **Énumération (ou collection)**   Ce type de texte présente une liste d'éléments reliés entre eux par un point commun. Comme la séquence ou l'ordre temporel est le point commun le plus fréquent de cette structure, il est courant de reconnaître comme formant une sous-catégorie les textes de type séquentiel.

Exemple (énumération) : un texte présentant les composantes des différents groupes alimentaires.

Exemple (séquence) : un texte décrivant les étapes de la transformation du têtard en grenouille.

3) **Comparaison**   Ce type de texte sert à comparer des objets, des personnes ou des événements entre eux en tenant compte de leurs ressemblances et de leurs différences.

Exemple : un texte qui compare le loup et le chien sous différents aspects.

4) **Cause–effet**   Dans ce type de texte, il est possible d'identifier une relation causale entre les idées. Une idée est l'antécédent ou la cause et l'autre, la conséquence ou l'effet.

Exemple : un texte décrivant l'effet de la pollution du fleuve Saint-Laurent sur la vie du béluga.

5) **Problème–solution (question–réponse)**   Ce type de texte ressemble au texte de structure cause–effet en ce sens que le problème est l'antécédent de la solution, mais cette structure comporte de plus un certain recoupement entre le problème et la solution.

Exemple : un texte décrivant une ou des solutions possibles au phénomène des pluies acides.

Bien que la notion de classification de structures de texte soit utile dans l'enseignement, il faut être toutefois conscient que la plupart des textes comportent une combinaison de structures.

Le niveau de difficulté des différentes structures

Même si les recherches concernant la complexité relative des différentes structures des textes informatifs ne sont pas encore complétées, il est possible de dégager une certaine gradation qui s'établit comme suit, de la plus facile à la plus difficile : texte de type séquence, description, comparaison, cause–effet et problème–solution (Richgels *et al.*, 1987). Cependant, des recherches complémentaires devront être effectuées pour identifier plus clairement le niveau de difficulté relatif des structures des textes informatifs.

LES STRATÉGIES DE SENSIBILISATION À LA STRUCTURE DES TEXTES INFORMATIFS

Si l'utilisation de la structure des textes informatifs facilite la compréhension, des stratégies visant à sensibiliser les élèves à cette structure devraient améliorer leur façon de comprendre les textes informatifs. Quelques recherches ont effectivement permis de vérifier cette hypothèse. Armbruster *et al.* (1987) ont montré efficacement à des élèves de cinquième année à utiliser la structure cause–effet pour comprendre un texte. Berkowitz (1986) a obtenu des résultats positifs avec des élèves de sixième année : les élèves entraînés à utiliser la structure de texte ont retenu plus d'information que les autres sujets.

Même si les recherches sont récentes dans ce domaine, les résultats sont assez positifs pour encourager les enseignants à sensibiliser leurs élèves à l'utilisation de la structure de texte. Cependant, avant de parler des stratégies pédagogiques orientées vers l'utilisation de la structure de texte, soulignons que l'objectif visé par ces stratégies n'est pas que les élèves apprennent à identifier les structures des textes, mais qu'ils **utilisent** la structure pour mieux comprendre le texte. Les activités n'auront donc pas comme objectif final d'amener les élèves à classer les types de structures, mais plutôt de les sensibiliser à l'importance d'employer les éléments fournis par la structure des textes. Identifier une structure ne doit pas devenir une fin en soi, mais demeurer un moyen pour mieux comprendre un texte (Horowitz, 1985).

Dans la méthodologie utilisée par les chercheurs, il est possible de dégager deux façons générales de sensibiliser les élèves à la structure de texte :

1) réaliser des activités qui mettent en évidence la structure du texte à l'aide de représentations graphiques ;

2) se servir d'activités comme l'utilisation des indices de signalement, le questionnement dirigé et le résumé dirigé pour sensibiliser les élèves aux différentes structures des textes.

Les représentations graphiques

Tout comme les cartes routières sont utiles à un voyageur qui veut se rendre à un endroit spécifique sans se perdre, les graphiques permettent au lecteur de se guider à travers le texte (Moore *et al.*, 1989). L'objectif poursuivi lors de l'utilisation des graphiques représentant la structure du texte est d'attirer l'attention du lecteur sur la structure en question afin que celui-ci comprenne mieux le texte à lire et que, dans ses lectures subséquentes, il utilise cette notion pour mieux comprendre les idées de l'auteur.

L'origine des graphiques et leur utilisation

Les premiers graphiques utilisés pour la compréhension de texte étaient centrés particulièrement sur les relations existant entre les idées principales et les idées secondaires: ces graphiques ont évolué et incluent maintenant de façon plus évidente la structure de texte choisie par l'auteur. Comme application pédagogique, les graphiques peuvent être utilisés avant, pendant et après la lecture.

1) Avant la lecture: ils sont construits par l'enseignant et servent de préparation et de stimulation à la lecture.

2) Pendant la lecture: il s'agit essentiellement de graphiques à compléter par les élèves.

3) Après la lecture: ils sont construits par les élèves et représentent leur façon de comprendre le texte.

Il semble que les graphiques construits par les élèves soient plus efficaces que ceux construits par l'enseignant (Moore et Readence, 1983). Ce résultat est probablement dû au fait que l'élève qui construit lui-même son graphique est engagé plus activement dans la tâche (Bean *et al.*, 1986). Parce qu'elle oblige l'élève à réfléchir sur sa lecture et à effectuer des liens entre les divers éléments du texte, cette activité l'aide à retenir l'information importante contenue dans ce texte. Pour effectuer un graphique, l'élève doit identifier dans un texte les idées importantes et les idées secondaires; il doit décider quelle information inclure dans son graphique, puis enfin regrouper certaines idées et montrer les relations qui existent entre elles. Il s'agit donc d'une activité de traitement de texte en profondeur.

Notons cependant que les graphiques peuvent varier d'un élève à l'autre : il existe en effet plusieurs façons de représenter graphiquement un même texte. L'essentiel de cette technique est d'amener les élèves à partager leur graphique et à expliquer aux autres comment ils ont réalisé le leur (Davidson, 1982).

Des réalisations concrètes de graphiques

Plusieurs auteurs ont proposé des exemples de graphiques représentant la structure d'un paragraphe ou d'un texte. Étant donné que différents graphiques sont possibles pour chaque type de structure, il s'agit de choisir celui qui convient le mieux au texte lu ou d'en créer un nouveau qui met bien en évidence la structure du texte.

Les graphiques de textes descriptifs

Pour les textes descriptifs, les graphiques de type **araignée** ou de type **soleil** sont les plus populaires : ces graphiques contiennent une unité centrale dont les rayons représentent des idées importantes (figures 7.1, 7.2). Ces rayons peuvent conduire à leur tour à des idées secondaires (figure 7.3).

FIGURE 7.1 : Graphiques d'un texte de type descriptif

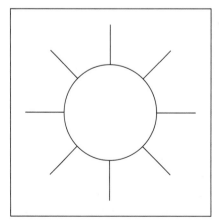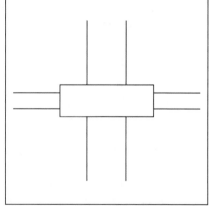

SOURCE : Adaptée de Smith et Tompkins (1988).

FIGURE 7.2:   Graphique d'un texte de type descriptif

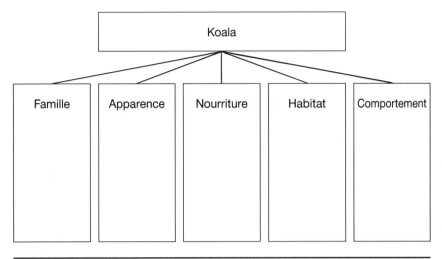

SOURCE: Adaptée de Flood (1986).

FIGURE 7.3:   Graphique d'un texte de type descriptif

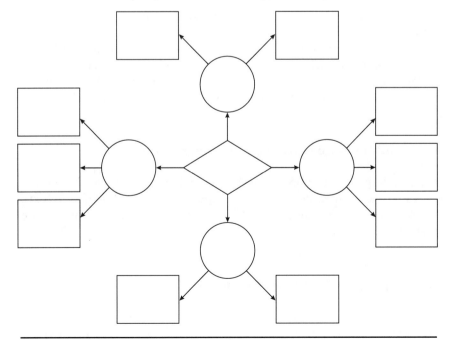

SOURCE: Adaptée de Sinatra *et al*. (1986).

FIGURE 7.4:   Graphique d'un texte de type énumératif

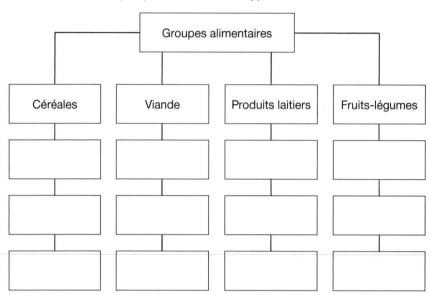

Les graphiques de textes de type énumération

Les graphiques de textes de type énumération peuvent se subdiviser en deux catégories : ceux qui reproduisent visuellement l'idée d'une liste d'éléments regroupés sous un même thème (figure 7.4) et ceux qui mettent en évidence la structure temporelle du texte (figure 7.5).

Les graphiques de textes de type comparaison

Les graphiques de ces textes mettent en évidence les ressemblances et les différences entre deux concepts (figures 7.6, 7.7). Lorsque le texte comporte plusieurs concepts, le graphique peut prendre l'allure d'une matrice (figure 7.8).

Les graphiques des textes de type cause–effet

Les graphiques de ce type de texte font ressortir la cause ainsi que l'effet entraîné par cette cause en mettant bien en relief la relation qui existe entre ces deux éléments (figures 7.9, 7.10).

FIGURE 7.5: Graphique d'un texte de type séquentiel

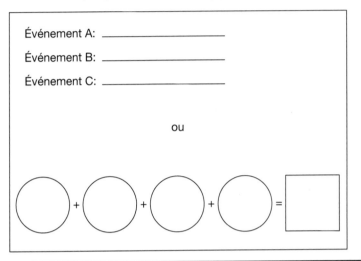

SOURCE: Adaptée de Horowitz (1985).

FIGURE 7.6: Graphique d'un texte de type comparaison

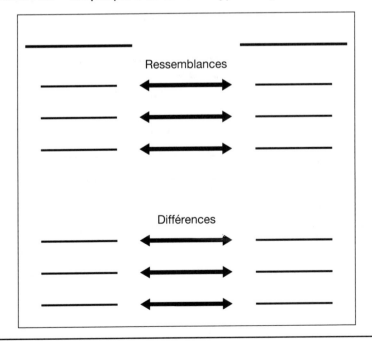

SOURCE: Adaptée de Smith et Tompkins (1988).

FIGURE 7.7 :   Graphique d'un texte de type comparaison

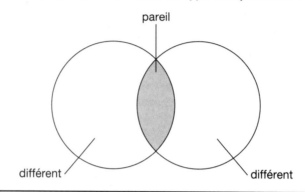

SOURCE: Adaptée de Horowitz (1985).

FIGURE 7.8 :   Matrice pour un texte de type comparaison

Les planètes du système solaire					
	Plus près du soleil que la terre	Plus grande que la terre	Possède une lune	Possède des anneaux	
Terre					
Jupiter					
Mars					
Mercure					
Neptune					
Pluton					
Saturne					
Uranus					
Vénus					

SOURCE: Adaptée de Cunningham et Cunningham (1987).

FIGURE 7.9:   Graphique d'un texte de type cause–effet

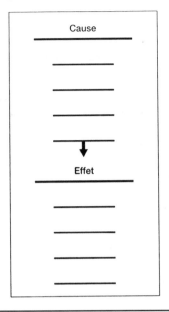

SOURCE: Adaptée de Smith et Tompkins (1988).

FIGURE 7.10:   Graphique d'un texte de type cause–effet

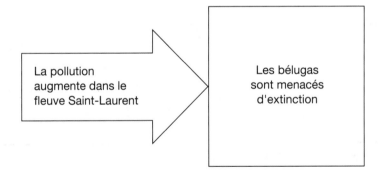

Les graphiques des textes de type problème–solution

Les graphiques, pour ce type de texte, ressemblent aux graphiques de textes de type cause–effet: ils présentent deux concepts (le problème et sa solution) ainsi que les relations qui existent entre ces deux concepts (figures 7.11, 7.12). Il arrive que certains textes présentent également le résultat obtenu à la suite de l'application de la solution mise de l'avant.

Dans ce cas, le graphique comporte un élément supplémentaire (figure 7.13).

FIGURE 7.11:   Graphique d'un texte de type problème–solution

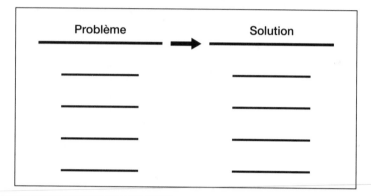

SOURCE: Adaptée de Smith et Tompkins (1988).

FIGURE 7.12:   Graphiques de textes comportant plusieurs problèmes ou plusieurs solutions

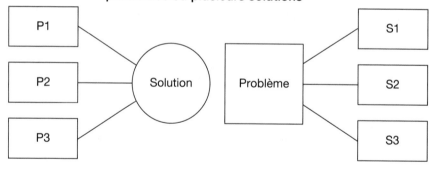

SOURCE: Adaptée de Horowitz (1985).

L'utilisation des indices de signalement

Finley et Seaton (1987) suggèrent d'utiliser les indices de signalement spécifiques à chaque structure de texte pour aider les élèves à extraire la structure des textes. Les listes suivantes présentent des exemples de mots clés qui sont révélateurs de certaines structures de texte.

Séquence

d'abord, ensuite, enfin
premièrement,
deuxièmement
après
par la suite
finalement

Description

plusieurs aspects
différents éléments
caractéristiques
parties
dimensions

Cause–effet

à cause de
parce que
puisque
comme résultats

Comparaison

comme
de la même façon
comparé
les deux
au lieu de

FIGURE 7.13:   Graphique d'un texte de type problème–solution–
résultat

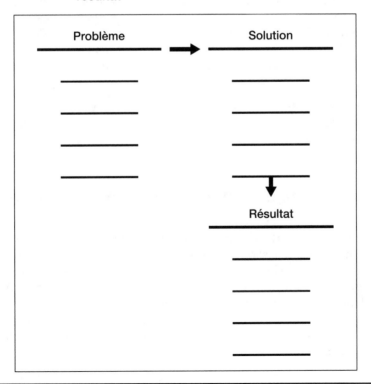

SOURCE: Adaptée de Smith et Tompkins (1988).

L'enseignant peut commencer par présenter aux élèves les listes d'indices de signalement, mais sans inscrire le nom des catégories. Il les amènera alors à associer chaque liste à une structure de texte. Par la suite, l'enseignant pourra distribuer des paragraphes aux élèves en leur demandant d'y repérer les indices de signalement et d'associer ces indices à l'une ou l'autre des structures de texte. Signalons que cette technique est plus appropriée avec les élèves plus avancés, car les textes pour lecteurs débutants ne contiennent pas toujours des indices de signalement évidents.

Faire découvrir par les élèves la structure du texte à l'aide de questions

L'enseignant peut également sensibiliser les élèves à la structure des textes en leur présentant un enchaînement de questions spécifiques visant à les aider à cerner les concepts clés du texte et à établir des relations entre ces concepts (Muth, 1987b). Par exemple, dans un texte de type cause–effet, les questions vont porter sur l'identification de la cause et de l'effet ainsi que sur la relation existant entre les deux. Dans un texte de type comparaison, l'enseignant peut demander: «Quels éléments l'auteur compare-t-il dans ce texte? Pourquoi fait-il cette comparaison?»

Même si certaines questions sont factuelles, elles sont posées dans un tout autre objectif que celui d'évaluer des connaissances acquises: elles visent plutôt l'identification de la structure du texte.

Des résumés à partir de la structure du texte

Armbruster *et al.* (1987) ont utilisé efficacement, avec des élèves de cinquième année, une stratégie de sensibilisation à la structure de type problème–solution. Globalement, cette technique s'inspire du modèle de l'enseignement explicite, c'est-à-dire qu'elle sous-entend que l'enseignant définit la stratégie à enseigner, illustre concrètement son fonctionnement, interagit avec les élèves pour les guider dans la maîtrise et l'utilisation autonome de cette stratégie. Voici toutefois les particularités de cette démarche:

1) L'enseignant explique ce qu'est un texte de type problème–solution et présente un schéma illustrant cette structure (figure 7.14).

FIGURE 7.14 :   Cadre illustrant la structure du texte problème–
solution

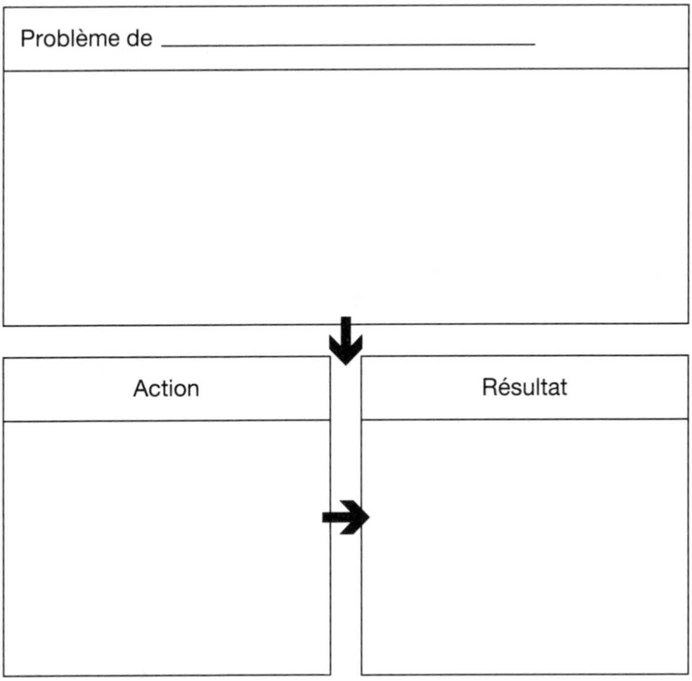

Problème de _____

Action	Résultat

Problème : quelque chose que les gens voudraient changer.

Action : ce que les gens font pour essayer de résoudre le problème.

Résultats : ce qui se produit à la suite de l'action.

L'élève se servira de ce cadre pour prendre des notes au cours de sa lecture.

2) L'enseignant présente ensuite une page contenant (figure 7.15) :
   a.   les règles de résumé d'un texte de type problème–solution ;
   b.   un cadre dans lequel l'élève écrit son résumé ;
   c.   un guide pour vérifier le résumé.

La même démarche peut être utilisée avec les autres structures de texte. Armbruster *et al.* (1989) ont donné des exemples détaillés d'utilisation de cette stratégie pour les textes de type description, de type comparaison et de type cause–effet.

FIGURE 7.15 :   Guide de rédaction du résumé pour un texte de type solution–problème

---

Comment résumer les passages de type problème–solution.

Phrase 1   Dire qui a un problème et de quoi est constitué ce problème.
Phrase 2   Dire ce qui a été entrepris pour essayer de régler le problème.
Phrase 3   Dire ce qui a résulté de l'action entreprise.

Schéma de rédaction d'un résumé pour un passage de type problème–solution

_____ avait un problème parce que _____

Alors, _____

Comme résultat _____

Guide pour vérifier le résumé

Vérifie si :

1)   ton résumé contient toutes les informations qui devraient faire partie d'un résumé de type problème–solution ;

2)   tu as utilisé des phrases complètes ;

3)   les phrases sont reliées par des connecteurs appropriés ;

4)   la grammaire et l'orthographe sont correctes.

Le lecteur habile utilise la structure des textes informatifs pour mieux comprendre et retenir l'information qui y est contenue. Il importe donc que les élèves soient sensibilisés aux différentes structures de textes informatifs. Il faut reconnaître cependant que cette habileté se développera graduellement et qu'elle ne sera pas encore maîtrisée à la fin du primaire. L'enseignant peut toutefois faciliter le développement de cette habileté par différentes stratégies comme l'utilisation des graphiques, des indices de signalement, du questionnement et du résumé dirigé.

8

Les processus d'élaboration

Pour comprendre un texte, le lecteur doit regrouper les mots en unités de sens, établir des liens entre les phrases et y reconnaître les idées principales. Mais ces processus sont-ils les seuls qui interviennent lorsqu'un lecteur entreprend de comprendre un texte? Non. Le lecteur fait souvent des inférences qui ne sont pas reliées aux microprocessus, aux processus d'intégration ou aux macroprocessus; ces inférences ne sont pas nécessairement prévues par l'auteur et ne sont pas indispensables à la compréhension littérale du texte. On parlera dans ce cas de processus d'élaboration. Irwin (1986) identifie cinq types de processus d'élaboration: 1) faire des prédictions, 2) se former une image mentale, 3) réagir émotivement, 4) raisonner sur le texte, 5) intégrer l'information nouvelle à ses connaissances antérieures.

LES PRÉDICTIONS

Les prédictions sont des hypothèses que le lecteur fait sur ce qui arrivera ensuite dans le texte. Ces hypothèses excluent cependant celles qui sont effectuées par le lecteur pour identifier un mot puisque ces dernières sont déjà incluses dans les microprocessus. Les prédictions, dans les processus d'élaboration, concernent surtout les idées; elles se situent au niveau du texte plutôt qu'au niveau de la phrase.

Les types de prédictions

Il est possible de distinguer deux grandes catégories de prédictions: les prédictions fondées sur le contenu du texte et les prédictions fondées sur la structure du texte. Par exemple, si un texte porte sur l'histoire de la colonisation au Québec, le lecteur s'attendra à entendre parler des Amérindiens. Cette prédiction s'appuie sur les connaissances que possède le lecteur sur le sujet du texte. Le lecteur peut également effectuer des prédictions à partir de ses connaissances sur la structure des textes. Ainsi, face au texte sur l'histoire de la colonisation au Québec, le lecteur s'attendra à y trouver une structure de type séquentiel.

Irwin (1986) propose une liste de sources possibles de prédictions en lecture*. Soulignons que cette liste peut servir de référence dans la préparation des interventions pédagogiques en classe.

Prédictions sur les textes narratifs

1) Prédictions des événements fondées sur:
   a. le caractère des personnages;
   b. la motivation des personnages;
   c. les caractéristiques de la situation;
   d. les indices présents dans le texte:
      – les illustrations,
      – le titre.
2) Prédictions à partir de la structure et fondées sur:
   a. la connaissance des genres littéraires;
   b. les connaissances concernant la grammaire de récit.

---

* Liste adaptée par l'auteure.

Prédictions sur les textes informatifs

1) Les prédictions de contenu fondées sur:
   a. les connaissances antérieures sur le sujet;
   b. les connaissances concernant la causalité:
      - physique,
      - politique,
      - psychologique,
      - autres.
2) Les prédictions à partir de la structure et fondées sur:
   a. la connaissance des structures des textes informatifs;
   b. les indices provenant du texte:
      - en-tête,
      - titre,
      - introduction,
      - mots de transition,
      - tables, figures...

L'enseignement et les prédictions

Étant donné que les lecteurs efficaces effectuent différentes prédictions au cours de leur lecture, les élèves moins habiles devraient être sensibilisés à ce processus d'élaboration qui pourrait les rendre plus actifs dans leur compréhension des textes.

Les prédictions et les indices

Beck (1989) rappelle que lorsque nous encourageons les élèves à effectuer des prédictions à partir d'indices, surtout à partir d'indices subtils, nous le faisons pour les sensibiliser à l'utilité de ces indices dans la compréhension du texte. Si nous leur demandons des prédictions en l'absence d'indices, nous encourageons leur pensée créative. Les deux activités sont importantes, mais nous devons les identifier clairement pour accorder à chacune la place qui lui revient. Dans l'enseignement de l'habileté à prédire, une première démarche pourrait donc consister à aborder avec les élèves la distinction entre prédire et deviner (ou imaginer) en précisant bien que prédire implique l'utilisation des indices.

La confirmation et la réfutation des prédictions

Garrisson et Hoskisson (1989) soulignent la ressemblance existant entre les prédictions en lecture et la démarche scientifique qui consiste à poser des hypothèses, à les justifier, à les confirmer ou à les rejeter, à les corriger ou à les réviser. De la même manière, en lecture, on demande aux élèves d'expliquer pourquoi ils font telle prédiction, pourquoi ils l'acceptent et pourquoi ils la rejettent ou la modifient. L'utilisation des prédictions en lecture permet donc de développer l'autocorrection de la pensée comme c'est le cas dans le processus scientifique. Cependant, ce processus peut être entravé par un phénomène psychologique bien connu qui consiste à ne rechercher que les éléments qui confirment l'hypothèse posée et à rejeter ou laisser de côté l'information qui ne confirme pas cette hypothèse.

Afin de contrer les effets de cette tendance, Garrisson et Hoskisson (1989) suggèrent d'apprendre aux élèves que rejeter une hypothèse réfutée par le texte est un processus logique. Selon eux, les élèves doivent également apprendre qu'une hypothèse n'est pas confirmée même si les autres hypothèses ont été rejetées. Il s'agit d'un principe de base dans le processus scientifique. Les auteurs donnent l'exemple suivant: vous voyez pour la première fois un cygne blanc et vous faites l'hypothèse que tous les cygnes sont blancs; vous vous promenez dans différents endroits et tous les cygnes que vous rencontrez sont blancs. Vous croyez que votre hypothèse est confirmée. Attention! Si elle n'a pas encore été réfutée, elle n'est pas pour autant confirmée. Supposons que vous vous rendiez en Australie et que vous rencontriez un cygne noir; vous devrez alors rejeter votre hypothèse disant que tous les cygnes sont blancs. En fait, rencontrer plusieurs cygnes blancs ne peut prouver que tous les cygnes sont blancs, alors que rencontrer un seul cygne noir suffit à rejeter l'hypothèse que tous les cygnes sont blancs.

Garrisson et Hoskisson (1989) voient, dans les principes de la démarche scientifique, des atouts majeurs à utiliser en prédiction de lecture. Pour eux,

> *prouver que la prédiction est exacte est justement l'inverse de ce que les élèves doivent faire si nous voulons qu'ils comprennent comment fonctionne la vérification des hypothèses. Lorsqu'ils effectuent des prédictions en lecture, les élèves doivent réfuter les prédictions erronées.* (Page 484; traduction de l'auteure.)

Selon ces auteurs, l'enseignant devrait donc mettre l'accent sur la réfutation plutôt que sur la confirmation des prédictions. Au lieu de demander à l'élève de prouver que sa prédiction est confirmée, l'enseignant le poussera à chercher des réfutations à sa prédiction en lui posant des questions du type :

- Ta prédiction peut-elle être contredite ?
- As-tu assez de preuves pour rejeter ta prédiction ?
- Les informations du texte vont-elles à l'encontre de ta prédiction ?

Bref, les élèves doivent prendre conscience que si leur hypothèse n'a pas encore été réfutée, elle n'est pas pour autant confirmée, car elle pourrait être réfutée plus loin dans le texte.

Collins et Smith (1982) abondent dans le même sens. Ils suggèrent que l'enseignant lise un texte à haute voix et qu'il propose des prédictions sur ce texte. Plus les prédictions sont erronées, disent-ils, meilleure sera la démonstration, car les élèves doivent apprendre à réviser leurs prédictions et à considérer qu'il est normal de rejeter des hypothèses inexactes. Au cours de la lecture, l'enseignant identifie, à voix haute, les éléments qui vont à l'encontre de ses prédictions initiales et explique aux élèves pourquoi il rejette ou modifie ces dernières.

Les prédictions à partir des titres et des sous-titres

Les titres et les sous-titres sont des sources reconnues de prédictions sur le contenu du texte. N'est-ce pas à partir des titres que le lecteur choisit de lire tel ou tel article dans le journal quotidien ? Même si l'utilité des titres ne laisse pas de doute, il ne semble pas que les élèves utilisent pleinement cet indice. Par exemple, Watanabe *et al.* (1984) ont montré que les élèves de huitième année étaient relativement peu habiles à utiliser les titres pour prédire le contenu d'un texte. Cependant, après une période d'entraînement, les auteurs ont constaté une amélioration significative chez les élèves quant à leur capacité à anticiper le contenu du texte à partir des titres.

Pour favoriser l'utilisation des titres comme indices de prédictions, Nichols (1983) suggère à l'enseignant d'écrire le titre d'un texte au tableau et de demander aux élèves de rédiger 5 à 10 questions auxquelles ils prévoient trouver une réponse dans le texte. Les élèves lisent ensuite le texte pour voir si effectivement ils y trouvent des réponses à leurs questions.

Aux titres et aux sous-titres, il faut ajouter d'autres indices servant à effectuer des prédictions : les introductions, les figures, les tableaux, les mots en italique ou en caractère gras... Les trois techniques suivantes combinent l'utilisation des titres et celle des autres indices de prédiction (Nichols, 1983).

1) Après avoir lu le titre du chapitre et le paragraphe d'introduction, les élèves complètent un schéma de paragraphe :

À partir du titre et de l'introduction, je prévois que ce chapitre parlera de _____

_____

_____ .

La raison sur laquelle je m'appuie est _____

_____ .

---

2) Dans un texte décrivant des événements historiques, par exemple, l'enseignant peut demander aux élèves de survoler le chapitre (en utilisant les titres, les introductions, les illustrations...) puis d'utiliser le schéma suivant :

Après avoir survolé le chapitre, je pense que les principaux personnages seront _____ .

Les événements marquants seront _____

_____

_____ .

Les dates suivantes semblent être importantes : _____

_____ .

Les élèves lisent ensuite le texte pour vérifier la validité de leurs prédictions.

3) Une autre technique consiste à demander aux élèves de survoler le chapitre et d'écrire 10 mots qui, d'après eux, seront importants dans le texte. Ils comparent ensuite leur liste avec celles des autres élèves.

Pour terminer cette section, rappelons que les prédictions font partie des processus d'élaboration utilisés par les bons lecteurs. Leur rôle est d'augmenter la motivation et l'engagement du lecteur face au texte, améliorant par le fait même sa compréhension.

L'IMAGERIE MENTALE

On a vu apparaître durant les dernières années un intérêt renouvelé pour le rôle de l'imagerie mentale dans le processus de lecture (Harp, 1988; Linden et Wittrock, 1981; Peters et Levin, 1986; Rasinski, 1985; Sadoski, 1983, 1985). Même si l'imagerie mentale recouvre différentes modalités (visuelle, auditive, gustative, olfactive, tactile, et kinesthésique), seule la dimension visuelle a été étudiée en relation avec la lecture.

Selon Long *et al.* (1989), l'imagerie mentale interviendrait de plusieurs façons en lecture:

1) elle augmenterait la capacité de la mémoire de travail durant la lecture en réunissant des détails dans de grands ensembles;

2) elle faciliterait la création d'analogies ou de comparaisons;

3) elle servirait d'outil pour structurer et conserver en mémoire l'information tirée de la lecture;

4) elle augmenterait le degré d'engagement envers le texte ainsi que l'intérêt et le plaisir à lire.

Les recherches sur l'imagerie mentale et la lecture

La capacité de créer des images mentales fortes et claires varie beaucoup d'un individu à l'autre. Cette capacité individuelle influence son utilisation en lecture, car évidemment les lecteurs qui sont plus aptes à créer spontanément des images utilisent ce processus dans leur lecture plus que les individus qui ne «voient rien» dans leur tête. Il semblerait cependant que les bons «visualisateurs» ne soient pas nécessairement ceux qui comprennent mieux le texte. Par contre, plusieurs recherches ont montré qu'un entraînement à l'imagerie mentale améliorait la compréhension de texte. Ainsi, les résultats d'une recherche ont montré que des élèves de cinquième année qui avaient bénéficié d'un entraînement à l'imagerie mentale identifiaient mieux les illogismes dans un texte que les élèves qui n'avaient pas subi cet entraînement (Gambrell et Bales, 1986). Dans une autre recherche, les auteurs ont entraîné à l'imagerie mentale des lecteurs faibles en compréhension de textes et les résultats se sont révélés positifs (Peters et Levin, 1986).

Comment résoudre ce paradoxe? D'une part, les lecteurs qui utilisent spontanément l'imagerie mentale ne sont pas forcément de meilleurs lecteurs, d'autre part, un entraînement à l'imagerie mentale améliore la compréhension en lecture. Long *et al.* (1989) apportent une distinction très éclairante: ils suggèrent de placer dans une première catégorie les images mentales spontanées et dans une deuxième catégorie, les images produites consciemment. La production spontanée d'images mentales porterait, selon eux, sur des aspects d'élaboration intéressants, certes, mais non indispensables à la compréhension, du moins telle qu'elle est mesurée par les tests de lecture. La production consciente d'images mentales, par contre, serait plutôt de l'ordre des processus métacognitifs: elle forcerait le lecteur à être attentif au texte et le rendrait plus conscient de son traitement du texte. Ainsi, l'imagerie mentale fait à la fois partie des processus d'élaboration et des processus métacognitifs. Plus l'image mentale est spontanée, plus elle se rattache aux processus d'élaboration; plus elle est consciente et dirigée, plus elle se rapproche des processus métacognitifs. Quelle que soit l'utilisation qui en est faite par le lecteur, l'imagerie mentale fait partie de l'éventail des processus de lecture.

LES RÉPONSES AFFECTIVES

Un auteur qui écrit un texte narratif a comme objectif d'influencer les sentiments du lecteur et le lecteur, de son côté, a l'intention de se laisser toucher par l'auteur, autrement il ne s'engagerait pas dans ce type de lecture. La réponse affective fait donc partie du processus de lecture, du moins en ce qui concerne les textes narratifs. Un lecteur qui s'engage émotivement dans la lecture d'un texte est plus actif que celui qui ne s'y engage pas avec cette optique et, à ce titre, il a plus de chances de comprendre et de retenir l'information contenue dans ce texte.

Cependant, la réponse affective peut jusqu'à un certain point modifier la compréhension du texte. Mosenthal (1987) a émis l'hypothèse que la réponse affective d'un lecteur à un récit pouvait influer sur sa compréhension du texte de façon aussi importante que l'organisation des parties du récit. En principe, le rappel d'une information dans un récit dépendra de son importance dans l'histoire; cependant, un élément qui n'est pas central dans la structure du texte peut devenir plus important pour un lecteur à cause de sa réponse affective à cet élément. Ce fait explique, en partie, les interprétations différentes données par les lecteurs d'un même texte.

Si la réponse affective est appropriée à la lecture d'un roman, par exemple, elle ne l'est cependant pas pour tous les types de textes. En effet, le lecteur devra être vigilant dans le cas d'un texte où l'auteur joue justement avec les sentiments de son auditoire pour le persuader. À ce moment, le lecteur doit éviter de tomber dans le piège de la réponse affective et doit plutôt évaluer le texte à partir de ses processus de raisonnement. Bref, il faut encourager chez les élèves des réactions émotives pertinentes lors d'une lecture, mais en même temps, les sensibiliser au fait qu'une réaction émotive n'est pas appropriée à toutes les lectures.

Les deux principales réactions émotives du lecteur face à un texte narratif concernent l'intrigue et l'identification aux personnages.

1) **Réaction émotive à l'intrigue**   L'enseignant peut favoriser ce type de réaction en demandant aux élèves de penser à des situations analogues qu'ils auraient vécues dans leur propre vie. Les jeux de rôle portant sur des scènes importantes du texte peuvent également encourager des réponses affectives par rapport à l'intrigue (Irwin, 1986).

2) **Identification aux personnages**   Lorsque l'enseignant demande aux élèves: «Comment vous seriez-vous sentis à la place du personnage?», il favorise de leur part une réponse affective d'identification au personnage. Il peut également demander aux élèves de se mettre dans la peau d'un personnage pour rédiger une page du journal intime de ce personnage ou pour écrire une lettre à un autre personnage.

Les réponses affectives au texte sont également reliées à la bibliothérapie, cette nouvelle forme de thérapie qui mise justement sur le fait que le lecteur s'engagera émotivement dans sa lecture (Edwards et Simpson, 1986; Manning et Manning, 1984; Tillman, 1984; Winfield, 1983). La bibliothérapie consiste à utiliser le livre pour tenter de résoudre les problèmes émotifs du lecteur. Par exemple, dans un cas de séparation des parents, un récit portant sur ce sujet pourra servir de soutien à un enfant. Ce dernier, en s'identifiant au personnage qui vit le même problème que lui, pourra faire siennes les solutions envisagées par ce personnage pour résoudre ses problèmes.

LE RAISONNEMENT

Dès le début du siècle, Thorndike (1917) disait: «Lire, c'est raisonner». Cette section portera sur les habiletés qui permettent au lecteur de raisonner, c'est-à-dire d'utiliser son intelligence pour traiter le contenu du texte, pour l'analyser ou pour le critiquer. Ces processus sont particulièrement importants. En effet, quelle est l'utilité pour un lecteur de comprendre un texte s'il est incapable d'être critique face à ce texte? Trop d'adultes acceptent tout ce qui est écrit sans exercer aucune critique face à leurs lectures. Il est essentiel que même les jeunes lecteurs apprennent, à leur niveau, à porter des jugements sur les textes. Il est également important que le lecteur apprenne à réutiliser, dans des situations de sa vie quotidienne, les connaissances qu'il a retirées d'un texte.

Plusieurs habiletés sont susceptibles d'être regroupées sous le vocable «raisonnement». À ce sujet, certains auteurs, comme Bloom (1956), parlent d'application, d'analyse, de synthèse et d'évaluation. Dans ce manuel, nous n'avons retenu, à titre d'exemple, que quelques-unes des habiletés incluses dans le raisonnement. Nous nous attarderons, dans cette partie, sur la distinction entre les faits et les opinions, sur l'évaluation de la crédibilité de la source et sur la réaction à l'aspect connotatif du vocabulaire de l'auteur.

Distinguer les faits des opinions

Distinguer les faits des opinions est une habileté indispensable pour le lecteur qui est sans cesse confronté à des textes écrits en vue de le persuader, de le convaincre... Les arguments utilisés dans ce genre de textes peuvent être aussi bien des opinions que des faits. En soit, une opinion peut fort bien être valable, mais il importe de savoir distinguer les faits des opinions afin d'évaluer leurs poids respectifs dans l'argumentation.

Répondez au questionnaire suivant en indiquant s'il s'agit d'une opinion ou d'un fait: inscrivez «F» pour un fait, «O» pour une opinion et « ? » si vous êtes indécis.

---

1. Edison était un homme très intelligent.   _____
2. Edison est né en Amérique en 1847.   _____
3. Edison est né en 1852.   _____
4. Edison inventa l'éclairage électrique.   _____
5. Edison était gras.   _____
6. Edison était atteint de surdité.   _____

7. Le cerveau d'Edison était une véritable usine.   _____

8. Edison était aussi aimable qu'intelligent.   _____

9. Edison était un travailleur acharné.   _____

10. À 16 ans, Edison était télégraphiste à Port-Huron.   _____

11. En 1877, Edison inventa le phonographe.   _____

Sans doute avez-vous maintenant envie de vérifier vos réponses? Les énoncés 2, 3, 4, 6, 10 et 11 sont des énoncés de faits. À première vue, il peut sembler curieux que les énoncés 2 et 3 soient tous les deux classés dans cette catégorie. Il est certain que ces énoncés ne peuvent être exacts tous les deux; au moins l'un des deux est faux. Cependant, qu'un énoncé soit faux par rapport à la réalité n'en fait pas une opinion, il demeure un **énoncé de fait**.

Les énoncés 1, 7, 8, 9 sont des opinions. Reste l'énoncé 5 qui est difficile à classer dans une catégorie ou l'autre. Au permier abord, cet énoncé: «Edison était gras» peut ressembler à un fait. Cependant, lorsqu'on examine de près les critères permettant de décider si une personne est grasse ou non, on se rend compte que ces derniers sont sujets à interprétation. Il est donc difficile de juger, ici, à quelle catégorie appartient exactement l'énoncé.

Le fait qu'un énoncé puisse se situer à la limite de l'opinion et du fait rend la tâche d'enseignement plus difficile. C'est pourquoi, il sera préférable de commencer l'enseignement avec des énoncés qui se situent nettement dans une catégorie ou l'autre. Certains critères peuvent faciliter la classification des énoncés (Pearson et Johnson, 1978). Le tableau 8.1 présente les principales distinctions qu'on peut établir entre les faits et les opinions.

Porter un jugement sur la crédibilité de la source d'information

Très souvent, l'acceptation du contenu d'un texte par un lecteur repose sur l'opinion qu'il a de l'auteur. Par exemple, un point de vue sur la solidité du pont de Québec sera plus crédible s'il est émis par un ingénieur que s'il provient d'un policier de la ville. Par contre, s'il s'agit de statistiques sur le taux de criminalité, le directeur des services policiers sera considéré comme une source plus compétente qu'un ingénieur. Pour sensibiliser les élèves à l'importance d'évaluer la source d'un texte, Irwin (1986) suggère de leur faire lire des textes portant sur le même thème,

TABLEAU 8.1 :   Les principales caractéristiques des énoncés de fait et des énoncés d'opinion

Faits	Opinions
Les faits rapportent ce qui existe ou ce qui a existé.	L'opinion marque l'approbation ou la désapprobation.
Le fait peut être vérifié. Il peut cependant se révéler faux.	La véracité des opinions ne peut se démontrer.
	Des syntagmes comme : «Je pense», «À mon avis», «devrait», «aurait dû», «probablement», dénotent la plupart du temps des opinions.
Un énoncé qui comporte des quantités se veut d'ordinaire une affirmation de fait.	En général, des adjectifs de qualité suggèrent des opinions.
Plus une proposition est précise, plus elle a de chances d'être un fait.	Plus une proposition est générale, plus elle a de chances d'être une opinion.
Les propositions qui utilisent des termes neutres ont plus de chances d'énoncer des faits.	Les propositions qui utilisent des termes chargés d'émotion ont plus de chance d'énoncer des opinions.

mais rédigés par des types d'auteurs très différents. Elle suggère également de les faire tenter d'identifier un type d'auteur à partir d'un extrait de texte. L'important est qu'ils puissent se rendre compte que la crédibilité de l'auteur est une information qu'il faut prendre en considération lorsqu'on lit un texte.

Réagir à l'aspect connotatif du langage de l'auteur

Les élèves doivent apprendre à distinguer les aspects dénotatifs (sens littéral) et connotatifs du langage (valeur émotive). Deux expressions peuvent concerner la même réalité, mais provoquer des réponses émotives différentes, donner un ton différent au texte. Par exemple, il est possible que le mot «femme» et le mot «commère» désignent dans un texte le même personnage, mais le dernier terme contient une connotation nettement péjorative. Les lecteurs doivent être capables de se rendre compte que l'auteur peut dénaturer l'information en utilisant certains termes connotatifs. Ainsi, en classe, les activités de sensibilisation consisteraient à relever avec les élèves les termes qui ont donné le ton au texte ou encore à réécrire un texte en changeant les termes émotifs par des termes neutres et, par la suite, à évaluer le changement obtenu dans le ton du texte.

L'INTÉGRATION DE L'INFORMATION DU TEXTE AUX CONNAISSANCES

Au cours d'une lecture, le lecteur habile relie l'information contenue dans le texte à ses connaissances. Précisons qu'utiliser une certaine partie de ses connaissances fait partie des microprocessus, des processus d'intégration et des macroprocessus. Par contre, il arrive souvent que le lecteur établisse entre le texte et ses connaissances personnelles des liens qui n'étaient pas indispensables à la compréhension du texte; il s'agit alors de processus d'élaboration. Ainsi, même si le lien qu'il établit entre le texte et ses connaissances doit, en principe, être fonction de son intention de lecture, il arrive que ce lien l'éloigne de l'essentiel du texte. Pour illustrer ce fait, examinons les propos de deux élèves après la lecture du même passage:

Geneviève : C'est l'histoire d'une petite fille qui a la coqueluche et qui ne peut pas jouer avec ses amis parce que la coqueluche est une maladie contagieuse, comme la rougeole que j'ai eue quand j'avais trois ans. Elle reste toute seule sur la galerie et elle s'ennuie. Son père lui apporte une surprise, c'est un hamac. Il l'installe entre deux colonnes et la petite fille peut se balancer doucement; elle n'est plus triste d'avoir la coqueluche.

Maryse : C'est une petite fille qui a la coqueluche et qui est très malade. Cela m'a fait penser à l'année dernière quand je suis allée à l'hôpital. J'ai été très malade, mon père et ma mère venaient me voir tous les jours. Le dimanche, mon amie Caroline est venue me voir elle aussi.

Il est facile de constater que les élaborations de Maryse ne sont pas toutes nécessaires à la compréhension du texte. Il arrive que certains lecteurs se perdent dans des élaborations fantaisistes qui les éloignent du but de leur lecture. Par contre, lorsque ces élaborations sont adéquates, leur présence facilite la rétention de l'information. Au niveau de l'enseignement, la démarche la plus efficace sera sans aucun doute que l'enseignant fasse concrètement pour les élèves la démonstration de la façon dont il relie lui-même l'information contenue dans un texte à ses propres connaissances.

Les processus d'élaboration sont très variés et leur présence chez un lecteur n'est pas conditionnelle à la maîtrise de tous les autres processus; ils peuvent même être présents, au moins dans leur manifestation minimale, chez les lecteurs les plus jeunes. De plus, ces processus sont utilisés de façon différente par chaque lecteur. L'enseignant doit donc s'attendre à un large éventail de réponses lorsqu'il travaille sur les processus d'élaboration. Il doit se préparer à cette diversité et en reconnaître la valeur.

9

Les processus métacognitifs

Les processus métacognitifs font référence aux connaissances qu'un lecteur possède sur le processus de lecture ; ils concernent également la capacité du lecteur à se rendre compte d'une perte de compréhension et, dans ce cas, à utiliser les stratégies appropriées pour remédier au problème. Les processus métacognitifs comprennent de plus l'utilisation de stratégies d'étude, c'est-à-dire des stratégies qui facilitent l'acquisition de connaissances nouvelles à partir de la lecture d'un texte.

LA NATURE DES PROCESSUS MÉTACOGNITIFS

Afin de vous préparer à lire le chapitre sur les processus métacognitifs, essayez de vous représenter les deux descriptions qui suivent.

Situation 1   Imaginez-vous assis à votre bureau et travaillant. Représentez-vous un deuxième MOI, tout près, qui dirige le processus d'apprentissage, vous disant quand et pourquoi utiliser telle stratégie d'apprentissage. Ce MOI fournit aussi des informations sur la bonne marche du processus. Ce deuxième MOI pourrait représenter les processus métacognitifs (Spring, 1985).

Situation 2   Représentez-vous deux élèves de la même classe : le premier relit le texte lorsqu'il ne comprend pas bien, pose des questions pour clarifier une consigne, se montre flexible dans ses intentions de lecture. Le deuxième ne relit jamais un texte, même lorsqu'il n'a pas compris ; il ne se rend d'ailleurs pas compte qu'il n'a pas compris. Il ne voit pas l'utilité de comprendre précisément des directives et il ne varie pas sa façon de lire en fonction de son intention de lecture. Pourtant, ces deux élèves travaillent bien tous les deux lorsque l'enseignant les supervise de près. Il est fort probable que ces deux élèves diffèrent non pas par leur habileté à apprendre mais par leur façon de gérer leur apprentissage, c'est-à-dire par leurs processus métacognitifs (Babbs et Moe, 1983).

Le terme *métacognition* a été proposé au milieu des années 70. Depuis, on a vu apparaître toute une série de mots utilisant le préfixe « méta » : métacompréhension, métamémoire, métalinguistique, etc. Tous ces concepts sont en fait subordonnés au concept générique de métacognition. On définit habituellement la métacognition par rapport à la cognition. La cognition fait référence au fonctionnement de l'esprit humain et se caractérise par la compréhension, la mémorisation et le traitement de l'information. La métacognition fait référence à la connaissance que quelqu'un possède sur son fonctionnement cognitif et à ses tentatives pour contrôler ce processus (Brown *et al.*, 1986).

Durant les dix dernières années, de nombreuses publications ont été réalisées sur le thème de la métacognition en lecture. Signalons que lorsqu'il s'agit de la métacognition appliquée à la lecture, on utilise habituellement le terme de *métacompréhension*.

LES COMPOSANTES DE LA MÉTACOMPRÉHENSION

Il existe deux courants de recherche concernant la métacompréhension : le premier fait suite aux travaux de Flavell et se centre sur la **connaissance** des processus cognitifs, le deuxième, issu des travaux de Brown, s'oriente vers la **gestion** des processus cognitifs (Paris *et al.*, 1987).

La connaissance des processus ou l'autoévaluation

La première composante de la métacompréhension porte sur les «connaissances» qu'un lecteur possède sur les habiletés, stratégies et ressources nécessaires pour réussir une tâche de lecture. Jusqu'à quel point cette connaissance doit-elle être consciente? Cette question n'a pas reçu de réponse claire dans la recherche sur le sujet. Certains auteurs associent la métacognition au terme *conscience*, alors que d'autres laissent entendre qu'il peut s'agir de connaissances intuitives (Paris *et al.*, 1987).

On subdivise habituellement cette connaissance en trois volets : les connaissances sur la personne, celles sur la tâche et celles sur les stratégies (Paris *et al.*, 1987).

A. **Connaissances sur la personne**   Le lecteur est-il conscient de ses ressources et de ses limites cognitives, de ses intérêts, de sa motivation?

   Étant donné que la perception de soi comme lecteur est la résultante des attentes des parents, des attitudes des pairs et des résultats scolaires passés, il arrive souvent que cette perception soit faussée et que le lecteur sous-estime ou surestime ses ressources et ses limites (Kletzien et Bednar, 1988).

B. **Connaissances sur la tâche**   Le lecteur est-il conscient des exigences de la tâche? Sait-il, par exemple, qu'un matériel organisé est plus facile à apprendre qu'un matériel vague, que les textes contenant des mots familiers sont plus faciles que les textes parsemés de mots et de concepts nouveaux? Est-il conscient du rôle des intentions en lecture?

C. **Connaissances sur les stratégies**   Le lecteur est-il conscient des stratégies utiles pour résoudre un problème de lecture ou pour répondre à une tâche? Par exemple, le lecteur sait-il qu'en cas de perte de compréhension, il peut tenter de résoudre le problème en utilisant des stratégies comme celles de continuer à lire, de revenir en arrière ou de demander de l'aide à une source extérieure?

Bref, la première composante de la métacompréhension fait référence à la connaissance que possède le lecteur sur ses propres ressources cognitives et sur la compatibilité existant entre ces ressources et la situation d'apprentissage dans laquelle il se trouve. Si le lecteur sait ce qu'il faut faire pour réussir la tâche, il est plus facile pour lui de procéder de façon à réussir cette tâche. Selon plusieurs auteurs, les difficultés des jeunes lecteurs et des lecteurs moins habiles peuvent être expliquées en partie par leur manque de connaissances sur les stratégies efficaces, sur les caractéristiques des textes et sur leurs propres forces et faiblesses (Paris *et al.*, 1987; Forlizzi et Clark, 1989).

L'autogestion de la compréhension

La deuxième composante de la métacompréhension porte sur l'habileté à utiliser des processus d'autorégulation. Grâce à ces processus, le lecteur vérifie si la compréhension s'effectue bien; lorsqu'il détecte un problème, il utilise des stratégies susceptibles de lui permettre de résoudre ce problème (Palmer *et al.*, 1986).

Brown (1980) définit encore plus finement ces processus de gestion. Elle dégage en fait quatre aspects différents:

- savoir **quand** nous comprenons (et quand nous ne comprenons pas);
- savoir **ce que** nous comprenons (et ce que nous ne comprenons pas);
- savoir **ce dont nous avons besoin** pour comprendre;
- savoir que nous pouvons **faire quelque chose** quand nous ne comprenons pas.

Pour illustrer ces composantes, nous utiliserons les pistes données par Fitzgerald (1983). Lisez d'abord les règles du jeu de cartes fictif ci-dessous:

> *Tous les joueurs placent leurs cartes en pile. Chacun tourne la première carte du dessus de sa pile. Les joueurs regardent les cartes pour voir qui a la carte spéciale. Chacun tourne ensuite la carte suivante de sa pile pour*

voir qui a la carte spéciale. À la fin de la partie, la personne qui a accumulé le plus de cartes est déclarée gagnante.

Savoir QUAND nous comprenons   Maintenant que vous avez lu les règles du jeu, répondez à la question suivante: «Seriez-vous capable de jouer à ce jeu?» Si vous répondez non, vous démontrez que vous savez quand vous comprenez et quand vous ne comprenez pas. Bien des jeunes lecteurs et des lecteurs en difficulté répondront qu'ils pourraient jouer à ce jeu parce qu'ils ne sont pas conscients de leur propre compréhension.

Savoir CE QUE nous comprenons   Répondez aux cinq questions suivantes. Vous pouvez répondre: «Je ne sais pas», si vous le désirez. Cotez votre degré de certitude pour chacune des questions: encerclez 1 si vous êtes vraiment incertain de votre réponse et 5 si vous êtes très certain de votre réponse. Vous pouvez coter 5 pour une réponse de type: «Je ne sais pas», si vous êtes certain de ne pas savoir la réponse.

1. Avec combien de cartes commence chaque joueur?
   _____   1 2 3 4 5

2. De quelle façon le joueur place-t-il ses cartes pour commencer à jouer?
   _____   1 2 3 4 5

3. Quel est le but poursuivi par chaque joueur?
   _____   1 2 3 4 5

4. Pourquoi le joueur regarde-t-il chaque carte?
   _____   1 2 3 4 5

5. Qu'est-ce qu'une carte spéciale?
   _____   1 2 3 4 5

Vos réponses sont probablement du type suivant: 1) je ne sais pas, 2) en pile, 3) obtenir le plus de cartes et gagner, 4) pour voir qui a la carte spéciale, 5) je ne sais pas. Si vos réponses ressemblent à ces dernières et si vous avez un fort degré de certitude (4 ou 5) dans vos réponses, vous avez démontré que vous saviez **ce que** vous comprenez. Si vous avez des réponses inexactes, mais avec une faible cote de certitude, là encore vous montrez que vous savez **ce que** vous ne comprenez pas. Les lecteurs faibles vont souvent donner des cotes très élevées à des réponses inexactes et des cotes faibles à des réponses exactes.

Savoir CE DONT NOUS AVONS BESOIN pour comprendre
Faites la liste des questions que vous aimeriez poser pour pouvoir comprendre le jeu de cartes.

_____

_____

_____

Votre liste devrait comprendre des questions comme: 1) Combien de cartes chaque joueur a-t-il au début de la partie? 2) Quelle est la carte spéciale? 3) Que fait le joueur qui possède la carte spéciale? Si vos questions ressemblent à celles-ci, c'est que vous savez **ce dont vous avez besoin** pour comprendre. Bien des lecteurs en difficulté ne savent pas quelles sont les informations manquantes.

Savoir que nous pouvons FAIRE QUELQUE CHOSE quand nous ne comprenons pas   Quand vous avez lu les règles du jeu la première fois, vous avez probablement essayé plusieurs stratégies pour vous aider à mieux comprendre. Vous avez peut-être relu le texte pour vérifier des informations; vous vous êtes probablement posé des questions sur l'information manquante et vous avez dû essayer de voir rapidement si la réponse à ces questions se trouvait dans le texte. Ce comportement révèle que vous êtes conscient de l'utilité d'intervenir lorsque vous ne comprenez pas. Plusieurs jeunes lecteurs ne voient pas l'importance d'essayer d'autres stratégies quand leur stratégie initiale a échoué.

L'ENSEIGNEMENT DES PROCESSUS MÉTACOGNITIFS

Le développement des processus métacognitifs accompagne l'acquisition des habiletés en lecture et y contribue (Baker et Brown, 1984; Oka et Cross, 1986; Paris *et al.*, 1983). Si les auteurs reconnaissent habituellement que les processus métacognitifs se développent avec le temps, ils reconnaissent également qu'ils peuvent être améliorés par l'enseignement. En effet, plusieurs recherches ont montré qu'un entraînement aux processus métacognitifs pouvait être bénéfique à des élèves de différents niveaux. Des résultats positifs ont été obtenus en quatrième et en cinquième année par Grabe et Mann (1984), en troisième et cinquième année par Paris *et al.* (1984), puis en sixième et septième année par Garner (1982).

L'enseignement portant sur la connaissance des stratégies

Lorsque des élèves ne savent pas gérer leur compréhension en lecture, une bonne façon de commencer l'enseignement consiste à leur faire acquérir des connaissances sur les stratégies métacognitives. Les élèves qui ne connaissent pas l'existence ou la valeur relative des différentes stratégies sont peu susceptibles d'utiliser efficacement ces dernières pour résoudre des problèmes de compréhension lorsqu'ils se trouvent en situation de lecture.

Un questionnaire de groupe

Avant de commencer à travailler les connaissances sur les stratégies métacognitives, il peut être utile d'évaluer ces connaissances chez les élèves. Hahn (1984) propose un questionnaire pour identifier les élèves qui ne sont pas sensibilisés aux stratégies susceptibles d'être efficaces en lecture. Le questionnaire comprend cinq stratégies positives et cinq stratégies négatives. Ce questionnaire a été utilisé dans le cadre d'une recherche avec des élèves de sixième année.

Le questionnaire est lu oralement aux élèves qui répondent selon l'échelle suivante: 1) toujours, 2) presque toujours, 3) presque jamais, et 4) jamais.

Questionnaire

Comprends-tu mieux une histoire si...

1) tu penses à autre chose pendant que tu lis?

    toujours ___ presque toujours ___ presque jamais ___ jamais ___

2) tu l'écris dans tes propres mots?

    toujours ___ presque toujours ___ presque jamais ___ jamais ___

3) tu soulignes les parties importantes de l'histoire?

    toujours ___ presque toujours ___ presque jamais ___ jamais ___

4) tu te poses des questions sur les idées contenues dans l'histoire?

    toujours ___ presque toujours ___ presque jamais ___ jamais ___

5) tu réécris tous les mots du texte?

    toujours ___ presque toujours ___ presque jamais ___ jamais ___

6) tu repasses l'histoire pour voir si tu te souviens de toutes les parties?

toujours __ presque toujours __ presque jamais __ jamais __

7) tu sautes les parties que tu ne comprends pas?

toujours __ presque toujours __ presque jamais __ jamais __

8) tu lis le texte aussi vite que tu peux?

toujours __ presque toujours __ presque jamais __ jamais __

9) tu relis le texte mot à mot encore et encore?

toujours __ presque toujours __ presque jamais __ jamais __

10) tu te poses des questions sur les parties du texte que tu ne comprends pas?

toujours __ presque toujours __ presque jamais __ jamais __

Les stratégies positives (questions 2, 3, 4, 6 et 10) sont corrigées comme suit: toujours (2 points); presque toujours (1 point); presque jamais (-1 point) et jamais (-2 points). Les stratégies négatives sont corrigées de façon inverse. Il s'agit d'additionner les points positifs et de soustraire les points négatifs. Le résultat peut varier entre $+20$ et -20.

Dans la recherche de Hahn, les élèves qui ont obtenu un résultat sous la moyenne (M = 3.4) ont été classés dans le groupe des élèves faibles en métacognition. Comme le montre le tableau 9.1, plusieurs de ces élèves ne considèrent pas les stratégies utiles comme étant efficaces et inversement considèrent les stratégies inefficaces comme étant utiles. Par exemple, 90 % des élèves sous la moyenne jugent la stratégie 10 inutile alors que 100 % des élèves au-dessus de la moyenne la jugent efficace.

Après avoir évalué la conception qu'ont les élèves des stratégies, l'enseignant peut, d'une part, discuter avec eux des raisons pour lesquelles les stratégies négatives sont inefficaces et, d'autre part, illustrer concrètement les stratégies efficaces.

Un questionnaire individuel

Wixson *et al.* (1984) présentent un questionnaire individuel réalisé sous forme d'entrevue et qui a pour but d'évaluer la façon dont les élèves abordent la tâche de lecture (figure 9.1). Ce questionnaire s'adresse à des élèves de la troisième à la huitième année et dure environ 30 minutes.

TABLEAU 9.1 : Résultats obtenus au questionnaire de métacognition par les sujets de l'étude de Hahn (1984)

	Élèves forts en métacognition		Élèves faibles en métacognition	
Stratégies positives	Aident	N'aident pas	Aident	N'aident pas
Q2	60 %	40 %	16 %	84 %
Q3	36 %	64 %	6 %	94 %
Q4	66 %	34 %	13 %	87 %
Q6	80 %	20 %	16 %	84 %
Q10	100 %	0 %	10 %	90 %
Stratégies négatives				
Q1	6 %	94 %	40 %	60 %
Q5	3 %	97 %	20 %	80 %
Q7	3 %	97 %	43 %	57 %
Q8	0 %	100 %	40 %	60 %
Q9	16 %	84 %	26 %	74 %

L'entrevue comprend 15 questions ouvertes qui explorent :

1) la façon dont l'élève perçoit le but à atteindre lors de différentes activités de lecture ;

2) la compréhension que possède l'élève des exigences des différentes tâches de lecture ;

3) les stratégies que l'élève dit utiliser dans différentes tâches de lecture.

FIGURE 9.1 : Entrevue portant sur les stratégies métacognitives

Nom :

Date : Niveau scolaire :

Directives : Commencez l'entrevue en disant à l'élève que vous voulez savoir ce que les élèves de son niveau pensent de certaines activités de lecture. Dites-lui que vous lui poserez différentes questions à propos de sa façon de lire. Il faut qu'il sache qu'il n'y a pas de bonnes ou de mauvaises réponses à ces questions. Faites-lui part de votre but réel, celui de savoir tout simplement ce qu'il pense. Mentionnez-lui que s'il ne sait pas comment répondre à une question, il n'a qu'à vous le dire et vous passerez alors à la question suivante.

Vous pouvez utiliser des sous-questions comme: «Peux-tu m'expliquer davantage?» ou «Peux-tu ajouter autre chose?». Il ne faut pas oublier qu'il s'agit d'une évaluation informelle et qu'il faut se sentir libre de poser des questions susceptibles d'aller chercher des informations utiles.

1) Quels sont les domaines (ou sujets) qui t'intéressent et sur lesquels tu aimes lire?

2) a. Lis-tu souvent à l'école?
   b. Lis-tu souvent à la maison?

3) Sur quelles matières scolaires aimes-tu lire?

Présentez des manuels de lecture et des livres de sciences

Directives: Pour cette partie du questionnaire, utilisez le manuel de lecture de l'élève et un de ses livres de sciences humaines ou de science de la nature. Placez ces manuels en face de l'élève. Posez toutes les questions deux fois: une fois en faisant référence au manuel de lecture et une autre fois en faisant référence au livre de science. Variez l'ordre de présentation (manuel et livre de science). En posant chacune des questions, ouvrez le livre approprié en face de l'élève afin de lui fournir un point de référence lorsqu'il répondra à la question.

4) Pour quelle raison lit-on ce genre de livre?
   Pourquoi ton professeur veut-il que tu lises ce genre de livre?

5) a. Quel est le meilleur lecteur que tu connais en _____?
   b. Qu'est-ce qu'il fait pour être si bon lecteur?

6) a. Concernant ce genre de livre, te considères-tu comme un bon lecteur, un lecteur moyen ou un mauvais lecteur?
   b. Comment le sais-tu?

7) Que faut-il faire pour obtenir de bons résultats en _____?

8) a. Si ton professeur te demandait de te rappeler l'information contenue dans cette histoire (dans ce chapitre), quelle serait la meilleure façon d'y parvenir?
   b. As-tu essayé?

9) a. Si ton professeur te demandait de trouver les réponses aux questions dans ce chapitre, quelle serait la meilleure façon d'accomplir cette tâche?
   b. As-tu déjà essayé?

10) a. Que trouves-tu difficile quand tu réponds à des questions comme celles posées dans ce chapitre?
    b. Et que fais-tu quand tu dois répondre à une question qui te paraît difficile?

Présentez au moins deux pages d'exercices de compréhension

Directives: Présentez les pages d'exercices et posez les questions 11 et 12. Demandez à l'élève de remplir une partie de chaque page. Posez alors les questions 13 et 14. Présentez ensuite une page comportant la simulation du travail d'un autre élève. Posez alors la question 15.

11) Pourquoi ton professeur veut-il que tu fasses des activités de ce genre (dans quel but)?

12) D'après ton professeur, que dois-tu faire pour obtenir une bonne note dans ce genre d'activité? Que regarde-t-il? Qu'est-ce qui compte pour lui?

Demandez à l'élève de compléter une partie des pages d'activités

13) As-tu procédé différemment pour remplir ces deux pages? Comment as-tu procédé?

14) As-tu travaillé plus fort pour remplir une de ces deux pages?

Présentez la page d'exercices simulés

15) a. Regarde cette page remplie par un élève. Si tu étais le professeur, quelle note donnerais-tu à cet élève? Pourquoi?

  b. Si tu étais le professeur, que demanderais-tu à l'élève de faire différemment la prochaine fois?

Résumé de l'entrevue

Nom:

Date:

Classe:

---

1. Comment l'élève perçoit-il les buts des activités de lecture? (questions 4 et 11)

  Manuel de lecture:

  Livre de sciences:

  Page d'exercices:

2. Quels critères l'élève utilise-t-il pour évaluer sa performance en lecture? (questions 5, 6, 7, 12 et 15)

  Manuel de lecture:

  Livre de sciences:

  Page d'exercices:

3. Quelles stratégies l'élève dit-il utiliser dans différentes activités de compréhension (questions 8, 9, 10, 13 et 14)?

  Pour se rappeler de l'information:

  Manuel de lecture:

  Livre de sciences:

Pour répondre à des questions:
　　Manuel de lecture:
　　Livre de sciences:
　　Page d'exercices:

SOURCE: Adaptée de Wixson *et al.*, 1984.

Pour illustrer l'utilité de leur questionnaire, les auteurs donnent quelques exemples de réponses d'élèves; en voici quelques-uns. Un élève manifeste dans ses réponses un manque de flexibilité face aux stratégies de lecture: quelle que soit la tâche, il répond que sa façon de procéder est de relire et de relire le texte jusqu'à ce qu'il comprenne ou jusqu'à ce qu'il trouve la réponse. Cette stratégie, si elle est parfois efficace, ne l'est certainement pas dans toutes les situations. Un autre élève, qui obtient des résultats assez faibles en lecture, mais au-dessus de la moyenne dans les autres matières, répond que l'objectif des tâches de lecture dans le manuel de lecture est de lire sans erreur et avec la bonne intonation alors que l'objectif des tâches de lecture dans les autres matières est de comprendre l'information et de s'en rappeler pour passer l'examen et même après l'examen. Un autre encore explique que pour répondre à des questions de compréhension, la meilleure stratégie est de trouver l'endroit dans le texte où la réponse est écrite. Il ne semble pas être conscient que la réponse est parfois implicite et qu'il ne peut la trouver dans aucune phrase du texte.

Une technique de classification des stratégies

Pour sensibiliser les élèves aux stratégies métacognitives, il est pertinent de partir des stratégies avec lesquelles les élèves sont déjà familiers. Il s'agit de les rendre conscients des stratégies qu'eux-mêmes ou que les autres élèves de la classe utilisent déjà spontanément.

Wade et Reynolds (1989) proposent la démarche suivante:

– Commencez par faire lire aux élèves un court texte informatif de leur choix, puis demandez-leur, en groupes, d'énumérer les méthodes qu'ils ont utilisées pour étudier ce texte.

– Regroupez ces méthodes au tableau sous deux étiquettes: «Stratégies observables» et «Stratégies non observables». Les stratégies observables sont celles qui laissent une trace matérielle comme un soulignement, une annotation, un diagramme, alors que les méthodes non observables comportent des stratégies qui se déroulent uniquement dans la tête du lecteur comme le survol du texte, la lecture d'une partie, la liaison des informations à ses propres connaissances ou la création d'une image mentale.

- Pendant la discussion, demandez aux élèves pourquoi ils trouvent telle ou telle stratégie utile et à quel moment ils considèrent son utilisation pertinente.

La discussion métacognitive

Le fait de discuter avec les élèves des raisons pour lesquelles une stratégie est utile et à quelle occasion il faut l'utiliser fait partie du développement des processus métacognitifs (Schmitt et Baumann, 1986).

Par exemple, après avoir amené les élèves à se rappeler leurs connaissances concernant le thème d'un texte à lire, l'enseignant peut leur demander: «Que venons-nous de faire avant de lire l'histoire?». Les réponses des élèves peuvent ressembler à celles-ci:

- Nous avons discuté.

- Nous avons dit ce que nous savions sur le thème du texte.

- Nous avons comparé ce qui est arrivé dans nos vies et ce qui pourrait arriver dans l'histoire.

L'enseignant demande ensuite: «Pourquoi avons-nous fait cela?». Les élèves arriveront à trouver des réponses comme:

- Pour avoir une idée de ce qui se passera dans l'histoire.

- Pour mieux comprendre le texte.

C'est ce genre de discussion qu'on nomme discussion métacognitive (Hansen et Hubbard, 1984). Elle est fondée sur le principe que si les élèves savent comment ils apprennent, ils auront plus de chances de réussir dans les tâches de compréhension de texte.

L'enseignement portant sur la gestion de la compréhension

Pour développer la capacité des élèves à gérer leur compréhension de texte, l'enseignant peut profiter d'un échec à accomplir une tâche de lecture pour présenter une illustration concrète de stratégies de gestion appropriées. Par exemple, les élèves n'ont pas compris une partie du texte et ils ne savent pas quoi faire pour se sortir de l'impasse. L'enseignant expose alors le raisonnement qu'il se tiendrait lui-même intérieurement pour régler le problème rencontré. Il arrive cependant que l'enseignant sente le besoin d'une intervention plus spécifique auprès des élèves qui sont particulièrement peu habiles à gérer leur compréhension en lecture. La section suivante présente des techniques qui répondent à cet objectif.

Une technique d'entraînement aux stratégies d'autogestion de la compréhension

Davey et Porter (1982) ont mis au point une stratégie destinée aux lecteurs de la fin du primaire et du début du secondaire qui éprouvent des difficultés à gérer leur compréhension de texte.

Étape 1   L'enseignant insiste sur l'importance de la compréhension en lecture et particulièrement sur l'importance de la gestion de cette compréhension. Il démontre son propre comportement lorsqu'il est devant un texte qui lui pose problème. Il explique la source de la difficulté et sa façon à lui de surmonter cette difficulté. Par exemple, il dira: «Je ne connais pas ce mot, mais d'après le reste de la phrase, je pense que ce mot veut dire...» ou encore «Je ne comprends pas bien le sens de cette phrase, mais peut-être qu'en lisant le reste du paragraphe, je comprendrai mieux...».

Étape 2   L'enseignant présente des phrases (une à la fois) aux élèves et leur demande s'ils ont compris le sens de ces phrases. Parmi les phrases présentées, certaines sont signifiantes, mais d'autres contiennent des mots sans signification ou des mots réels assemblés de façon à construire des phrases qui n'ont pas de sens.

Les élèves doivent dire s'ils comprennent ou non la phrase. Pour gérer cette activité avec un sous-groupe, l'enseignant peut remettre à chaque élève deux cartons. Sur le premier carton, il inscrit: «Je comprends» et sur le deuxième, «Je ne comprends pas». Après la présentation d'une phrase par l'enseignant, les élèves se demandent s'ils l'ont comprise et lèvent le carton correspondant à leur réponse. De cette façon, l'enseignant voit rapidement quels sont les élèves qui ont besoin d'aide. Par exemple, un élève qui a répondu «Je comprends» à une phrase sans signification a besoin d'indications supplémentaires.

Étape 3   Durant cette étape, l'exercice se précise en étant axé vers les degrés de compréhension des élèves. L'échelle passe ainsi de 2 à 3 niveaux:

1) Je comprends bien: j'ai une compréhension claire, une image dans ma tête; je pourrais l'expliquer à quelqu'un d'autre.

2) Je comprends partiellement: j'ai une image incomplète dans la tête et je ne pourrais pas l'expliquer à quelqu'un d'autre.

3) Je ne comprends pas.

L'enseignant présente au groupe des phrases, des paragraphes puis des textes réels (et non des textes artificiels comme dans la deuxième étape); les élèves répondent en montrant la carte de leur choix.

L'enseignant fait part au groupe de sa propre cotation. Par exemple, l'enseignant dira: «J'ai donné la cote 2 seulement parce que...». Les élèves réalisent ainsi que la compréhension d'un texte peut varier d'un lecteur à l'autre. À cette étape, l'enseignant devrait également leur démontrer que selon le but poursuivi au moment de la lecture, le genre de compréhension cherché variera: il arrive qu'une compréhension partielle suffise comme, par exemple, lorsque le lecteur ne désire qu'extraire une idée générale du texte.

Par la suite, les élèves apprennent à indiquer la source de leurs difficultés. Il s'agit alors d'utiliser la classification: «J'ai des difficultés à comprendre un mot», «J'ai des difficultés à comprendre une idée».

Étape 4   Lorsque les élèves sont capables d'identifier leur niveau de compréhension (3 niveaux) et la source de leurs difficultés (un mot ou une idée), l'enseignant passe aux stratégies à utiliser pour résoudre les problèmes identifiés.

L'enseignant leur explique quelles sont les stratégies utilisables lorsqu'ils n'ont pas saisi le sens d'un mot: ils doivent d'abord lire ce qui entoure le mot problème, faire des prédictions sur ce mot à partir du contexte; ils peuvent aussi regarder les indices morphologiques, se servir du dictionnaire ou demander de l'aide à quelqu'un.

L'enseignant explique ensuite aux élèves les stratégies dont l'application est pertinente quand le problème concerne l'idée: il s'agit de continuer à lire, de revenir sur sa lecture, d'examiner le titre, de regarder les illustrations, d'utiliser la ponctuation, de se poser des questions, de redire le texte dans ses mots, de se faire une image mentale et enfin de demander, au besoin, de l'aide à quelqu'un.

L'enseignant illustre chaque stratégie: les élèves les appliquent et évaluent celles qui fonctionnent le mieux pour eux.

L'autoévaluation des stratégies

Rappelons ici qu'il existe des processus métacognitifs plus directement orientés vers la compréhension des textes et d'autres vers l'acquisition de connaissances par les textes. Cette distinction correspond globalement à «lire pour comprendre» et à «lire pour apprendre». La technique suivante est plus particulièrement reliée à cette deuxième catégorie de processus, c'est-à-dire aux stratégies orientées vers l'acquisition et la rétention d'information (particulièrement utiles, par exemple, en géographie, en histoire...). Voici une activité à faire vivre à des élèves plus âgés dans le but de leur faire prendre conscience de l'efficacité ou de la non-efficacité de leurs techniques d'étude (Wade et Reynolds, 1989).

– Après une activité d'échange sur les stratégies utiles pour retenir de l'information à partir d'un texte, l'enseignant demande aux élèves d'étudier un court texte informatif en les invitant à se servir des stratégies d'étude qu'ils pensent appropriées à cette lecture.

– L'enseignant présente ensuite aux élèves un texte comportant 10 questions sur le contenu du texte.

– Il demande alors aux élèves de répondre aux questions et de coter leur degré de certitude face à leurs réponses en plaçant un (+) lorsqu'ils croient que leur réponse est bonne et un (−) quand ils doutent de leur réponse.

– Par la suite, l'enseignant donne les réponses aux questions et demande aux élèves de calculer le total de leurs bonnes réponses ainsi que le total de leurs bonnes prédictions, pour enfin additionner les deux cotes. Le résultat se situera entre 0 et 20.

Dans l'exemple présenté à la figure 9.2, l'élève a obtenu 7 bonnes réponses sur 10 et il a effectué 5 bonnes prédictions, ce qui lui donne un total de 12. L'enseignant amènera l'élève à prendre conscience que pour augmenter son résultat au prochain test, il devra soit fournir un plus grand nombre de réponses exactes, soit effectuer une meilleure prédiction de sa performance.

FIGURE 9.2:   Exemple de grille d'autoévaluation

Résultats attendus	Bonnes réponses	Questions sur le texte
$+$	$+$	1. Quelles sont les différentes techniques de pêche appliquées par les pêcheurs de l'Atlantique?
$+$	$-$	2. Quelles sont les catégories d'animaux marins pêchés en eau salée?
$-$	$-$	3. Pourquoi la pêche sportive contribue-t-elle à l'économie?
$+$	$+$	4. ....
$-$	$-$	5. ....
$+$	$+$	6. ....
$+$	$+$	7. ....
$+$	$+$	8. ....
$+$	$-$	9. ....
$+$	$-$	10. ....

Calcul:

Nombre de bonnes prédictions = nombre de fois où vous aviez correctement prévu l'exactitude de votre réponse (vous avez alors un $+$ dans chaque colonne ou un $-$ dans chaque colonne).

Nombre de bonnes réponses = nombre de $+$ dans la colonne «Bonnes réponses».

Résultat = somme des bonnes prédictions et des bonnes réponses.

Les processus métacognitifs sont essentiels en lecture puisque ce sont eux qui permettent au lecteur de rester en contact avec la finalité première de cette tâche, c'est-à-dire la compréhension du texte lu. Même si les processus métacognitifs n'atteignent pas leur pleine maturité chez les élèves du primaire ou du début du secondaire, ils doivent toutefois faire l'objet d'un enseignement même auprès des jeunes lecteurs, en tenant compte, bien sûr, des capacités de ces derniers.

10

Le rôle des connaissances du lecteur dans la compréhension

Alors que les chapitres précédents portaient sur les processus de compréhension, le présent chapitre sera axé sur les structures cognitives du lecteur, plus particulièrement sur les connaissances que ce dernier possède sur le monde. L'influence des connaissances du lecteur sur sa compréhension de texte est aujourd'hui chose bien reconnue. Les enseignants sont sensibilisés à l'importance d'établir des liens entre ce que les élèves savent déjà et ce qu'ils rencontreront dans les textes. Ce chapitre présentera des principes et des stratégies susceptibles de cerner davantage la réalité pédagogique de cette relation entre les connaissances du lecteur et la compréhension des textes.

LES ÉTUDES SUR LE RÔLE DES CONNAISSANCES DANS LA COMPRÉHENSION

Le rôle des connaissances en compréhension de texte est un domaine de recherche nouveau, mais l'idée fondamentale de ce courant n'est pas nouvelle. En effet, de tous temps, les éducateurs ont misé sur les connaissances des élèves ; le dialogue socratique, par exemple, consistait à amener les interlocuteurs à accoucher de nouvelles idées en combinant des choses déjà connues. Toutefois, le germe des recherches contemporaines sur le rôle des connaissances en compréhension de texte est associé à Bartlett (dans les années 30) : pour lui, les expériences passées sont organisées sous forme de schémas et elles sont utilisées pour comprendre les faits nouveaux rencontrés dans un texte (Wilson et Anderson, 1986).

Au cours des dernières années, bon nombre de recherches ont mis en évidence, de façon plus subtile et plus précise, comment les connaissances du lecteur pouvaient être un facteur déterminant dans la compréhension en lecture. Ainsi, il a été démontré que les élèves possédant des connaissances plus avancées sur un sujet comprenaient mieux l'information contenue dans un texte sur ce sujet, la retenaient mieux et étaient plus aptes à faire des inférences à partir du texte (Holmes, 1983b ; Johnston, 1984 ; Marr et Gormley, 1982).

Les recherches qui avaient pour objet de vérifier l'effet des connaissances sur la compréhension de texte peuvent être réparties en deux groupes : les études interculturelles et les études experts–novices.

Les recherches interculturelles

Dans les recherches interculturelles, les sujets sont choisis parce qu'ils se distinguent par la nature de leurs connaissances : ils sont de cultures différentes.

Les résultats des recherches interculturelles montrent que les sujets lisent plus vite les textes portant sur leur propre culture et en retiennent mieux l'information. Ils font également plus d'erreurs d'interprétation dans les passages concernant une autre culture. Ainsi, dans la recherche de Steffensen *et al.* (1979), deux groupes de sujets, des Américains et des sujets natifs des Indes, lisent deux textes sur le mariage ; le premier texte raconte un mariage américain et le deuxième, un mariage indien.

Dans la description du mariage américain, on mentionne que la mariée porte la robe de noces de sa grand-mère et on souligne qu'elle est charmante dans cette robe. Un lecteur indien, en résumant le texte, rapporte que la mariée est très bien, sauf qu'elle porte une robe usagée et démodée. Le sujet n'a pas remarqué dans le texte les indices montrant que cette robe était socialement acceptable; au contraire, il a interprété le texte selon les coutumes de son pays voulant que la mariée fasse état de son rang social en portant une robe à la dernière mode.

Toujours dans le cadre des recherches interculturelles, Reynolds *et al.* (1982) ont présenté à des élèves de huitième année, de race noire et de race blanche, un texte se référant à un rituel de la culture noire: une forme de combat verbal dans lequel les participants essaient de se surpasser les uns les autres au moyen d'insultes. Les sujets noirs ont interprété correctement le texte, c'est-à-dire en considérant le combat comme un échange compétitif mais amical, alors que les sujets blancs ont vu dans ce texte un affrontement très dur impliquant même de la violence physique. Lorsque l'expérimentateur a rapporté à un des sujets noirs que les élèves blancs croyaient qu'il s'agissait d'une bataille physique plutôt que verbale, il s'est exclamé: «Mais ils ne savent donc pas lire?». On voit clairement dans cet exemple l'effet de la culture sur la compréhension des textes.

Les recherches experts–novices

Un deuxième groupe de recherche a comparé la compréhension de textes de sujets novices avec celle de sujets experts dans un domaine donné. Il existe plusieurs façons de choisir des sujets qui présentent des degrés divers de connaissances sur un thème: a) on peut choisir un groupe quelconque de sujets, mesurer les connaissances de chacun des membres sur le thème à l'étude et répartir ensuite les sujets selon leurs connaissances; b) on peut également choisir des groupes de sujets ayant des compétences clairement différentes dès le point de départ (ex: des étudiants en musique par rapport à des étudiants en biologie); c) ou encore, on peut faire acquérir à une partie des sujets la connaissance visée avant l'expérimentation et les considérer alors comme des sujets-experts.

À titre d'exemple de recherche experts–novices, citons les études classiques portant sur le baseball (Chiesi *et al.*, 1979; Spilich *et al.*, 1979) et sur les araignées (Pearson *et at.*, 1979). Dans ces recherches, les résultats montrent que les sujets considérés comme experts sur un thème précis acquièrent plus facilement des connaissances nouvelles lors de leurs lectures sur ce thème que les sujets considérés comme novices dans le domaine.

LES ÉTUDES SUR LES CONNAISSANCES ERRONÉES

Les premières recherches concernant l'effet des connaissances sur la compréhension en lecture ont porté sur la **quantité** d'informations possédées par le lecteur: les chercheurs sont arrivés à la conclusion que plus un lecteur possédait de connaissances sur le sujet traité dans un texte, plus il était susceptible de comprendre le texte et d'y apprendre de nouvelles informations. Cependant, les chercheurs ont graduellement commencé à se préoccuper de la **qualité** des connaissances des lecteurs: leurs connaissances sont-elles exactes? manquantes? erronées? Il arrive souvent en effet que nos connaissances soient vagues, incomplètes ou inexactes.

Pour concrétiser cette notion de connaissances erronées, indiquez en cochant si vous considérez comme vrais ou faux les énoncés suivants (Flood, 1986).

		Vrai	Faux
1)	Tous les ours hibernent durant l'hiver.	____	____
2)	Si vous jetez une allumette allumée dans un contenant de gazoline, le contenant explosera.	____	____
3)	Une robe rouge paraît rouge parce qu'elle absorbe seulement la lumière rouge.	____	____
4)	Le soleil et la lune produisent tous les deux de la lumière.	____	____

Vous avez probablement, comme la majorité des adultes, coché vrai pour l'un ou l'autre de ces énoncés. En réalité, tous ces énoncés sont faux et chacun d'eux représente une connaissance erronée courante.

Quel est l'effet de ces connaissances erronées sur l'apprentissage par le texte? Les lecteurs éprouvent-ils des difficultés lorsque l'information contenue dans le texte contredit leur croyance antérieure? Pour répondre à ces questions, Lipson (1982, 1984) a vérifié l'effet du type de connaissances que possède le lecteur (connaissances correctes, fausses ou absentes) sur son acquisition de connaissances nouvelles par la lecture de textes. Les résultats de ses recherches menées auprès d'élèves de la troisième à la sixième année montrent qu'effectivement la nature des connaissances du lecteur affecte l'acquisition de connaissances nouvelles: les sujets acquièrent plus d'informations nouvelles lorsqu'ils ne possèdent pas de connaissances préalables sur un sujet que lorsqu'ils en possèdent une connaissance erronée. Ce résultat laisse supposer que les sujets se fient plus à ce qu'ils savent déjà dans un domaine qu'à ce qu'ils lisent à ce propos dans un texte. Ce n'est que lorsqu'ils sont certains de ne pas savoir quelque chose sur un sujet qu'ils utilisent le texte pour apprendre. Autrement, ils ont tendance à «tordre» le texte pour le faire correspondre à ce qu'ils savent déjà.

L'étude menée par Holmes (1983b) auprès d'élèves de cinquième année confirme ces résultats et lui permet de constater que ce sont surtout les lecteurs moins habiles qui gèrent leurs connaissances erronées de façon rigide. Ils ont moins tendance à modifier leur première conception; ils ne semblent pas faire la distinction entre l'ancienne et la nouvelle information.

Dans le but de voir comment il est possible d'amener les jeunes lecteurs à modifier leurs connaissances erronées, Gordon et Rennie (1987) ont comparé, chez des sujets de 9 à 11 ans, l'effet de la lecture comme unique activité et l'effet de la lecture combinée à d'autres activités (par exemple, le réseau sémantique et la discussion) sur la modification des connaissances erronées. Les résultats montrent que le fait d'ajouter des activités qui misent sur la participation des élèves est plus efficace que la tâche unique de lecture pour modifier les connaissances erronées des lecteurs; ces activités permettraient d'amener les élèves à mettre en parallèle leurs connaissances et le contenu du texte à lire.

Bref, pour contrer l'effet des connaissances erronées d'un lecteur sur sa compréhension d'un texte, il faut ajouter à sa lecture du texte des stratégies qui vont l'obliger à comparer ses propres connaissances aux informations présentées dans le texte.

LES STRATÉGIES PÉDAGOGIQUES

En ce qui concerne l'intervention pédagogique, la quantité et la qualité des connaissances du lecteur seront toutes deux à prendre en considération. Il n'est plus suffisant de parler simplement de présence ou d'absence de connaissances antérieures. Plusieurs cas sont possibles. Le tableau 10.1 regroupe différents types d'intervention en regard des situations rencontrées en classe.

TABLEAU 10.1:   Les types d'intervention pédagogique en regard des connaissances du lecteur

Situation	Intervention
Les élèves possèdent les connaissances appropriées pour comprendre le texte, mais ils ne les utilisent pas au cours de leur lecture.	Stimuler les connaissances des élèves et illustrer comment ces connaissances aident à mieux comprendre le texte.
Les élèves possèdent un bon bagage de connaissances, mais ils ne possèdent pas les connaissances spécifiques requises pour comprendre un texte particulier.	Choisir des textes en fonction des connaissances des élèves; il ne s'agit pas, bien sûr, de s'en tenir aux textes renfermant uniquement des informations connues, mais plutôt de s'assurer qu'il y ait un recoupement suffisant entre les concepts du texte et ceux connus du lecteur. Concrètement, il faut qu'un lecteur possède approximativement 80 % des connaissances contenues dans un texte pour être en mesure d'en retirer le 20 % d'information qui reste.
Les élèves possèdent des connaissances erronées qui interfèrent dans leur compréhension du texte.	Compléter la lecture du texte par des stratégies de nature à obliger les élèves à comparer leurs connaissances erronées avec les informations contenues dans le texte.
Les élèves possèdent peu de connaissances générales.	Agrandir l'éventail des connaissances des élèves. Il va sans dire que le rôle d'aider les élèves à se construire des connaissances générales n'appartient pas seulement à l'école, mais il faut toujours se rappeler que de prendre le temps d'élargir les connaissances des élèves constitue une bonne façon de les préparer à mieux comprendre les textes.

Les types d'intervention présentés au tableau 10.1 sont aussi importants les uns que les autres. Cependant, dans ce chapitre, nous nous attarderons à la stimulation des connaissances.

LA STIMULATION DES CONNAISSANCES

La plupart des enseignants sont sensibilisés au fait qu'il est important de préparer les élèves à la lecture d'un texte : ils acceptent donc l'idée qu'il faut faire quelque chose **avant** d'entreprendre cette lecture avec les élèves afin de les aider à intégrer les nouvelles informations provenant du texte à celles qu'ils possèdent déjà. Cependant, bien des enseignants esquivent cette partie de la leçon. Questionnés à ce sujet, ils répondent qu'ils n'ont pas le temps d'exploiter ces stratégies ou qu'ils sont déçus des tentatives qu'ils ont effectuées en ce sens. Il est possible que certains enseignants aient essayé des types de préparation plus ou moins adéquats et qu'ils aient eu l'impression de perdre leur temps. Il est donc opportun de se pencher sur les critères qui font qu'une activité de préparation à la lecture sera valable.

Des pièges à éviter

Lorsqu'un enseignant planifie une activité de préparation à la lecture, il doit se mettre en garde contre deux situations pièges :

1) réaliser des activités de préparation trop générales qui ont peu de liens avec le contenu spécifique du texte ;

2) réaliser des activités de préparation qui portent sur des concepts spécifiques, mais qui ne sont pas essentiels à la compréhension du texte. Ce type de préparation met les élèves sur une fausse piste en suscitant des attentes qui ne seront pas satisfaites.

Une préparation trop générale

Voici une situation classique : vous enseignez en quatrième année et vous décidez de stimuler les connaissances des élèves sur le thème du texte à lire, c'est-à-dire le panda. Il y a de fortes chances que votre première intervention ressemble à : « Aujourd'hui, nous allons parler du panda. Savez-vous à quoi ressemble un panda ; en avez-vous déjà vu ? » Un élève répond : « J'en ai vu un à la télévision ; il ressemble à un ours ; il est noir et blanc». Un autre élève dit: «J'ai eu un panda en peluche quand j'étais petit». Et enfin un dernier ajoute: «J'ai vu un panda géant au cirque de Chine». Tout cela est bien intéressant et les élèves paraissent motivés. Cependant, vous vous demandez si vous préparez réellement les élèves à lire le texte. Vous n'osez pas les interrompre, car ils ont beaucoup de choses à dire. Vous conclurez probablement la discussion en disant: «Je vois que vous connaissez beaucoup de choses sur le panda, maintenant nous allons lire un texte qui parle justement des pandas». De toute évidence, dans cette situation, la préparation est trop générale.

Une préparation portant sur des concepts secondaires

Il arrive également que la préparation soit plus spécifique, mais orientée vers un mauvais objectif. Les deux expériences suivantes illustrent l'une et l'autre un type de préparation portant sur des informations qui sont spécifiques, mais non centrales dans le texte.

Beck et McKeown (1986) ont comparé deux types de préparation à la lecture d'un texte narratif. Le texte met en scène: une dame qui, en voyant une étoile filante, fait le vœu d'obtenir une étable pour ses animaux; un raton-laveur qui vient chaque soir à sa porte pour voir s'il y a de la nourriture; ainsi que des bandits qui ont l'intention de voler les animaux de cette dame. Le raton-laveur, au cours d'une de ses quêtes nocturnes de nourriture, voit arriver les bandits et grimpe dans un arbre pour se mettre à l'abri. Ceux-ci l'aperçoivent et prennent son masque pour le masque d'un autre voleur. Effrayés, ils relâchent les animaux qu'ils s'apprêtaient à voler. Ils fuient et échappent un sac d'argent. Le raton-laveur ramasse le sac et se rend comme d'habitude à la maison de la dame où il le laisse tomber, car il n'y trouve pas d'intérêt. En voyant le sac, la dame croit que son vœu est exaucé et utilise cet argent afin de faire construire une étable pour ses animaux. Le manuel suggérait une discussion sur le raton-laveur dans laquelle on le présentait comme un animal **habile** et **enjoué**; habile parce que, dans l'histoire, il est capable de saisir le sac d'argent avec ses pattes de devant et enjoué parce qu'il a joué un mauvais tour aux voleurs en les effrayant avec son masque. Cependant, pour comprendre l'histoire, il fallait comprendre le concept de **coïncidence** et d'**habitude**, puisque c'est l'habitude du raton-laveur qui a permis à la coïncidence de se produire. Les élèves qui ont reçu une préparation centrée sur ces concepts ont mieux compris l'essentiel de l'histoire que les élèves avec qui l'enseignant a suivi les indications du manuel.

Toujours dans le même ordre d'idée, Stahl *et al.* (1989) ont fait lire à des enseignants en exercice un texte portant sur le rôle de la violence dans une tribu d'Amazonie et ils leur ont demandé de déterminer sur quelles informations devrait porter la préparation à la lecture de ce texte. La plupart des enseignants ont mentionné la violence de la tribu, ce qui était le thème principal du texte, mais un nombre considérable d'entre eux ont mentionné le rituel du mariage et le rôle des femmes, qui sont des éléments mineurs dans le texte. Ces enseignants ont justifié leur choix en disant que même si ces éléments n'étaient pas les plus importants, ils étaient susceptibles d'intéresser les élèves et de favoriser ainsi leur compréhension du texte. Les auteurs ont donc expérimenté les deux types de préparation avec des élèves de sixième année: une préparation centrée sur le thème principal du texte (la violence) et une autre, centrée sur des informations secondaires, mais susceptibles d'intéresser les élèves (le rituel du mariage et la place des femmes dans cette tribu). Les résultats ont montré que la préparation centrée sur l'information importante avait facilité aux élèves la compréhension du texte, alors que la préparation basée sur l'information jugée intéressante, mais secondaire dans le texte, n'avait pas eu d'effet positif sur leur compréhension.

Des principes généraux pour la stimulation des connaissances

Comment peut-on distinguer une bonne préparation à la lecture d'une préparation qui sera moins efficace? Idéalement, les activités de préparation à la lecture devraient répondre à trois objectifs:

1) stimuler les connaissances des élèves;
2) organiser ces connaissances;
3) les relier au texte à lire.

Stimuler les connaissances

Stimuler les connaissances consiste à rendre ces connaissances immédiatement disponibles aux élèves, c'est-à-dire à leur faire prendre conscience de ce qu'ils savent déjà sur le contenu du texte à lire. Par exemple, l'enseignant leur donne un concept clé provenant du texte et leur demande à quoi leur fait penser ce mot. Il est important que les élèves soient engagés activement dans cette partie. Il ne faut pas penser qu'il suffit simplement de présenter de l'information aux élèves pour combler le vide de leurs connaissances.

Quand l'activité est réalisée en groupe, la stimulation des connaissances s'accompagne d'une acquisition de nouvelles connaissances puisque chaque élève partage ses propres connaissances avec le groupe. À ce propos, Maria (1989) rapporte une expérience qu'elle a vécue avec des élèves de sixième année de milieu défavorisé. L'auteur voulait planifier une activité de préparation à la lecture d'un texte portant sur les chevaliers. Sa première réaction a été de penser que les élèves ne possédaient probablement pas de connaissances sur les chevaliers et qu'il serait préférable de leur parler plutôt de soldats. Toutefois, elle a tenté l'expérience de demander aux élèves ce qu'ils connaissaient des chevaliers. À son grand étonnement, elle a découvert que les élèves savaient que les chevaliers étaient habiles dans les combats, qu'ils portaient des armures, qu'ils se servaient de lances et d'épées et qu'ils participaient à des tournois dans lesquels ils se battaient les uns contre les autres. En fait, chacun possédait une partie seulement des connaissances, mais le groupe, dans son ensemble, disposait des connaissances appropriées pour lire le texte.

Organiser les connaissances

Une fois les connaissances des élèves stimulées, il faut en faciliter l'organisation si nous voulons qu'ils utilisent ces connaissances au moment de la lecture. En effet, il est plus facile de rattacher une information à un tout organisé qu'à un ensemble de connaissances éparses. Même si la tendance courante en classe est de limiter la préparation à la lecture à l'étape de la stimulation des connaissances, il est primordial de poursuivre l'activité en favorisant l'organisation de ces connaissances afin que les élèves puissent établir des liens entre les différents concepts mentionnés lors de la période de stimulation. Par exemple, lorsque l'enseignant demande à l'élève de justifier les associations qu'il a effectuées à partir du concept clé, il l'oriente directement vers l'organisation de ses connaissances.

Relier les connaissances antérieures au texte

Pour que la préparation à la lecture soit efficace, elle doit porter essentiellement sur les concepts clés du texte à lire. Ce ne sont pas toutes les connaissances et expériences concernant un thème qu'il faut partager durant cette période de préparation, mais uniquement celles qui sont pertinentes et cruciales pour la compréhension du texte.

Concrètement, l'enseignant dégagera quelques concepts clés du texte, puis il se demandera quelles connaissances possèdent les élèves sur ces concepts? Il ne s'agit pas de se demander: «Qu'est-ce que les élèves ne savent pas et que je pourrais leur enseigner?», mais «Qu'est-ce que les élèves connaissent déjà du concept que je veux leur enseigner et comment puis-je utiliser cette connaissance comme point d'ancrage pour présenter une nouvelle information?».

Signalons qu'il peut être utile de garder en réserve un concept plus familier pour accrocher les élèves au cas où le concept choisi ne susciterait que peu ou pas de réactions de leur part.

Des activités de stimulation des connaissances pour la lecture de textes narratifs

Le choix du type d'activité de stimulation des connaissances se fera d'abord en fonction du type de texte. En effet, certaines activités ont été conçues afin d'être utilisées pour lire des textes narratifs, alors que d'autres sont plus appropriées à la lecture de textes informatifs. La section suivante présente deux techniques de stimulation des connaissances applicables à la lecture de textes narratifs : la première technique se rapporte aux textes pour lesquels on prévoit des difficultés de compréhension chez les élèves et la deuxième présente la particularité de joindre l'écriture à la lecture.

La technique du scénario

La technique du scénario (connue sous le nom de *previewing*) est une stratégie de préparation à la lecture qui pourrait se comparer aux extraits de films présentés au cinéma; ces extraits nous donnant l'atmosphère du film annoncé sans en dévoiler l'intrigue (Neuman, 1987).

La technique du scénario est une sorte d'introduction rédigée par l'enseignant dans le but de fournir aux élèves une structure qui facilitera leur compréhension du texte (Bean et Ericson, 1989). La présentation de cette technique est faite verbalement par l'enseignant et comprend trois parties (Ericson *et al.*, 1987):

1) **Section qui pique la curiosité des élèves**   La préparation à la lecture commence par une partie destinée à attirer l'attention des élèves et à activer leurs connaissances sur le sujet. Après cette

présentation suit une discussion dont le but est de faire participer activement les élèves à la démarche.

2) **Synopsis**   L'enseignant présente ensuite un synopsis de l'histoire incluant le personnage principal, la situation initiale et les grandes lignes de l'intrigue jusqu'au point culminant de l'action.

3) **Questions de prédiction**   L'enseignant pose ensuite des questions qui encouragent les élèves à prédire la suite de l'histoire. S'il y a lieu, il explique les termes nouveaux.

Le texte suivant est un exemple de la technique du scénario adapté de Graves *et al.* (1985) à partir d'un livre intitulé *Charles*.

Essayez de vous rappeler votre première journée en classe de maternelle. Comment vous sentiez-vous ce jour-là?

Aller à l'école pour la première fois est une expérience importante pour la plupart des enfants. C'est souvent la première fois qu'ils sont vraiment séparés de leur famille et qu'ils ont la chance de développer leur propre personnalité. Ils ont aussi la chance de rencontrer plusieurs nouveaux compagnons. Certains parents s'inquiètent du genre d'amis que leur enfant peut se faire à l'école. Dans votre classe de maternelle, y avait-il des «fauteurs de trouble» qui auraient pu exercer une mauvaise influence sur vous?

Dans l'histoire que nous allons lire maintenant et qui s'intitule *Charles*, le personnage principal est un garçon nommé Laurent. Il vient de s'inscrire à l'école maternelle. Il semble impatient de commencer, car il ne se retourne même pas pour saluer sa mère en partant le premier matin. Après la première journée, il se précipite à la maison pour dire à ses parents qu'un garçon de sa classe a été puni parce qu'il a été grossier et qu'il a répliqué au professeur. Lorsqu'on lui demande le nom du garçon, Laurent réfléchit un instant et dit: «C'était Charles».

Pendant les deux semaines suivantes, Laurent revient à la maison en racontant les nouveaux délits commis par Charles et les nouvelles punitions subies par ce dernier. Charles a été puni parce qu'il a frappé le professeur; il a été privé du droit d'écrire au tableau parce qu'il a lancé les craies; il est resté après l'école parce qu'il a hurlé durant la classe; et finalement il a été renvoyé du gymnase parce qu'il a donné des coups de pied au professeur d'éducation physique.

Chaque jour, les parents de Laurent se demandent quels méfaits a bien pu encore commettre Charles. Ils deviennent si curieux à propos de

Charles qu'ils oublient de demander à leur fils ce que lui-même fait à l'école. Ils ne remarquent pas que son comportement à la maison se détériore. Ils ne réprimandent pas Laurent lorsqu'il renverse le lait du bébé, lorsqu'il réplique à son père ou lorsqu'il répand de la terre dans la cuisine. Après tout, il se conduit moins mal que Charles.

Lisez le texte pour voir ce qui arrive lorsque les parents de Laurent en découvrent plus long au sujet de Charles et au sujet de Laurent lui-même.

L'efficacité de la technique du scénario a été démontrée auprès d'élèves du primaire et du secondaire dans les études de Graves *et al.* (1983 et 1985). Neuman (1987) a également constaté que cette technique augmentait la compréhension de texte chez des élèves de quatrième année. Cependant, l'auteure a observé que lorsque les élèves lisaient seuls le scénario préparé par l'enseignant, on ne retrouvait pas d'effet sur leur compréhension. Le rôle de l'enseignant dans l'usage de cette technique est donc primordial.

Vous vous demandez peut-être jusqu'à quel point il est nécessaire d'utiliser ce type de préparation à la lecture relativement longue. Vous craignez probablement que ce type d'activité ne dévoile trop l'histoire et ne diminue l'intérêt des élèves à lire le texte. Effectivement, cette technique doit être employée avec discernement. Une histoire simple n'aura pas besoin d'une telle préparation avant sa lecture. Par contre, lorsque le texte est très difficile, cette technique s'avère pertinente et elle est alors fort appréciée des élèves. La règle à suivre est la suivante : plus le texte est difficile et moins le lecteur est compétent, plus une technique du genre scénario peut être utile.

Des versions différentes de la même histoire

Essentiellement, cette technique consiste à demander aux élèves de composer une histoire à partir d'une liste de mots clés tirés d'un texte. Les élèves comparent ensuite leur histoire avec le texte original. Cette technique permet aux élèves de faire des prédictions sur le contenu de l'histoire et d'établir des liens entre ces prédictions. Voici la séquence des étapes proposée par McGinley et Denner (1987).

Étape 1   Présentez l'activité : « Aujourd'hui, avant de commencer à lire, nous allons essayer de deviner ce que pourrait raconter cette histoire. Voici une liste de mots clés tirés du texte que nous nous proposons de lire. Nous allons employer ces indices pour écrire notre version de l'histoire. Ensuite nous allons comparer notre histoire avec celle de l'auteur ».

Étape 2 Présentez les mots clés au tableau ou à l'aide d'un rétroprojecteur. En groupe, amenez les élèves à relier les mots logiquement de façon à former une histoire.

Les mots clés doivent représenter la macrostructure du texte : ils seront choisis de façon à ce que la liste qu'ils composent inclue chacun des éléments importants du récit (personnages, élément déclencheur, complication...). Il est préférable de se servir des termes mêmes du texte et de ne pas dépasser deux ou trois mots par indice (ex. : Noël, l'oiseau, fin d'année); la liste sera constituée de 10 à 15 indices (figure 10.1).

Étape 3 Écrivez au tableau l'histoire ainsi générée par le groupe.

FIGURE 10.1 :   Liste d'indices construite à partir du conte *L'oiseau et l'éléphant*

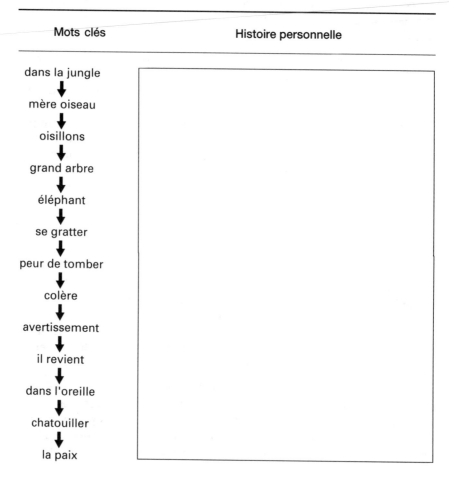

Mots clés	Histoire personnelle
dans la jungle	
↓	
mère oiseau	
↓	
oisillons	
↓	
grand arbre	
↓	
éléphant	
↓	
se gratter	
↓	
peur de tomber	
↓	
colère	
↓	
avertissement	
↓	
il revient	
↓	
dans l'oreille	
↓	
chatouiller	
↓	
la paix	

Étape 4   Faites lire la version de l'auteur et faites-la comparer avec le texte écrit par le groupe.

Étape 5   Reprenez la même démarche, mais cette fois-ci, faites travailler les élèves en équipes ou individuellement.

Cette activité s'est révélée efficace pour améliorer la compréhension de texte chez des élèves au début du secondaire, et particulièrement chez les élèves moins habiles en lecture. Elle a également été utilisée avec succès auprès d'élèves de deuxième année du primaire. Le fait d'avoir trouvé une histoire très près de celle de l'auteur n'est pas un facteur de réussite dans l'emploi de cette technique, c'est plutôt le processus lui-même consistant à poser des hypothèses et à vérifier ces hypothèses dans le texte original qui semble avoir un effet facilitant la compréhension des élèves (McGinley et Denner, 1987).

Des activités de stimulation des connaissances pour les textes informatifs

Les techniques de stimulation des connaissances lors de la lecture de textes informatifs porteront sur des concepts, des faits et des principes. L'objectif de ces activités sera de rendre disponibles à l'élève les connaissances qu'il possède déjà sur le sujet du texte et de l'aider à organiser ces connaissances en un tout cohérent. Rappelons que la stimulation des connaissances ne concerne que les informations importantes du texte.

La technique PREP

Une des techniques les plus connues pour stimuler les connaissances des élèves à propos d'un texte informatif est probablement celle qui a été proposée par Langer (1982, 1984) et qui porte le nom de PREP. Cette technique s'utilise de préférence avec un sous-groupe de 10 élèves au maximum.

L'enseignant choisit d'abord 3 ou 4 concepts clés dans le texte à lire et exécute les trois étapes suivantes :

Étape 1   L'enseignant invite les élèves à effectuer des associations à partir du concept présenté : «Dites-moi tout ce à quoi vous fait penser...». À l'aide des réponses données, l'enseignant peut établir un certain profil de connaissances des élèves. Pour se faciliter la tâche l'enseignant peut s'inspirer de la grille de classification présentée à la figure 10.2.

FIGURE 10.2:   Grille d'évaluation des associations faites par les élèves

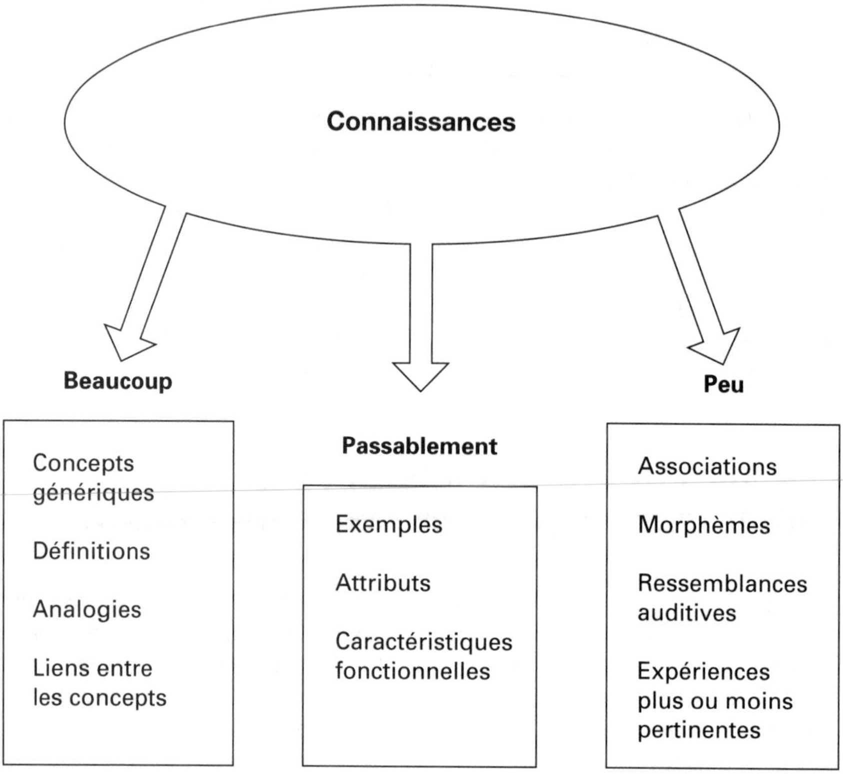

SOURCE: Adaptée de Langer (1982).

L'élève qui possède beaucoup de connaissances sur le sujet discuté sera plus susceptible de produire des associations sous forme de *concepts génériques* (communisme $\Rightarrow$ une des différentes formes possibles de régimes politiques), de *définitions* (superpuissances $\Rightarrow$ les nations les plus puissantes dans le monde), d'*analogies* ou de *liens avec un autre concept* (sénat $\Rightarrow$ le sénat ressemble à l'assemblée des députés parce que...). Si l'élève possède certaines connaissances sur le sujet, ses réponses seront généralement de type *exemples* (superpuissances $\Rightarrow$ la Chine, la Russie), *attributs* (Vatican $\Rightarrow$ Rome), *caractéristiques fonctionnelles* (le gouvernement $\Rightarrow$ fait des lois). Par contre, si l'élève ne possède que peu de connaissances sur le sujet, il tendra à produire des *associations de niveau inférieur* (parlement $\Rightarrow$ des gens importants), des *associations tirées de morphèmes*, c'est-à-dire des préfixes, des suffixes ou des racines des mots (binaire $\Rightarrow$ bicyclette), des *mots qui se ressemblent auditivement* (litanie ⇒ l'Italie), ou des *expériences plus ou moins pertinentes* (Iran ⇒ nouvelles à la télévision).

Étape 2   L'enseignant demande aux élèves de revenir sur leurs associations: «Qu'est-ce qui t'a fait penser à...?». Cette étape permet souvent aux élèves d'affiner leurs associations et de passer à une catégorie de réponse supérieure.

Étape 3   L'enseignant encourage les élèves à faire part au groupe des nouvelles informations ou des nouvelles idées qui leur sont venues à l'esprit lors de la discussion: «Veux-tu ajouter autre chose à ta première réponse? As-tu de nouvelles idées?» Ici, l'élève affine et complète l'organisation de ses connaissances.

Cette activité de stimulation des connaissances sur un texte informatif permettra à l'enseignant de déterminer le type d'intervention qu'il devra utiliser par la suite avec ses élèves. Ainsi, aucune intervention ne sera nécessaire auprès de ceux qui ont beaucoup ou passablement de connaissances, car ils pourront probablement comprendre le texte par eux-mêmes. Par contre, ceux qui possèdent peu de connaissances auront besoin d'un enseignement plus direct des concepts en cause. Si plusieurs élèves possèdent déjà des connaissances reliées au texte à lire, l'enseignant pourra décider d'inclure dans la lecture des activités d'enrichissement, ou peut-être de raccourcir le temps consacré à l'étude du thème. Par contre, si l'enseignant se rend compte que plusieurs élèves ne sont pas prêts à lire le texte, il choisira d'élaborer des activités de préparation à la lecture (Moore *et al.*, 1989).

FIGURE 10.3:   **Démarche de la technique PREP**

Étapes	Enseignant	Élèves
1. Premières associations à partir du concept	«Dis-moi tout ce à quoi te fait penser ce mot?»	Associations libres
2. Réflexion sur les connaissances	«Qu'est-ce qui t'a fait penser à...?»	Organisation des connaissances
3. Reformulation	«Veux-tu ajouter quelque chose à ta première réponse? As-tu de nouvelles idées?»	Affinement des réponses

SOURCE: Adaptée de Langer et Purcell-Gates (1985).

Les prédictions

Toutes les activités de prédiction sur le texte sont habituellemet considérées comme de bonnes activités de préparation à la lecture (Nessel, 1988). La prédiction fait appel à plusieurs processus cognitifs de haut niveau permettant de faire des inférences, d'envisager des possibilités, de porter un jugement ou de tirer des conclusions.

Concrètement, l'enseignant prépare une série de questions favorisant la prédiction sur les éléments importants d'un texte informatif; il demande aux élèves d'émettre des hypothèses en réponse aux questions posées et de justifier ces hypothèses. Par exemple, avant la lecture d'un texte sur la construction du chemin de fer Canadien Pacifique, l'enseignant pourrait poser des questions du genre:

- D'après vous, pour quelles raisons a-t-on construit le Canadien Pacifique?
- Quel était, pensez-vous, le trajet du Canadien Pacifique?
- Pouvez-vous imaginer le temps qu'il a fallu pour construire ce chemin de fer?

Le fait d'avoir effectué des prédictions et de les avoir justifiées motivera les élèves à lire le texte afin de voir jusqu'à quel point leurs prédictions concordent avec son contenu.

Les mots clés

Pour varier les activités de stimulation des connaissances, l'enseignant peut remettre aux élèves, avant la lecture d'un texte informatif, une liste de mots clés tirés de ce texte. Les mots clés sont choisis de façon à représenter les informations importantes du texte. Nessel (1988) donne l'exemple suivant:

½ kg de miel	100 kg de miel
400 fleurs	5 km
les ouvrières	5 millions de fleurs
recueillir le nectar	rayons de cire
80 000 km	les butineuses
5 semaines	un été

L'enseignant explique aux élèves que cette liste de mots est construite à partir d'un texte sur la fabrication du miel par les abeilles et
que leur tâche consiste à regrouper les mots d'une façon qui leur semble
plausible. Les élèves travaillent en équipes et essaient différents arrangements de mots jusqu'à ce que chaque élément de la liste soit placé
dans un regroupement. Les élèves sont libres d'utiliser le nombre de
regroupement qu'ils désirent.

Par exemple, un élève dira que les abeilles doivent recueillir le nectar
de 400 fleurs pour fabriquer un demi-kilo de miel, ce qui prend
5 semaines. Un autre dira que ce n'est pas un demi-kilo de miel qu'on
peut produire en 5 semaines, mais plutôt 100 kg de miel toujours avec
le nectar de 400 fleurs. Les élèves doivent discuter et justifier leur point
de vue. La discussion et les prédictions créent chez eux un désir de lire
le texte pour trouver l'information exacte.

Mentionnons que durant cette activité, plusieurs des connaissances
proposées par les élèves seront des connaissances erronées. Il faudrait
veiller à ce que les élèves sachent que le texte qu'ils liront par la suite
présentera probablement des informations qui seront en contradiction
avec leurs propres connaissances. Cette mise en garde découle d'une
recherche effectuée par Alverman et Hynd (1987) dans laquelle les
chercheures ont activé les connaissances erronées des sujets sur un
thème en science avant de leur proposer un texte contenant les informations exactes. Les résultats ont montré que le fait d'avoir activé les
connaissances erronées avait renforcé ces connaissances chez les sujets.
Par contre, dans une deuxième expérimentation, les chercheures ont
ajouté à la période d'activation une directive indiquant aux sujets que
le texte qu'ils auraient à lire contredirait peut-être leur conception personnelle du phénomène. Cette fois, les sujets ont modifié leurs connaissances erronées; les directives ont donc réussi à attirer l'attention
des sujets sur les connaissances à modifier.

Les associations

Pour préparer les élèves à lire un texte informatif, Nagy (1988) propose
une stratégie de préparation à la lecture centrée sur les associations de
mots:

–   Diviser le groupe en équipes de 4 ou 5 élèves.

–   Proposer deux mots clés tirés du texte à lire. Par exemple, à partir
    d'un texte portant sur la relation entre les humains et les ordi-
    nateurs, les mots clés pourraient être **ordinateur** et **liberté**.

–   Chaque équipe dispose de 90 secondes pour associer autant de mots que possible au premier mot clé. Un secrétaire prend en note ce que les autres membres de l'équipe donnent comme associations. Lorsque le temps est écoulé, le secrétaire relit la liste de mots.

–   Un autre 90 secondes est alors alloué aux associations à effectuer autour du deuxième mot clé: le secrétaire utilise une deuxième feuille et procède comme il l'a fait à l'étape précédente.

–   L'équipe choisit ensuite 5 mots de la première liste qu'elle associe à 5 mots de la deuxième liste en justifiant les raisons qui l'amènent à effectuer ces associations.

–   À tour de rôle, les secrétaires écrivent au tableau la liste des associations générées par leur équipe; les élèves des autres équipes peuvent leur demander des explications lorsqu'une association ne leur semble pas évidente.

–   Les élèves sont maintenant prêts à lire le texte portant sur l'ordinateur et la liberté. Ils auront la surprise de constater que plusieurs mots apparaissant dans leurs listes d'associations se retrouvent effectivement dans le texte.

Les guides d'anticipation pour la lecture des textes informatifs

Le guide d'anticipation est une technique visant à stimuler les connaissances des élèves sur le sujet d'un texte informatif. Ce guide sert également d'élément de départ pour modifier les connaissances erronées des élèves (Nessel, 1988; Ericson *et al.*, 1987).

Cette technique consiste à préparer un questionnaire ayant pour objet le contenu du texte à lire et à faire compléter ce questionnaire par les élèves. Ces derniers lisent ensuite le texte pour vérifier si leurs réponses sont en accord avec les informations qui y sont contenues. Duffelmeyer *et al.* (1987) suggèrent les étapes suivantes pour l'élaboration d'un guide d'anticipation:

–   Identifiez les principaux concepts, faits ou informations contenus dans le texte.

–   Identifiez également les conceptions probables des élèves par rapport à ces concepts ou ces faits.

–   Rédigez de 3 à 5 énoncés qui sont soit a) intuitivement attirants mais faux (ex.: les vers meurent quand on les coupe en deux), soit b) «contre-intuitifs» mais vrais (ex.: une partie du corps qui a été coupée peut repousser chez certains animaux).

– Faites remplir la première partie du questionnaire de façon individuelle par les élèves, puis animez une discussion sur les différents
éléments de ce questionnaire.

– Les élèves lisent ensuite le texte individuellement et remplissent
la deuxième partie du questionnaire. Si l'élève possédait sur un
sujet des connaissances erronées avant la lecture, le questionnaire
l'invite à reformuler dans ses propres mots la connaissance acquise
sur ce sujet afin de fixer cette connaissance de manière plus stable.

– Une nouvelle discussion sert enfin à identifier chez les élèves les
conceptions qui ont été modifiées par la lecture du texte.

Le guide d'anticipation permet donc de travailler à la fois du côté
des connaissances à acquérir et de celui des connaissances erronées. Le
but de cette technique est d'habituer l'élève à se questionner sur ses
propres connaissances.

FIGURE 10.4:   Exemple de guide d'anticipation

Directives   Lis chacune des phrases. Si tu crois que la phrase est vraie, fais
un X dans la colonne **D'accord**. Si tu crois que la phrase est fausse, fais un X
dans la colonne **Pas d'accord**. Prépare une explication de tes choix.

PARTIE 1

D'accord   Pas d'accord

___X___   _____   1.   Les vers meurent quand on les coupe en deux.

___X___   _____   2.   Certains êtres vivants n'ont pas besoin de la
lumière du soleil.

_____   ___X___   3.   Chez certains animaux, une partie du corps qui
a été coupée peut repousser.

_____   _____   4.   Les animaux qui n'ont pas de nez ne peuvent
pas sentir.

_____   _____   5.   Pondre des œufs et donner naissance à un être
vivant sont les deux seules façons de se repro-
duire chez les animaux.

_____   _____   6.   Tous les vers ont un corps rond.

Directives   Maintenant tu vas lire l'information reliée à chacune des phrases de la partie 1. Si l'information que tu lis va dans le sens de ton choix à la partie 1, fais un X dans la colonne <u>Ma réponse concorde avec le texte</u>. Si l'information que tu lis ne va pas dans le sens de ce que tu as écrit dans la partie 1, fais un X dans la colonne <u>Ma réponse ne concorde pas avec le texte</u> et écris dans tes propres mots l'information qui vient du texte.

PARTIE 2

Ma réponse concorde avec le texte	Ma réponse ne concorde pas avec le texte	
1. ____	__X__	Certains vers se séparent en deux et forment deux vers.
2. __X__	____	
3. ____	__X__	Si vous coupez la tête d'un ver, elle repoussera.
4. ____	____	
5. ____	____	
6. ____	____	

SOURCE: Adaptée de Duffelmeyer *et al.* (1987).

Un guide d'anticipation pour la lecture des textes d'opinion

La technique du guide d'anticipation peut être intéressante à utiliser lors de la lecture de textes d'opinion (Moore *et al.*, 1989). Avec ce type de texte, l'enseignant ne procédera pas exactement de la même façon qu'avec les textes informatifs. En effet, il ne s'agit pas d'amener l'élève à changer obligatoirement d'opinion en lisant le texte, mais plutôt de l'amener à confronter son opinion avec celle de l'auteur du texte.

Concrètement, l'élève lit la liste des énoncés et coche ceux avec lesquels il est personnellement d'accord (colonne **Moi**). Après la lecture du texte, il coche les énoncés qui sont soutenus par l'auteur du texte (colonne **L'auteur**).

Moi	**L'auteur**	
_____	_____	On ne peut pas faire grand-chose pour sauver l'environnement.
_____	_____	L'avancement de la technologie est plus important que la protection de l'environnement.
_____	_____	L'énergie nucléaire est la réponse à nos problèmes d'énergie.
_____	_____	La pollution de l'air nous affecte tous.

Après la lecture du texte, l'enseignant anime une discussion permettant de comparer les opinions émises par les élèves avec les opinions qui proviennent du texte, à partir de questions comme :

- Avec quelles affirmations étiez-vous d'accord au point de départ ?
- Avec quelles affirmations n'étiez-vous pas d'accord au point de départ ?
- Pourquoi pensez-vous que l'auteur n'est pas du même avis que vous ?
- Avez-vous changé d'idée en lisant le texte ?
- Êtes-vous toujours en désaccord avec l'auteur ? Pourquoi ?
- Comment l'auteur a-t-il réussi à vous faire changer d'opinion ?
- Que pourriez-vous dire à l'auteur pour l'amener à changer d'opinion ?

LA MESURE DES CONNAISSANCES

Toutes les activités de stimulation des connaissances présentées précédemment comportaient une évaluation sommaire des connaissances. Cependant, l'enseignant pourrait désirer, dans certaines circonstances, procéder à une évaluation plus complète des connaissances (exactes et erronées) que ses élèves possèdent sur un thème particulier. La section suivante présente différentes méthodes proposées pour mesurer les connaissances des élèves avant la lecture d'un texte ou d'une série de textes portant sur le même thème.

La comparaison de différents types de mesure

Holmes et Roser (1987) ont comparé entre elles cinq façons d'évaluer les connaissances chez les élèves de la troisième à la sixième année. Les auteures ont choisi de mesurer les connaissances que les élèves possédaient sur les serpents; elles ont retenu les 20 sous-thèmes les plus fréquemment mentionnés à ce sujet dans les livres de jeunesse et les encyclopédies. Les techniques retenues pour effectuer la comparaison sont les suivantes: 1) le rappel libre, 2) l'association de mots, 3) les questions structurées, 4) les questions de reconnaissance, 5) la discussion informelle.

1) **Le rappel libre**   «Imagine que tout ce que l'on sait sur les serpents est écrit dans ce texte. Que penses-tu qu'il est écrit?» Lorsque l'élève semble avoir dit tout ce qu'il sait, l'enseignant demande: «Es-tu certain d'avoir tout dit à ce sujet?».

2) **L'association de mots**   «Aujourd'hui nous allons jouer à un jeu autour des serpents. Je vais te dire un mot et tu me diras tout ce que tu sais de ce mot par rapport aux serpents. Par exemple, si le thème était «chat» et que je te disais «pattes», tu pourrais me répondre: «Il en a 4, elles ont des griffes...» L'enseignant donne alors chacun des sous-thèmes séparément.

3) **Les questions structurées**   Les questions sont composées à partir des sous-thèmes. Par exemple, à propos de la mue des serpents, l'enseignant peut demander: «Est-ce qu'un serpent garde la même peau toute sa vie? Que lui arrive-t-il? Comment se débarrasse-t-il de sa vieille peau? Combien de fois mue-t-il dans sa vie?». Si l'élève répond incorrectement à la première question, il n'est pas pertinent de lui poser les questions suivantes.

4) **Les questions à choix multiple**   Ici, l'élève n'a pas à construire sa réponse, mais plutôt à identifier la ou les bonnes réponses parmi un ensemble de possibilités.
Par exemple: «à sang froid» veut dire:
   a.   qui a le sang froid
   b.   qui a une température du corps constante
   c.   qui change de température selon l'environnement
   d.   qui n'a jamais trop chaud

5) **La discussion informelle**   L'élève est encouragé à parler de ses expériences relatives aux serpents. Il peut dire s'il en a déjà vu, s'il en a touché, s'il a lu des livres portant sur les serpents, s'il

a vu des films à leur sujet... L'enseignant demande à l'élève ce qu'il a appris sur les serpents durant ces expériences.

Dans la recherche de Holmes et Roser (1987), les techniques ont été comparées entre elles en regard de quatre critères:

1) la quantité d'informations obtenues (connaissances exactes et erronées);

2) la durée de la tâche;

3) l'efficacité: la quantité d'informations recueillies par rapport au nombre de questions posées. Le nombre de questions peut être considéré comme étant un indice de l'énergie fournie par l'enseignant pour préparer la tâche d'évaluation;

4) le rendement: la quantité d'informations recueillies par rapport à la durée de la tâche.

Le tableau 10.2 présente l'efficacité relative de chacune des techniques d'évaluation des connaissances.

TABLEAU 10.2: Efficacité relative des techniques de mesure des connaissances

	RL	AM	QS	QCM	DI
Quantité d'information	4	3	1	2	5
Connaissances exactes	4	3	1	2	5
Connaissances erronées	5	3	1	2	4
Durée de la tâche	1	3	5	4	2
Efficacité	1	3	4	2	5
Rendement	3	4	1	2	5

Légende

RL: rappel libre

AM: association de mots

QS: questions structurées

QCM: questions à choix multiple

DI: discussion informelle

Cotes: La cote 1 est attribuée à la technique qui s'est révélée la plus efficace.

Le rappel libre   Avantage: cette technique donne la plus grande quantité d'informations par rapport au nombre de questions posées. Désavantage: elle ne donne pas un portrait complet des connaissances, particulièrement des connaissances erronées. Ce résultat s'observe surtout chez les jeunes lecteurs ou chez des lecteurs en difficulté, car ils ne semblent pas posséder des connaissances bien organisées et facilement récupérables dans leur mémoire.

L'association de mots   Bon équilibre entre les avantages et les désavantages: cette technique obtient un résultat moyen pour toutes les variables.

Les questions structurées   Avantage: cette technique génère la plus grande quantité d'informations exactes et erronées. Désavantage: elle est longue à préparer et à appliquer.

Les questions à choix multiple   Elles sont excellentes pour trouver les connaissances exactes et erronées des élèves. Elles sont utiles surtout auprès de ceux qui possèdent des connaissances sur le sujet, mais qui ont de la difficulté à aller les chercher en mémoire. Désavantage: elle prend du temps à préparer et à appliquer.

La discussion informelle   C'est la technique la moins utile pour déterminer les connaissances sur le sujet et une des plus longues en terme d'exécution.

L'enseignant peut utiliser les résultats présentés au tableau 10.2 pour choisir une technique répondant à ses besoins du moment. Par exemple, s'il veut obtenir un portrait complet des connaissances exactes et erronées des élèves sur un thème précis, il choisira les questions structurées ou les questions à choix multiple. Pour une évaluation moins exhaustive mais plus rapide, il optera pour l'association de mots. S'il dispose de peu de temps pour préparer la tâche et pour procéder à l'évaluation, son choix se portera sur le rappel libre.

La technique d'association de mots

Comme nous l'avons vu dans la section précédente, la technique d'association de mots s'est révélée celle qui présente le meilleur rapport entre la quantité d'informations obtenues et l'énergie dépensée par l'enseignant pour l'obtenir. En effet, même si cette technique est relativement simple, elle fournit un indice assez puissant de l'étendue des connaissances du lecteur sur un sujet particulier. Plusieurs auteurs ont proposé des techniques d'association de mots; nous présenterons ici la procédure proposée par Zakaluk *et al.* (1986).

Les auteurs suggèrent de dégager le thème du texte à lire et de le présenter sous forme de mot clé ou d'expression. Par exemple, à partir d'un texte portant sur l'exploitation des vastes ressources de l'Afrique, le stimulus pourrait être «les ressources naturelles de l'Afrique». (Pour la lecture de textes plus longs, il serait préférable de dégager 3 ou 4 mots clés). Les élèves écrivent ensuite tout ce à quoi leur fait penser le mot clé. Ce dernier est écrit au début de chaque ligne d'une feuille lignée de façon à ce que l'élève l'utilise toujours pour effectuer ses associations et qu'il ne soit pas tenté d'utiliser les mots qu'il vient d'écrire lui-même.

transport
transport
transport
transport
transport
transport
transport
transport

L'enseignant peut ensuite interpréter les associations à partir d'un barème; ce barème a été calculé d'après les performances d'élèves de cinquième année. Des directives précises à ce sujet sont présentées à la figure 10.5.

FIGURE 10.5:   Directives de la technique d'association de mots

Présentation orale

«Je vous propose une petite activité pour voir à combien de mots vous pouvez penser en quelques minutes. Je vais vous donner un mot clé et vous allez écrire tous les mots auxquels ce mot clé vous fait penser. Les mots que vous écrirez peuvent correspondre à des objets, des endroits, des idées, des événements ou toute autre chose qui vous vient à l'esprit quand vous pensez à ce mot clé.»

Démonstration au tableau

«Par exemple, pensez au mot *roi*. (Écrivez *roi* au tableau). Le mot *roi* me fait penser à reine – prince – couronne – palais – Royaume – Angleterre – roi de pique – roi des animaux.» Continuez à générer des associations. Ajoutez-les au tableau. Précisez aux élèves qu'il est possible d'utiliser des expressions composées de plusieurs mots.

Exercice et discussion

«Nous allons faire un exercice. (On peut utiliser des mots familiers comme *cuisine* et *transport* pour cet exercice). Prenez la feuille sur laquelle est écrit le mot *cuisine*. Sur chaque ligne, écrivez un mot ou une expression que l'idée de cuisine vous suggère. Je vous laisse 3 minutes pour travailler.» Lorsque la tâche est terminée, revoyez l'exercice avec les élèves en répondant aux questions ou en précisant les directives au besoin.

Rappels

Durant la période d'exercice et durant la tâche elle-même, donnez aux élèves les rappels suivants:

– «Je ne m'attends pas à ce que vous remplissiez toute la feuille, mais écrivez le plus grand nombre de mots qui vous viennent à l'esprit lorsque vous pensez au mot clé.

– Revenez toujours au mot clé après avoir écrit une idée.

– Une bonne façon de procéder est de se répéter souvent le mot clé dans sa tête en écrivant».

Analyse des résultats

– Donner 1 point pour chaque association pertinente (ex: l'élève associe *culture* au mot clé *ferme*).

– Donner 0 point pour une association non pertinente (ex: l'élève associe *aviation* au mot clé *ferme*).

– Donner 1 point pour une liste d'éléments (ex: l'élève donne une liste de céréales comme *blé*, *avoine*, *millet* en association au mot clé *ferme*).

– Donner 1 point si la catégorie renfermant les éléments est mentionnée (ex: 1 point pour *céréales* si le mot est mentionné et accompagné d'une série de noms de céréales).

La clé de correction

0-2 points:	peu de connaissances sur le sujet
3-6 points:	connaissances moyennes sur le sujet
7 et + :	très bonnes connaissances sur le sujet

SOURCE: Zakaluk *et al.* (1986).

Les connaissances du lecteur jouent un rôle prépondérant dans la compréhension en lecture. Pour aider les élèves à établir un pont entre leurs connaissances et le contenu du texte, l'enseignant peut stimuler leurs connaissances sur des concepts essentiels et favoriser chez eux l'organisation de ces connaissances. Ce type de stratégie pédagogique est indispensable en classe, quel que soit le niveau des lecteurs.

11

Le vocabulaire et la compréhension en lecture

Bon nombre d'études ont montré la relation entre la connaissance du vocabulaire contenu dans un texte et la compréhension de ce texte. Cette relation n'est d'ailleurs pas univoque : d'une part, le vocabulaire influence la compréhension en lecture et d'autre part, la compréhension d'un texte peut aider à développer le vocabulaire. Dans ce chapitre, nous tenterons de clarifier cette interaction qui existe entre le vocabulaire et la compréhension de texte.

L'ACQUISITION DU VOCABULAIRE

La rapidité de développement du vocabulaire chez les élèves du primaire et du secondaire est assez phénoménale. On reconnaît habituellement que les enfants de 9 à 12 ans acquièrent près de 3000 mots nouveaux par année (Nagy, 1988). Cependant, le nombre de mots acquis peut varier énormément d'un élève à l'autre. En effet, Nagy *et al.* (1987) rapportent que ce nombre oscille entre 300 et 5000 mots par année et que chez certains élèves, il dépasse largement ces données. Schwartz (1988) établit pour sa part les balises entre 750 et 8250 mots nouveaux acquis annuellement par les élèves de 10 à 14 ans.

Comment peut-on expliquer que l'apprentissage du vocabulaire se fasse aussi rapidement, d'une part, et qu'il y ait tant d'écart entre les performances des élèves, d'autre part? Pour tenter de répondre à ces questions, tournons-nous vers l'analyse des sources d'acquisition du vocabulaire. Premièrement, il est certain que l'élève acquiert une certaine quantité de vocabulaire nouveau grâce aux différents médias ainsi que par ses échanges avec les adultes et avec ses pairs. Mais les auteurs reconnaissent unanimement qu'à partir du deuxième cycle du primaire, la majorité des mots nouveaux acquis par les élèves proviennent de la lecture. Cette acquisition est-elle attribuable à l'enseignement spécifique du vocabulaire de lecture qui se fait en classe? Non, car celui-ci apporte une contribution plutôt négligeable. En effet, au mieux peut-on enseigner 300 mots de vocabulaire spécifiques durant une année scolaire. Il reste donc l'apport des lectures personnelles de l'élève dans le développement de son vocabulaire. Selon plusieurs auteurs, la contribution des lectures personnelles est précisément le facteur le plus susceptible d'expliquer la rapidité d'acquisition du vocabulaire et la disparité de cette acquisition chez les élèves.

Si le rôle des lectures personnelles des élèves dans l'acquisition du vocabulaire est primordial, il ne faudrait pas pour autant laisser de côté la part de l'enseignement spécifique du vocabulaire qui se fait en classe. Nous avons classé sous trois rubriques les interventions pédagogiques reliées à l'acquisition du vocabulaire:

1) les lectures personnelles qui permettent un apprentissage indirect du vocabulaire: l'intervention pédagogique consiste ici à créer ou accroître la motivation de l'élève à s'engager dans des lectures personnelles en classe ou en dehors de la classe;

2) l'enseignement des stratégies permettant aux élèves de tirer profit du contexte pour découvrir le sens de mots inconnus;

3) l'enseignement direct qui porte sur des mots de vocabulaire spécifiques.

L'APPRENTISSAGE INDIRECT DE VOCABULAIRE AU MOYEN DE LECTURES PERSONNELLES

De tous temps, les éducateurs ont supposé que la lecture augmentait le vocabulaire des élèves. Cependant, les recherches qui ont démontré concrètement l'existence de cet apprentissage, que l'on peut qualifier d'indirect, sont relativement récentes (Herman *et al.*, 1987). Il faut signaler ici que les premières études effectuées sur l'acquisition de voca-bulaire par la lecture de textes avaient amené les chercheurs à conclure à l'inexistence de cet apprentissage indirect. En fait, dans ces études, les chercheurs ne considéraient l'acquisition du sens d'un mot nouveau qu'au moment où l'élève possédait une vision globale du sens de ce mot. Au cours des dernières années, cependant, certaines recherches ont mis en lumière le fait que l'acquisition du vocabulaire s'effectue par étapes à travers la lecture de nombreux textes. Lorsqu'un lecteur rencontre un mot nouveau pour la première fois, il ne saisit habituellement qu'une partie de sa signification ; il devra rencontrer ce mot plusieurs fois avant de posséder une vue d'ensemble de sa signification.

Une des premières études à mettre en évidence cette évolution gra-duelle dans l'acquisition du vocabulaire (Jenkins *et al.*, 1984) a consisté à présenter à des groupes d'élèves un mot nouveau dans différents paragraphes, en faisant varier le nombre de présentations dans les groupes. Les élèves qui ont rencontré le mot nouveau à 10 reprises ont acquis plus de connaissances sur ce mot que ceux qui ne l'ont rencontré qu'à deux reprises. Dans une autre étude réalisée auprès d'élèves de huitième année (Nagy *et al.*, 1985), les auteurs ont utilisé des textes dans lesquels les mots nouveaux n'apparaissaient qu'une seule fois. À l'aide d'une échelle précise, ils ont pu constater que les élèves qui ne possédaient aucune connaissance de ces mots avant l'expérimentation en étaient passés à une connaissance partielle et ceux qui en avaient déjà une connaissance partielle avant l'expérimentation étaient passés à une connaissance plus complète de ces mots.

Bref, les jeunes lecteurs acquièrent du vocabulaire grâce à leurs lectures personnelles et cette acquisition s'élargit graduellement au fil de leurs lectures. Mais par quel processus le lecteur arrive-t-il à dégager le sens d'un mot nouveau à l'intérieur d'un texte ? Il est possible d'identifier deux modes d'apprentissage indirect du vocabulaire : **l'analyse morphologique** et **l'utilisation du contexte.**

L'analyse morphologique

Il est sensé de penser que pour trouver le sens d'un mot nouveau le lecteur se sert, en partie du moins, de la morphologie de ce mot, c'est-à-dire de sa structure (racine, préfixe, suffixe). Par exemple, si l'élève connaît déjà le mot « programme », il peut généraliser sa connaissance aux mots « programmer », « programmeur », « programmation ». Il existe cependant plusieurs niveaux de difficulté dans cette tâche de généralisation ; il est facile de constater un ordre croissant de complexité dans les appariements de mots tels que : programme/programmer, planète/planétaire, prévoir/prévisible.

Certaines recherches ont permis d'évaluer la part de l'analyse morphologique dans l'acquisition de mots nouveaux rencontrés dans un texte. Par exemple, dans une étude effectuée auprès d'élèves de quatrième, sixième et huitième année, des chercheurs ont démontré que ceux-ci utilisaient effectivement un certain degré de généralisation morphologique pour déterminer le sens de mots nouveaux (Wysocki et Jenkins, 1987). Dans cette étude, les élèves de sixième et huitième année ont manifesté un rendement assez équivalent, mais nettement supérieur à celui des élèves de quatrième année.

À la lumière de certaines données de recherche et d'une analyse linguistique minutieuse, White *et al.* (1989) estiment que cinq ou six leçons sur les affixes et les racines, à partir de la quatrième année, amélioreraient la capacité des élèves à analyser des mots nouveaux, à condition que cet enseignement se fonde sur les affixes les plus fréquemment employés et qu'il vise spécifiquement à préparer les élèves à **utiliser** ces indices morphologiques au moment de l'analyse des mots nouveaux.

L'utilisation du contexte

Si l'analyse morphologique peut contribuer à l'acquisition de vocabulaire nouveau chez les élèves, la majeure partie de cet apprentissage se fait toutefois par l'utilisation du contexte. Il importe cependant d'analyser de plus près l'aide effective que peut apporter le contexte dans cet apprentissage.

Au cours des dernières années, plusieurs auteurs ont souligné le fait que l'importance de l'utilisation du contexte pour apprendre du vocabulaire pouvait varier sensiblement d'un mot à l'autre et que, malheureusement, le contexte ne donnait souvent qu'une information partielle sur la signification du mot nouveau. Ces remarques sont justes et elles nous mettent en garde contre la tentation de croire que le contexte peut infailliblement nous éclairer sur le sens d'un mot nouveau. Schatz et Baldwin (1986) ont proposé une échelle à trois niveaux pour classer les types de relation existant entre le mot nouveau et son contexte. Cette grille permet de mieux cerner les différents degrés d'utilité du contexte dans l'acquisition du vocabulaire.

Dans la première situation (figure 11.1), il n'existe pas de relation de transfert entre X et Y; le sens de *nécromancie* ne peut être inféré à partir du contexte, car il n'existe aucun recoupement entre ce concept et le contexte de la phrase. Dans la deuxième situation, X est inclus dans Y; le contexte de la phrase fournit un indice clair qui permettra au lecteur de prédire assez facilement le sens du mot *nécromancie*. Enfin, dans la troisième situation, X recoupe partiellement Y. La phrase fournit certaines informations sur le mot nouveau; si le lecteur sait que Merlin est un magicien, il pourra émettre l'hypothèse que la *nécromancie* est reliée d'une façon ou d'une autre à la magie ou à la sorcellerie.

C'est à partir de ce type d'échelle que certains auteurs ont contesté l'utilité du contexte dans l'acquisition du vocabulaire. Il est rare, disent-ils, de rencontrer un contexte qui donne des informations complètes sur un mot nouveau. Pour répondre à cette objection, rappelons que l'acquisition de vocabulaire par la lecture chez l'élève se fait de façon graduelle à travers des rencontres répétées du même mot dans des contextes différents. Le contexte naturel, il va sans dire, est rarement assez riche pour que le mot nouveau y soit présenté sous toutes ses facettes. Toutefois, lorsque le lecteur rencontre ce même mot dans plusieurs contextes, il arrive à se construire un portrait plus complexe de la signification de ce mot.

Nagy (1988) explique ce processus d'acquisition graduelle de façon fort intéressante. Grâce à une expérience qu'il a réalisée auprès d'élèves de troisième, cinquième et septième année, l'auteur a constaté que, dans un contexte de lecture naturel, les élèves avaient une chance sur 20 d'apprendre le sens d'un mot nouveau. À première vue, ce taux semble peu élevé. Cependant, si les élèves lisent environ 25 minutes par jour, ils pourront rencontrer à peu près 20 000 mots par année. Si un mot sur 20 est appris par le biais du contexte, les élèves acquerront donc 1000 mots nouveaux par année, ce qui constitue le tiers de l'acquisition annuelle de leur vocabulaire. Si l'enseignant ajoute 25 minutes supplé-

FIGURE 11.1: Types de relation existant entre le mot nouveau et son contexte

Situation A

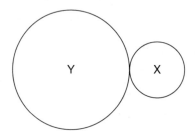

La *nécromancie* a permis à Raspoutine de diriger le royaume.

Situation B

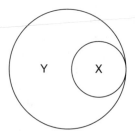

La *nécromancie*, ou sorcellerie, était autrefois punie de mort.

Situation C

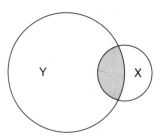

La *nécromancie* a permis à Merlin de diriger le royaume.

SOURCE: Adaptée de Schatz et Baldwin (1986).

mentaires de lecture par jour, les élèves auront ainsi la chance d'apprendre un autre millier de mots.

Bref, parce que le contexte n'est pas toujours suffisant pour permettre au lecteur de découvrir le sens d'un mot nouveau en une seule rencontre, il est important que les élèves lisent des textes variés et en quantité suffisante pour pouvoir rencontrer les mots nouveaux dans des contextes nombreux et différents. L'enseignant qui motive ses élèves à augmenter leur temps de lecture personnelle agit donc directement sur le développement du vocabulaire de ces derniers.

RENDRE LES ÉLÈVES AUTONOMES DANS L'ACQUISITION DE VOCABULAIRE

Pour inciter les élèves à se servir du contexte afin d'acquérir du vocabulaire, la plupart du temps l'enseignant leur dira simplement : «Servez-vous des autres mots du texte». Toutefois, bien des élèves ne savent pas ce que l'enseignant entend par «utiliser les autres mots du texte» et ils ont besoin d'un enseignement plus explicite à ce sujet (Giasson et Thériault, 1983).

Quelques chercheurs se sont penchés sur la possibilité d'entraîner les élèves à mieux tirer profit du contexte dans leur apprentissage de vocabulaire. Dans leurs recherches, l'entraînement consistait essentiellement à présenter aux élèves un mot nouveau dans un contexte conçu spécialement pour cette tâche, c'est-à-dire un contexte très riche. On demandait ensuite aux élèves de suggérer un synonyme pour ce mot, de vérifier leur hypothèse à partir des indices donnés par le texte et de reformuler leur hypothèse au besoin. La plupart des recherches de ce type ont montré qu'on pouvait effectivement améliorer la capacité des élèves à se servir du contexte pour trouver le sens de mots nouveaux, mais il ne semble pas évident que les sujets généralisent l'application de cette habileté à leurs lectures habituelles (Carnine et al., 1984; Jenkins et al., 1989).

Le problème du transfert de cette habileté aux lectures courantes est donc le problème majeur des stratégies d'enseignement de l'utilisation du contexte. Certaines études ont toutefois porté sur ce problème de transfert. Nous nous attarderons sur celle de Herman et Weaver (1988), qui propose une intégration des indices et sur celle de Schwartz et Raphael (1985), qui suggère un approfondissement du concept de définition.

Une démarche d'intégration des indices

La démarche de Herman et Weaver (1988) dépasse la simple directive qui consiste à dire aux élèves de regarder les autres mots de la phrase pour trouver le sens du mot nouveau. L'objectif poursuivi par les auteurs est d'enseigner aux élèves à combiner certains facteurs susceptibles de les aider à dégager le sens d'un mot nouveau. Ces facteurs sont: la compréhension que l'élève a du texte, les informations qu'il peut tirer du mot lui-même (connaissances sur la morphologie), les connaissances antérieures qu'il possède sur le sens du mot et la connaissance implicite qu'il a du fonctionnement de la langue (ex.: savoir que tel mot devrait être un nom, un verbe, un adverbe...). La stratégie proposée ici est de sensibiliser les élèves à l'utilisation de ces différentes sources qui contribuent toutes à attribuer un sens à un mot nouveau.

Concrètement la stratégie comprend deux parties:

1) Regarder **le mot même**:
   a) utiliser la structure du mot: suffixe, racine, préfixe;
   b) vérifier sa propre connaissance du mot s'il y a lieu (ce que je sais déjà du mot).

2) Regarder **autour du mot**:
   a) regarder d'abord les événements et l'atmosphère générale de la partie du texte où le mot apparaît;
   b) regarder plus précisément la phrase ou l'expression dans laquelle se trouve le mot nouveau.

FIGURE 11.2: Les indices permettant d'attribuer un sens à un mot nouveau dans un texte

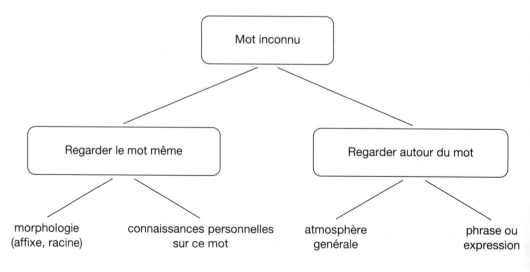

SOURCE: Adaptée de Herman et Weaver (1988).

Au début, il s'agit pour l'enseignant de choisir un contexte raisonnablement informatif de façon à ce que les élèves réussissent assez bien à imaginer le sens du mot nouveau. Puis il passera graduellement à des contextes moins riches puisque c'est le type de contexte le plus fréquemment rencontré dans les lectures personnelles.

Étape 1   L'enseignant explique le but de la stratégie, puis illustre concrètement les deux étapes de la procédure : a) regarder le mot même et b) regarder autour du mot. Il montre ensuite aux élèves comment combiner les informations tirées des deux étapes pour arriver à formuler une hypothèse. Pour ce faire, l'enseignant choisira un texte contenant un mot de sens inconnu et il explicitera verbalement comment il procède lui-même pour arriver à dégager le sens de ce mot nouveau.

Étape 2   L'enseignant guide les élèves dans l'application de la stratégie en leur donnant le soutien nécessaire.

Étape 3   Les élèves effectuent la démarche au complet sous la supervision de l'enseignant.

Étape 4   Les élèves appliquent la stratégie en équipes.

Étape 5   Les élèves utilisent la stratégie de façon autonome dans leurs lectures personnelles. Périodiquement, l'enseignant demande à un élève ou à un autre de lire à voix haute (dans son livre de bibliothèque) un paragraphe dans lequel il a rencontré un mot nouveau et de montrer aux autres élèves comment il a combiné les indices pour trouver le sens de ce mot nouveau.

Le succès de la technique réside d'une part dans la démonstration que l'enseignant fait de la façon dont lui-même combine les différents indices pour trouver le sens des mots nouveaux et d'autre part, dans le passage graduel aux textes personnels.

L'approfondissement du concept de définition

Schwartz et Raphael (1985) ont proposé une démarche pédagogique dont l'objectif premier est de rendre les élèves autonomes dans leur acquisition de vocabulaire nouveau. Partant de l'observation que souvent les élèves ne réalisent pas qu'ils ne connaissent pas un mot parce qu'ils ne possèdent pas le concept de définition, ces auteurs suggèrent une stratégie visant à enseigner explicitement aux élèves le type d'information qui entre dans une définition.

Cette stratégie s'inspire des réseaux sémantiques. Un réseau sémantique, rappelons-le, est une façon de représenter graphiquement l'organisation des concepts dans la mémoire. Habituellement, un réseau
sémantique comprend trois types de relation: 1) la catégorie à laquelle
appartient le concept, 2) les propriétés ou les caractéristiques de ce
concept, 3) des exemples de ce concept. Concrètement, cette stratégie
permet aux élèves de regrouper leurs connaissances d'un concept sous
trois rubriques: catégorie, propriétés, exemples.

La figure 11.3 représente graphiquement les éléments qui devraient
composer une définition. L'ovale au centre de la figure sert à indiquer
le mot à définir. Le rectangle en haut de la figure permet d'identifier
la catégorie à laquelle appartient le mot cible; il répond à la question
«Qu'est-ce que c'est?». À droite se retrouvent les propriétés du mot à
définir; elles répondent à la question: «À quoi ressemble-t-il?». Les
parallélogrammes au bas du graphique correspondent à des exemples
ou des illustrations du concept.

FIGURE 11.3:   Schéma de définition

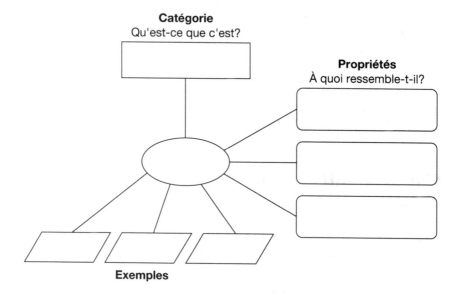

SOURCE: Adaptée de Schwartz et Raphael (1985).

Explication du but de la stratégie

Rappelez aux élèves qu'il est important de bien comprendre le sens des mots pour comprendre un texte. Expliquez-leur que la stratégie à l'étude les aidera à décider si oui ou non ils comprennent suffisamment bien un mot nouveau rencontré dans un texte.

Stimulation des connaissances antérieures

Pour introduire l'activité, dites aux élèves qu'ils sont déjà familiers avec le type d'informations nécessaires pour effectuer la tâche. Pour confirmer vos dires, demandez-leur d'énumérer tout ce qu'ils savent d'un concept comme *ordinateur*. Écrivez la liste de leurs réponses au tableau; cette liste ressemblera probablement à la suivante:

Ordinateur
Atari possède un clavier une machine permet de jouer à des jeux IBM possède un écran on l'utilise pour écrire des textes possède une mémoire peut calculer rapidement Macintosh

Dites aux élèves que toutes ces informations peuvent être regroupées en trois sous-groupes. Demandez-leur d'abord de trouver un mot dans la liste qui répond à la question: «Qu'est-ce qu'un ordinateur?». Ici, la catégorie est «machine». Demandez-leur ensuite de trouver des mots ou des expressions qui décrivent ce type particulier de machine qu'est l'ordinateur. Enfin, demandez-leur de trouver des exemples d'ordinateur dans la liste de mots.

Démonstration

Présentez aux élèves le schéma de définition d'un mot (figure 11.3) et inscrivez au centre de la figure un concept qui leur est familier. Inscrivez ensuite au tableau une liste de mots contenant la catégorie à laquelle appartient ce concept ainsi que plusieurs propriétés et exemples de ce concept. Remplissez le graphique avec les élèves au fur et à mesure que vous leur expliquez son fonctionnement.

Poursuivez l'enseignement en amenant les élèves à écrire une définition du concept cible à partir des informations contenues dans le schéma.

Application du schéma de définition dans un contexte complet

À cette étape, faites compléter un schéma de définition pour un concept cible à l'aide d'un contexte complet, c'est-à-dire un texte mentionnant la catégorie à laquelle appartient ce concept ainsi qu'au moins trois propriétés et trois exemples de ce concept. Faites comprendre aux élèves qu'il n'y a rien de magique dans le chiffre 3; ils peuvent ajouter des propriétés ou des exemples à leur schéma si cela leur facilite la compréhension du concept.

Application du schéma de définition dans des contextes partiels

Présentez ensuite des contextes partiels, c'est-à-dire des textes qui ne mentionnent pas la catégorie à laquelle appartient le concept à l'étude ou qui ne présentent qu'une ou deux propriétés ou exemples de ce concept. Insistez auprès des élèves sur le fait qu'ils possèdent déjà certaines connaissances pouvant leur permettre de compléter le schéma. Dans cette partie, les élèves commencent donc à utiliser autant leur propres connaissances sur un sujet que celles véhiculées par le texte, ce qui ressemble à la situation vécue dans un contexte naturel.

Utilisation autonome du schéma de définition

Lorsque les élèves sont devenus suffisamment habiles dans le maniement de cette stratégie, l'enseignant les incite à l'utiliser non plus graphiquement mais mentalement. Schwartz met en garde les enseignants contre la tentation de transformer cette stratégie en page d'exercice à compléter à la fin d'un chapitre. L'important est que les élèves emploient la stratégie pour comprendre un terme nouveau et non pas qu'ils deviennent des experts pour remplir le schéma de définition. Par exemple, quand les élèves éprouvent de la difficulté à définir un concept, l'enseignant peut les aider à se centrer sur la catégorie à laquelle appartient le concept, sur des propriétés ou sur des exemples de ce concept. Lorsque l'élève ne dira plus: «Je ne sais pas ce que ce mot veut dire», mais plutôt, «Je sais que c'est une sorte de..., mais je ne sais pas quelles sont les propriétés qui le distinguent de...» ou «Le texte ne donne pas d'exemples de...», l'enseignant sera en droit de croire que cet élève est très engagé dans le processus d'acquisition du concept de définition.

L'ENSEIGNEMENT SYSTÉMATIQUE DU VOCABULAIRE

Nous avons vu que les lectures personnelles étaient responsables de la majeure partie de l'acquisition du vocabulaire par les élèves. Est-ce à dire qu'un enseignement spécifique du vocabulaire en classe est inutile? Faut-il compter uniquement sur les lectures personnelles pour augmenter le vocabulaire des élèves? Certainement pas. Si les lectures personnelles sont indispensables pour assurer l'**étendue** du vocabulaire, les stratégies spécifiques d'intervention, quant à elles, permettent d'enseigner en **profondeur** le vocabulaire aux élèves.

Au cours d'une année scolaire, un certain nombre de mots feront l'objet d'un enseignement plus particulier. Pour l'enseignant, la tâche consistera d'abord à sélectionner les mots à enseigner, puis à déterminer à quelle catégorie appartiennent ces mots et enfin à choisir la technique d'enseignement appropriée.

La sélection des mots à enseigner

Puisque le temps de classe disponible pour l'enseignement direct du vocabulaire est relativement restreint, il est important de bien sélectionner les mots à enseigner. Les principes suivants pourraient guider l'enseignant dans le choix des mots qu'il enseignera à ses élèves (Stahl, 1986):

1) Déterminer jusqu'à quel point le mot sera important pour les élèves. Si le mot n'a pas d'importance dans le texte que l'élève doit lire immédiatement, ni dans d'autres textes, il ne vaut pas la peine d'être enseigné.

   On sait que ce ne sont pas tous les mots dans un texte qui sont indispensables à sa compréhension. En effet, Freebody et Anderson (1983) ont démontré, lors d'une expérience avec des élèves de sixième année, qu'il est possible de remplacer par un synonyme plus difficile un mot sur six dans un texte sans modifier la compréhension qu'on peut avoir de ce texte. Ceci expliquerait qu'un lecteur puisse se faire une idée générale d'un texte sans pour autant se rappeler certains détails ou les relations spécifiques existant entre certains concepts exposés dans ce texte.

2) S'assurer que le mot n'est pas présenté dans un contexte riche qui permettrait à l'élève d'en dégager le sens par lui-même. Si le contexte est assez explicite, le mot n'a pas besoin d'être enseigné en classe. Même si, à première vue, ce conseil semble aller de soi, Shake *et al.* (1987) ont observé que souvent les enseignants choisissaient des mots qui étaient placés dans un contexte riche et qui, de ce fait, n'auraient pas eu besoin d'être enseignés.

3) Une fois les mots sélectionnés, il faut également déterminer jusqu'à quel niveau de connaissance ils doivent être enseignés. Il appartient à l'enseignant de juger jusqu'à quel point les élèves doivent connaître les mots pour en tirer profit dans leurs lectures. Il existe différents niveaux de connaissance d'un mot, à partir de «Je n'ai jamais rencontré ce mot» jusqu'à «J'ai justement fait un travail sur ce terme» (Nagy, 1988).

Dans le but d'évaluer le niveau de connaissance du vocabulaire chez les élèves, une échelle comme la suivante peut être utile aux enseignants (Simpson, 1987):
1. Je n'ai jamais vu le mot.
2. Je l'ai déjà entendu, mais je ne sais pas ce que c'est.
3. Je le reconnais dans un contexte, c'est un mot qui a trait à...
4. Je connais une ou plusieurs significations de ce mot.

L'enseignant aura toujours à établir un équilibre entre les avantages de couvrir un large éventail de mots et ceux de n'étudier que quelques termes essentiels, mais de les étudier en profondeur.

L'identification du type de vocabulaire

Il existe essentiellement deux types de mots de vocabulaire nouveaux: les mots inconnus de l'élève mais dont il possède déjà le concept, et les mots qu'il ignore et dont le concept lui est également inconnu.

Cunningham (1987) utilise un exemple imagé pour distinguer ces deux types de mots de vocabulaire: elle utilise les mots *lunule* et *lupuline*. Ces mots sont probablement inconnus de la plupart des élèves. Si vous dites aux élèves que la *lunule* est la forme blanche semi-circulaire située à la base des ongles, ils diront: «Ah! C'est comme ça que cela s'appelle!» Si vous leur dites que la *lupuline* est l'alcaloïde extrait du lupulin, vous obtiendrez au plus un «Hein?» comme réaction. Il faut donc vérifier à quel type de vocabulaire on a affaire avant d'enseigner un nouveau mot: vous n'enseignerez pas le mot *lupuline* de la même façon que le mot *lunule*.

Si un élève connaît les mots *batailleur* et *querelleur*, et s'il possède une expérience concrète de ces concepts, enseigner le mot *belliqueux* ne sera qu'une affaire de répétition et de mémoire. Mais enseigner le terme *démocratie* à des élèves qui ont peu de connaissances sur les types de gouvernement est un tout autre défi (Pikulski, 1989). En fait, l'apprentissage de la signification d'un mot peut varier de position sur une échelle de difficulté et de complexité qui va de la mémorisation d'une nouvelle étiquette pour un concept connu jusqu'à l'apprentissage d'un concept tout à fait nouveau.

Rappelons, ici, à titre d'information, les trois voies possibles pour enseigner un concept nouveau:

1. La première démarche possible est de fournir l'objet correspondant au mot à apprendre. Il peut s'agir de visites organisées (planétarium, manufactures, etc.), de personnes venant parler de leur métier ou de leur vie et qui apportent des objets reliés à leur quotidien ou encore d'expériences concrètes en sciences de la nature...

2. S'il s'avère impossible de fournir ainsi l'objet, utilisez des ressources visuelles (photos, films, dessins): par exemple, une photographie du désert du Sahara.

3. Si vous ne pouvez fournir d'expériences concrètes ni d'illustrations, tournez-vous du côté des analogies. Demandez-vous quelles sont les expériences des élèves qui pourraient être comparées aux nouveaux concepts. Par exemple, le cricket qui est un sport peu connu des élèves peut être comparé au baseball.

Le choix de la stratégie d'enseignement

Des observations en classe ont montré que 45 % de l'enseignement du vocabulaire au primaire consistait à placer le mot dans un contexte oral avant la lecture. Habituellement, le contexte utilisé n'a pas de lien avec le texte. Une autre portion du temps, soit 28 %, est consacrée à donner une définition du mot ou tout simplement à donner un synonyme du mot (Blachowicz, 1987).

Ainsi, les stratégies les plus populaires auprès des enseignants consistent à définir le mot nouveau ou à le placer dans le contexte d'une phrase. Dans les prochaines sections, nous verrons les limites de ces deux stratégies, puis nous proposerons des stratégies plus complètes et plus efficaces.

Les stratégies incomplètes

Donner un synonyme ou une définition du mot

Cette stratégie peut fonctionner dans certains cas simples (ex.: *superflu* est synonyme d'*inutile*); cependant, étant donné que la langue française ne contient que très peu de vrais synonymes, il faut rapidement abandonner cet outil pour en venir à l'utilisation de la définition.

À première vue, donner la définition d'un mot semble une stratégie d'enseignement du vocabulaire irréprochable. Cependant, si la définition peut parfois être utile, elle ne l'est pas dans tous les cas. Elle ne fonctionne, en fait, que pour l'enseignement des concepts simples. Dès qu'il s'agit de concepts un peu plus complexes, la définition ne suffit pas à faire saisir aux élèves le sens du mot nouveau. La plupart du temps, elle n'est même pas suffisante pour leur permettre de rédiger une phrase contenant ce mot. Pourtant, une activité très fréquente en classe consiste justement à demander aux élèves de chercher la définition d'un mot nouveau dans le dictionnaire et de rédiger une phrase incluant ce mot. Pour bien saisir la portée de cette activité, lisez les définitions suivantes et essayez d'utiliser chaque mot dans une phrase.

Noème: objet intentionnel de pensée pour la phénoménologie.

Phonon: quantum d'énergie acoustique, analogue acoustique du photon.

Sélénite: sel de l'acide sélénieux.

Épiphénomène: symptôme accessoire qui se rajoute aux symptômes essentiels.

Pourquoi est-ce si difficile d'écrire une phrase contenant ce type de mots? Tout simplement parce que la définition seule n'est pas suffisante pour comprendre le concept nouveau. Un dictionnaire de biologie, par exemple, ne peut remplacer un manuel de biologie. Pourquoi? Parce qu'une définition seule ne peut fournir toute l'information concernant un concept et ses relations avec d'autres concepts (Nagy, 1988).

Nous avons dit que la définition n'était pas suffisante dans le cas des concepts plus complexes, ce qui laisse entendre qu'elle est pertinente lorsqu'il s'agit de concepts relativement simples. Oui, mais à condition que la définition elle-même soit rédigée de façon adéquate. Un des problèmes depuis longtemps reconnu dans l'utilisation des définitions, particulièrement de celles provenant du dictionnaire, réside dans le fait que la définition contient souvent des mots plus complexes que le mot à définir. Prenons l'exemple du mot *miroir* :

Miroir : verre poli et métallisé (généralement avec de l'argent, de l'étain ou de l'aluminium) qui réfléchit les rayons lumineux.

Imaginons un élève qui ne connaît pas la signification de ce mot. La définition pourrait-elle l'aider à en comprendre le sens ? Il est permis d'en douter, car plusieurs mots de cette définition ne sont pas familiers aux élèves ; par exemple, *métallisé, étain, réfléchit* (utilisé dans le sens d'une propriété optique). On constate, dans un cas comme celui-ci, que le contexte du dictionnaire est plus difficile à comprendre que celui du texte.

Un autre cas typique est celui de l'élève qui cherche une définition dans le dictionnaire et qui trouve plusieurs significations pour ce mot. Comme certaines définitions sont plus complexes que celle correspondant au mot à définir, l'élève choisit simplement la définition qu'il peut comprendre. Il est bien certain que ce choix n'est pas forcément le meilleur.

De façon générale, les études qui ont comparé l'utilisation du dictionnaire à d'autres stratégies d'enseignement du vocabulaire ont toutes mené à la conclusion que le recours au dictionnaire est le moyen le moins efficace pour apprendre des mots nouveaux (Gipe, 1978-1979 ; Eeds et Cockrum, 1985). Ceci n'implique pas qu'on doive faire abandonner l'usage du dictionnaire aux élèves. Toutefois, il faut d'abord voir à ce que les élèves acquièrent adéquatement l'habileté à l'utiliser. Il faut également qu'ils apprennent à recourir en premier lieu à d'autres moyens que le dictionnaire pour trouver le sens de mots nouveaux. Mentionnons ici que le dictionnaire sera probablement plus utile aux élèves pour améliorer leur orthographe que pour acquérir du vocabulaire nouveau.

Placer le mot dans une phrase

Dans l'enseignement du vocabulaire, une autre approche courante en classe consiste à présenter le mot dans une phrase et à demander aux élèves de trouver le sens de ce mot à l'aide du contexte. Si l'examen du contexte peut être utile dans l'acquisition de vocabulaire au cours des lectures personnelles, il ne peut cependant être considéré comme la meilleure stratégie d'enseignement spécifique du vocabulaire en comparaison avec d'autres moyens.

Prenons un exemple: vous voulez enseigner la signification du mot *obèse* et vous placez ce mot dans la phrase suivante:

Marie est très mince, sa sœur est *obèse*.

Vous tenez pour acquis que les élèves établiront la relation d'opposition entre *mince* et *obèse* (Nagy, 1988). Cependant, l'élève qui ne connaît pas du tout le sens de ce mot peut penser que la sœur de Marie est normale ou encore qu'elle est jalouse. Ainsi, pour se servir du contexte comme moyen d'enseignement du vocabulaire, il faut que ce contexte soit très explicite. En d'autres mots, il faut préparer un contexte pédagogique, c'est-à-dire un contexte qui présente le mot nouveau sous différentes facettes. Ce type de contexte très riche facilite effectivement aux élèves l'acquisition de mots nouveaux. La limite de ce procédé demeure évidemment la quantité de préparation exigée pour l'établissement de chacun des contextes.

Les stratégies minimales

Nous avons dit que la définition utilisée seule comme le contexte utilisé seul ne représentaient pas les meilleurs moyens d'enseigner le sens d'un mot nouveau. Cependant, il semblerait que la combinaison de l'usage de la définition et de celui du contexte soit une solution valable. Par exemple, la définition de *se dilater*, «augmenter de volume», combinée à un contexte, «Le ballon se dilatait à mesure que l'air entrait à l'intérieur», pourrait être efficace. La définition seule ou l'exemple seul ne serait pas suffisant ici pour permettre aux élèves de comprendre le sens du mot nouveau.

Définir des mots et les placer dans un contexte suffit-il pour améliorer chez les élèves la compréhension des textes qui contiennent ces mots? D'après Nagy (1988), l'utilisation de ces stratégies représente une exigence minimale, mais elle est loin d'épuiser toutes les possibilités d'enseignement du vocabulaire. Il est souvent nécessaire de recourir à des stratégies qui permettent un traitement plus en profondeur des mots nouveaux.

Les stratégies suggérées

Les stratégies d'enseignement du vocabulaire considérées comme efficaces utilisent trois procédés: l'intégration, l'utilisation fonctionnelle et la répétition (Nagy, 1988). L'intégration consiste à relier les nouveaux mots aux connaissances de l'élève. L'utilisation fonctionnelle vise à rendre ce dernier actif lors de l'appropriation du mot nouveau. Enfin, la répétition sert à lui présenter le même mot dans plusieurs contextes afin de l'amener à reconnaître automatiquement ce mot. Dans cette partie du chapitre, nous nous attarderons aux deux premiers procédés utilisés dans l'enseignement efficace du vocabulaire.

Les activités axées sur l'utilisation fonctionnelle

Les activités d'acquisition du vocabulaire doivent miser sur la participation de l'élève; elles doivent amener celui-ci à traiter le mot en profondeur plutôt qu'à en mémoriser une définition. Nagy (1988) présente un exemple simplifié pour mettre en évidence la différence existant entre des activités centrées sur la définition du mot cible et des activités centrées sur la compréhension fonctionnelle de ce mot.

1. Question centrée sur la définition du mot:
   Gendarme veut dire:
   a) gardien
   b) policier
   c) serveur
   d) garçon de course
2. Question centrée sur la compréhension du mot:
   Un gendarme a plus de chances de porter:
   a) une valise
   b) une arme
   c) un plateau
   d) un sac de courrier

Raphael (1985) donne également un exemple simple d'une stratégie qui amène l'élève à utiliser de façon fonctionnelle le mot qu'il vient d'apprendre. L'enseignant définit un mot nouveau, il le présente dans un contexte et il demande ensuite aux élèves de relier ce mot à leur expérience. Par exemple, pour enseigner le sens du mot *recycler*, l'enseignant peut dire: «Recycler veut dire transformer quelque chose d'inutile en quelque chose d'utile. Les vieux journaux peuvent être recyclés en papier d'emballage. Pouvez-vous me nommer quelque chose que vous avez déjà recyclé?».

Les activités axées sur l'intégration aux connaissances

Il a été démontré à plusieurs reprises que les stratégies d'enseignement du vocabulaire qui misent sur les connaissances des élèves sont toujours plus efficaces que celles qui ne le font pas. Il existe différentes formes d'activités qui ont toutes pour but d'intégrer les mots nouveaux aux connaissances des élèves: les constellations, les matrices sémantiques, les diagrammes et les échelles en sont des exemples.

Les constellations classiques

Pour enseigner une série de concepts reliés entre eux, de nombreux auteurs suggèrent l'utilisation des constellations qui servent à structurer les informations sous forme graphique (Heimlich et Pittelman, 1986). L'emploi d'une constellation est utile à l'enseignant lorsqu'il veut voir ce que les élèves connaissent déjà et qu'il veut déterminer quels sont les points d'ancrage qui lui permettraient de relier des mots nouveaux aux connaissances des élèves (Johnson *et al.*, 1986).

Pour élaborer une constellation avec ses élèves, un enseignant choisira un ou plusieurs textes concernant le même thème: par exemple, celui de la peur. Il y relèvera les mots spécifiquement reliés à ce thème en incluant les mots difficiles, mais sans se limiter toutefois à ceux-ci.

Pour commencer, l'enseignant inscrit le thème au tableau et demande aux élèves d'écrire individuellement tout ce à quoi leur fait penser ce thème. L'enseignant transcrit ensuite au tableau les associations effectuées par les élèves en les regroupant par catégories. Les élèves ont la possibilité de participer à ce classement par catégories. De plus, l'enseignant a toujours le loisir d'orienter les élèves vers une piste qui n'a pas été exploitée. Par exemple, il peut leur demander de penser à des mots qui voudraient dire «ne pas avoir peur». Une fois tous leurs mots placés dans les différentes catégories, l'enseignant présente aux élèves les mots nouveaux (tirés des textes) et les intègre dans la constellation. Il anime alors une discussion sur la façon dont ces nouveaux mots peuvent être reliés à ceux que les élèves connaissent déjà.

Les constellations par élimination

Si vous faites face à un groupe d'élèves qui éprouvent de la difficulté à fournir spontanément des associations basées sur le concept de départ, une bonne suggestion serait de procéder par élimination avec eux. Vous écrivez alors le mot clé au centre du tableau et vous ajoutez plusieurs termes reliés à ce mot clé ainsi que quelques termes qui n'y sont pas reliés. Puis, vous demandez aux élèves d'éliminer les termes qui n'ont

FIGURE 11.4:   Exemple de constellation sur le thème de la peur

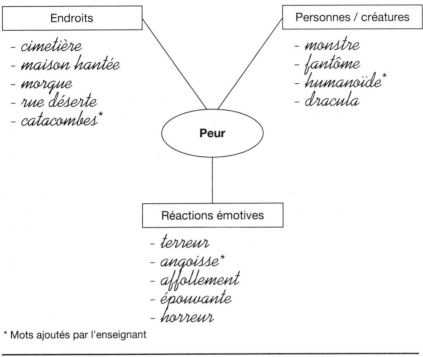

| Endroits |
| - cimetière |
| - maison hantée |
| - morgue |
| - rue déserte |
| - catacombes* |

| Personnes / créatures |
| - monstre |
| - fantôme |
| - humanoïde* |
| - dracula |

Peur

| Réactions émotives |
| - terreur |
| - angoisse* |
| - affolement |
| - épouvante |
| - horreur |

* Mots ajoutés par l'enseignant

SOURCE: Adaptée de Nagy (1988).

pas de lien avec le concept central. Par exemple, si vous choisissez le terme *Afrique* comme mot clé et que vous y ajoutez les termes *steppe, antilope, éléphant, avalanche*, les élèves rejetteront probablement le terme *avalanche*. L'important, à ce moment-là, est de les amener à expliquer pourquoi le terme *avalanche* n'a pas de lien direct avec le concept central et qu'il a peu de chances, par le fait même, de se retrouver dans un texte sur l'Afrique (Blachowicz, 1986).

Les constellations par association de deux mots

Une autre façon de procéder pour créer des constellations consiste à écrire un terme au tableau et à l'entourer de plusieurs termes qui font partie du même réseau sémantique. Vous demandez ensuite aux élèves, à tour de rôle, d'établir un lien entre deux des mots écrits au tableau et d'expliquer ce lien. Par exemple, un élève dira: «Je relie *antilope* à *steppe* parce que l'antilope vit dans la steppe.» Lorsque tous les mots seront appariés de cette façon, il en résultera une constellation complète (Blachowicz, 1986).

Les matrices sémantiques

Cette technique offre la particularité d'attirer l'attention des élèves de façon plus spécifique sur les relations existant entre les différents concepts. Elle consiste à comparer plusieurs mots entre eux à partir de certains traits sémantiques et à entrer ensuite les résultats de ces comparaisons dans une matrice (figure 11.5).

Cette technique fonctionne mieux avec les mots qui appartiennent à un champ sémantique. Par exemple, *maison, château, cabane, hangar, grange, tente, bungalow, hutte*, etc., font partie du même champ sémantique. Cette activité est illimitée; il est possible, en effet, d'ajouter une infinité de mots à la liste initiale tels que *garage, remise, silo, presbytère, igloo, porcherie, hôtel, mail, gratte-ciel...* En inscrivant ces nouveaux mots, il ne faut pas oublier de les accompagner des traits spécifiques permettant de les distinguer des autres termes apparaissant déjà sur la liste.

Les échelles linéaires

Pour enseigner des concepts qui diffèrent essentiellement les uns des autres par leur degré d'intensité, une présentation sous forme linéaire

FIGURE 11.5:   Matrice sémantique

	pour les personnes	pour les animaux	pour l'entre-posage	permanent		
maison	+	−	−	+		
hôtel	+	−	−	+		
hangar	−	−	+	+		
grange	−	+	−	+		
tente	+	−	−	−		

SOURCE: adaptée de Nagy (1988).

peut être appropriée. Il peut s'agir de listes de mots tels que *congelé, froid, tiède, chaud, bouillant* ou encore *chuchoter, murmurer, parler, crier, hurler...* Comme stratégie, l'enseignant peut fournir aux élèves les deux premiers mots de la liste et leur demander de compléter cette liste; il peut ensuite leur présenter des mots nouveaux (ex.: *susurrer, vociférer...*) et discuter avec eux du meilleur niveau de l'échelle pour introduire ces mots.

FIGURE 11.6:   Exemple d'échelle linéaire

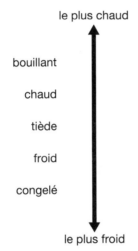

le plus chaud

bouillant

chaud

tiède

froid

congelé

le plus froid

Une autre version de cette stratégie consiste à demander aux élèves de tracer une ligne horizontale sur une feuille de papier et de placer un X au milieu de cette ligne. Le côté gauche de la ligne est réservé aux mots qui possèdent le moins la qualité dont il est question, alors que le côté droit est attribué aux mots qui possèdent de façon plus marquée cette qualité. Le X représente un territoire neutre. Il s'agit ensuite de remettre aux élèves une liste de mots qui possèdent à différents niveaux la qualité et de leur faire ordonner ces mots. L'enseignant poursuivra l'activité en leur demandant d'échanger leur échelle et en discutant avec eux de la façon dont ils perçoivent les nuances entre les différents termes.

Le vocabulaire des élèves se développe rapidement au primaire et au secondaire. Les élèves acquièrent la plus grande partie de leur vocabulaire par leurs lectures personnelles. Par conséquent, un enseignant qui vise l'augmentation du temps de lecture de ses élèves contribue au développement du vocabulaire chez ces derniers. L'enseignant a aussi la possibilité de faire grandir chez ses élèves l'habileté à retirer le sens d'un mot nouveau à partir du contexte. Enfin, il revient également à l'enseignant de choisir les mots qui feront l'objet d'un enseignement systématique en classe : l'enseignant favorisera alors les stratégies qui misent sur la participation des élèves et sur l'intégration des mots nouveaux à leurs connaissances.

12

La place des questions dans l'enseignement de la compréhension en lecture

Poser des questions aux élèves a toujours été un outil privilégié par les enseignants. Aujourd'hui, la problématique des questions sur le texte préoccupe particulièrement les chercheurs et les pédagogues. Quel type de questions faut-il poser en classe? Existe-t-il une hiérarchie dans les niveaux de difficulté des questions? Comment réagir à la diversité des réponses des élèves? Voilà autant d'interrogations qui feront l'objet du présent chapitre et qui, abordées sous différents angles, permettront de dégager des pistes d'intervention susceptibles de favoriser l'enseignement de la compréhension en lecture.

UNE RÉÉVALUATION DE L'UTILISATION DES QUESTIONS EN CLASSE

Poser des questions aux élèves a toujours fait partie des stratégies d'intervention utilisées par les enseignants en classe. En lecture, les questions sont omniprésentes; que l'on pense aux examens, aux cahiers d'exercices, aux suggestions de leçons dans les guides pédagogiques et aux discussions en classe.

Au cours des dernières années cependant, le rôle des questions en lecture a été remis en cause. Nous regroupons ci-après les principaux reproches adressés aux questions utilisées dans le cadre de la lecture en classe.

A. On a d'abord reproché aux questions d'être trop littérales et de ne porter que sur des informations mineures du texte.

B. On a également reproché aux questions de servir beaucoup plus à des fins d'évaluation qu'à des fins d'enseignement. En effet, l'objectif des questions posées en classe est assez rarement d'amener les élèves à faire un pas en avant dans leur démarche; il consiste plus souvent à tenter d'évaluer leurs connaissances. Concrètement, on verra dans une classe l'enseignant poser une question pour laquelle il a une réponse en tête. Il demande alors à un élève de répondre; si la réponse n'est pas celle qu'il attend, il demandera à un autre élève de répondre. Il passera ainsi d'un élève à l'autre jusqu'à ce que l'un d'eux donne la réponse attendue. C'est ce que Pearson (1985) appelle le jeu de «devine ce qu'il y a dans ma tête». Peu d'enseignants peuvent dire qu'ils n'ont jamais, au moins par le passé, utilisé cette façon de procéder.

C. Enfin, on déplore que les questions ne servent parfois qu'à vérifier si les élèves ont lu le texte. Malheureusement, cette façon d'employer les questions laisse entendre aux élèves que le but de la lecture est de répondre à des questions et non de poursuivre un objectif personnel.

Cependant, même si le rôle des questions a été remis en cause, la solution au problème ne consiste pas à bannir complètement ces dernières de la classe. Les questions posées avant, pendant et après la lecture auront toujours leur place. Le problème, en fait, n'est pas de savoir si les enseignants doivent utiliser ou non les questions, mais plutôt de savoir comment, quand et où ils doivent le faire (Pearson et Johnson, 1978).

QU'EST-CE QU'UNE QUESTION?

Les interrogations du type «Qui?», «Quand?», «Pourquoi?», «Où?» sont des questions classiques. Pearson et Johnson (1978) ajoutent à cette liste les «pseudo-questions», c'est-à-dire des directives qui ne sont pas formulées comme des questions classiques, mais qui demandent aux élèves le même travail mental que ces dernières. Les «pseudo-questions» se présentent sous deux formes principales: celle de directives et celle de closure.

Comparez les deux phrases suivantes:

1. Pourquoi le prince est-il parti?
2. Donne la raison du départ du prince.

Même si la première phrase est présentée sous forme de question et la deuxième sous forme de directive, on se rend facilement compte que ces deux phrases sont équivalentes: elles sont en fait toutes deux des questions.

Comparez maintenant ces deux phrases:

1. À quelle heure Suzanne est-elle arrivée?
2. Suzanne est arrivée à _____ .

Ici encore, il s'agit de deux formes de questions. Cependant, il faut noter que la question posée sous forme de closure donne moins d'informations sur la réponse attendue que la question véritable. Par exemple, dans la phrase «Suzanne est arrivée à _____ », la réponse peut être un nom de lieu ou une heure précise, alors que la question «À quelle heure est arrivée Suzanne?» oriente directement l'élève vers une réponse qui comportera la notion de temps. Toutefois, il ne faudrait pas considérer toutes les formes de closure comme des questions déguisées. Par exemple, enlever un mot à tous les énième mot dans un texte ne transforme pas les phrases de ce texte en question.

Le fait de s'attarder aux «pseudo-questions» peut nous faire prendre pleinement conscience de l'omniprésence des questions dans l'enseignement.

L'ÉVOLUTION DES CLASSIFICATIONS DE QUESTIONS

Au début du siècle, toutes les questions sur le texte étaient considérées sur le même pied. Puis, on a vu apparaître différentes classifications de questions. Il est généralement reconnu que la taxinomie des niveaux de processus cognitifs de Bloom (1956) a largement influencé l'élaboration des classifications de questions. La classification de Smith et Barrett (1974) est probablement la plus représentative de ce courant. Elle comprend les quatre catégories suivantes:

1) **Reconnaissance littérale ou rappel:** la question demande à l'élève de reconnaître des idées, des informations, des situations ou des événements exprimés explicitement dans le texte.

2) **Inférence:** la question requiert de l'élève qu'il utilise une synthèse de sa compréhension littérale, de ses connaissances personnelles et de son imagination afin de formuler une hypothèse.

3) **Évaluation:** la question exige que l'élève porte un jugement sur le texte (ex.: distinguer le réel de l'imaginaire, distinguer le fait d'une opinion).

4) **Appréciation:** la question engage l'élève à réagir à la qualité du texte en s'appuyant sur ses connaissances des techniques littéraires qu'emploient les auteurs pour susciter des réactions affectives et intellectuelles chez les lecteurs.

Cette taxinomie est souvent ramenée à trois niveaux: la compréhension littérale, la compréhension interprétative et la compréhension critique. Même si l'idée de hiérarchisation sous-tend ce type de classification, il faut signaler qu'une hiérarchie des niveaux de difficulté des questions n'a pas été établie (Arnold et Wilcox, 1982). La compréhension littérale, puisqu'elle est incluse dans la compréhension inférentielle, peut à la rigueur être considérée comme étant de niveau inférieur, mais il est difficile de démontrer que de faire des inférences est plus facile que de porter un jugement sur le texte.

Il faut admettre toutefois que cette forme de classification, fondée sur les processus cognitifs, a joué un rôle important en éducation parce qu'elle a permis d'élargir l'éventail des questions à poser aux élèves après la lecture d'un texte. Aujourd'hui, cependant, cette classification est délaissée, par les chercheurs du moins, au profit de la taxinomie de Pearson et Johnson (1978). Cette dernière présente la particularité d'être axée sur la relation existant entre les questions posées sur le texte et les réponses données par le lecteur. Ainsi, au lieu de classer une question en établissant le lien entre la question et la réponse attendue par l'enseignant, comme on le fait dans les classifications classiques, on établira le lien entre la question et la réponse effectivement produite par l'élève. On pourra de cette façon déterminer quel processus l'élève a utilisé pour répondre à la question. Il sera alors possible d'expliquer pourquoi une réponse est acceptable, même s'il ne s'agit pas de la réponse prévue initialement par l'enseignant.

La taxinomie de Pearson et Johnson (1978), connue sous le nom de classification R-Q-R (Relation-Question-Réponse), comprend trois niveaux:

1. La relation est **explicite et textuelle** (textually explicit) si la question et la réponse découlent toutes deux du texte **et** que la relation entre la question et la réponse est clairement indiquée par des indices dans le texte même.

Texte: Les flocons de neige qui tombent du ciel ressemblent à des étoiles blanches.

Question: À quoi ressemblent les flocons de neige qui tombent du ciel?

Réponse: Ils ressemblent à des étoiles blanches.

2. La relation est **implicite et textuelle** (textually implicit) si la question et la réponse découlent encore toutes deux du texte **mais** qu'il n'y a pas dans le texte d'indice grammatical qui relie la question à la réponse. Cette catégorie exige l'utilisation d'au moins une inférence par le lecteur.

Texte: Dans la classe, nous avions deux poissons rouges, Pollux et Castor. Ce matin, il n'en reste plus qu'un. Pollux est mort.

Question: Castor est-il vivant ou mort?

Réponse: Castor est vivant.

3. La relation est **implicite et fondée sur les schémas du lecteur** (scriptally implicit) si la question seule découle du texte **et** que le lecteur utilise ses propres connaissances pour répondre à la question.

Texte: Ralph s'installa dans une vieille berceuse. Il se berça de plus en plus fort. Il se retrouva soudainement assis sur le plancher.

Question: Pourquoi Ralph se retrouva-t-il assis sur le plancher?

Réponse: Parce qu'une berceuse renverse quand on se balance trop fort.

À ces trois types de R-Q-R, les auteurs ajoutent la catégorie «intrusions textuelles» constituée de réponses empruntées au texte, mais qui sont sans rapport avec la question posée. Tous les enseignants ont déjà rencontré ce type de réponse: l'élève répond par des mots clés qui proviennent du texte, mais qui n'ont aucun lien avec la question demandée. Ce sont en fait de mauvaises réponses. Les auteurs proposent également de classer dans une deuxième catégorie supplémentaire «les intrusions» provenant des schémas du lecteur: ce sont des réponses qui sont issues des connaissances du lecteur, mais qui sont sans lien avec la question.

Voici d'autres exemples de classification des relations entre les questions et les réponses (Wixson, 1983).

Texte   La roue se détacha de la voiture. La voiture percuta un arbre.

Question 1   Qu'est-ce qui se détacha de la voiture?

Réponse   La roue.

R-Q-R   Relation explicite et textuelle.

Question   Pourquoi la voiture percuta-t-elle un arbre?

Réponse   Parce que la roue s'était détachée.

R-Q-R   Relation implicite et textuelle.

Question   Pourquoi la roue s'est-elle détachée?

Réponse   Probablement parce que les boulons avaient été mal vissés.

R-Q-R   Relation implicite et fondée sur les schémas du lecteur.

Dans l'exemple de classification présenté ci-dessus, il est facile de constater que le lecteur s'est servi de l'information explicite du texte pour répondre à la première question. Pour répondre à la deuxième question, par contre, il s'est appuyé sur l'information implicite du texte. En effet, dans le texte, il n'y a pas de lien explicite entre le fait que la roue se soit détachée et celui que la voiture ait percuté un arbre; le lecteur a dû ajouter un «parce que» entre les deux phrases pour répondre à la question. Enfin, le lecteur a puisé dans ses connaissances personnelles pour apporter une réponse à la troisième question.

Afin d'appliquer vos connaissances concernant les classifications de questions, essayez d'identifier le type de relations existant entre les questions et les réponses qui accompagnent le texte suivant (Hare, 1982):

Pierre-le-Lapin

Il était une fois quatre petits lapins qui se nommaient Flocon, Grandes-Oreilles, Queue-de-coton et Pierre-le-Lapin. Ils vivaient avec leur mère dans un terrier sous les racines d'un très gros sapin. «Maintenant, mes chéris, dit un matin la vieille madame Lapin, vous pouvez aller dans les champs, mais n'entrez pas dans le jardin de monsieur McGrégor! Votre père a eu un accident à cet endroit-là. Madame McGrégor l'a mis dans un pâté!»

Question 1   Comment se nommaient les quatre petits lapins?

Réponse	Flocon, Grandes-oreilles, Queue-de-coton et Pierre-le-Lapin.
R-Q-R	————
Question 2	Où madame Lapin a-t-elle interdit à ses petits lapins d'aller?
Réponse	Dans le jardin de monsieur McGrégor.
R-Q-R	————
Question 3	À qui madame Lapin parlait-elle quand elle a dit: «mes chéris»?
Réponse	À ses petits.
R-Q-R	————
Question 4	Que voulait dire madame Lapin par: «Votre père a eu un accident à cet endroit-là»?
Réponse 4a	Le père a été mis dans un pâté par madame McGrégor.
R-Q-R	————
Réponse 4b	Le père a été attrapé, tué, mis dans un pâté et mangé par la famille McGrégor.
R-Q-R	————
Question 5	Quel lapin n'a pas écouté madame Lapin?
Réponse	Pierre-le-lapin
R-Q-R	————

Les réponses aux questions 1 et 2 étaient explicites dans le texte. La réponse à la question 3 et la réponse 4a étaient quant à elles implicites: le lecteur a dû effectuer une inférence pour donner ces réponses. Quant à la réponse 4b et la réponse à la question 5, elles proviennent des connaissances du lecteur et sont implicitement reliées au texte; en effet, la réponse 4a indique que le lecteur s'est servi de ses connaissances sur le sort normalement réservé aux lapins attrapés dans un jardin et la réponse 5 prouve que le lecteur connaissait déjà l'histoire ou savait que lorsqu'un personnage est mentionné dans le titre, il est habituellement question de lui dans la suite de l'histoire.

Cet exemple montre donc que, pour une même question, le lecteur peut donner des réponses qui sont toutes deux acceptables, mais qui ont exigé de sa part l'utilisation de processus cognitifs différents.

L'APPLICATION PÉDAGOGIQUE DES CLASSIFICATIONS DE QUESTIONS

Lorsque les élèves ne répondent pas correctement à une question, la première tendance de l'enseignant est de penser qu'ils n'ont pas lu le texte attentivement. Qui peut prétendre n'avoir jamais demandé aux élèves de relire le texte avec plus de soin pour trouver la réponse à une question? Cependant, il arrive souvent que le problème réside dans le fait que les élèves ne savent pas comment analyser une question pour trouver la réponse. C'est dans le but de corriger cette situation que certains auteurs ont mis au point des démarches pédagogiques visant à initier les élèves du primaire et du secondaire à répondre à différents types de questions. Ces travaux sont fondés sur la classification R-Q-R de Pearson et Johnson (Raphael, 1982, 1986; Poindexter et Prescott, 1986).

La démarche de Raphael

Raphael (1986) propose, à l'intention des élèves du primaire et du secondaire, une classification des relations entre les questions et les réponses inspirée de celle de Pearson et Johnson. L'auteure veut, à l'aide de cette stratégie, sensibiliser les élèves au fait que la réponse à une question n'est pas toujours donnée explicitement dans une phrase du texte (figure 12.1).

Raphael (1986) suggère d'initier les élèves à la classification R-Q-R en commençant par élaborer deux catégories de réponses: 1) les réponses qui se trouvent dans le texte, 2) les réponses qui proviennent de la tête du lecteur. Pour amener les élèves plus jeunes à établir plus

FIGURE 12.1:   Classification des relations entre les questions et les réponses

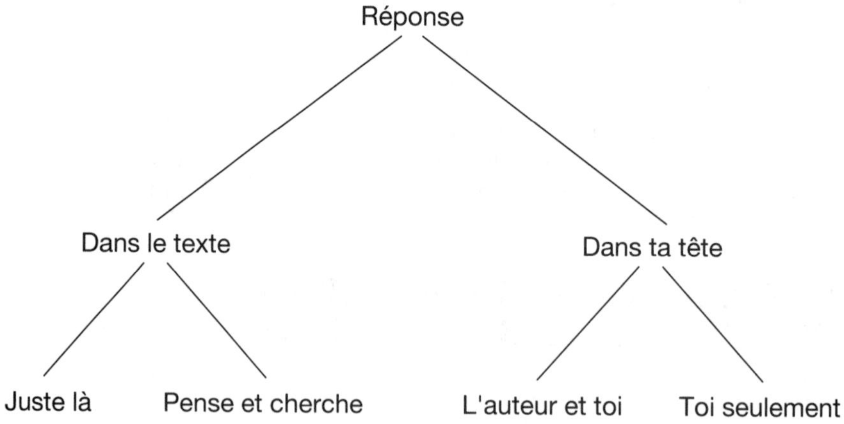

SOURCE: Raphael (1986).

facilement cette distinction, l'enseignant peut écrire au tableau un court texte.

> Pierre a placé un pot de jus d'orange sur la table. Il est retourné à la cuisine. Il est revenu ensuite avec de la confiture de fraises et du beurre. Puis il a apporté des tranches de pain grillées.

L'enseignant demandera alors aux élèves de répondre à la question suivante: «Qui a apporté un pot de jus d'orange sur la table?». Les élèves n'auront aucune difficulté à trouver la réponse à cette question. L'enseignant invitera un élève à venir au tableau indiquer du doigt l'endroit où la réponse est écrite dans le texte.

L'enseignant demandera alors aux élèves: «De quel repas s'agit-il dans le texte?». La réponse à cette deuxième question ne devrait pas non plus poser de difficultés aux élèves. Ces derniers répondront probablement «le petit déjeuner». L'enseignant demandera de nouveau à un élève de venir indiquer dans le texte l'endroit où il a trouvé la réponse. Les élèves se rendront alors compte que la réponse n'est pas écrite dans le texte.

L'enseignant profitera de cette occasion pour faire réfléchir les élèves sur la démarche qu'ils ont effectuée pour trouver leur réponse. Il leur demandera comment ils savent que la réponse est: «le petit déjeuner». Les élèves diront probablement que le jus d'orange, la confiture et le pain grillé sont des aliments qu'ils ont l'habitude de manger au petit déjeuner. L'enseignant pourra alors leur expliquer: «Vous avez utilisé une bonne source d'information pour trouver la réponse, c'est-à-dire votre expérience. Parfois quand vous cherchez une réponse à une question, il est utile de penser à l'information que vous avez dans la tête.»

Une fois cette première distinction établie entre les réponses qui se trouvent dans le texte et les réponses qui proviennent de la tête du lecteur, il s'agit de préciser plus à fond chacune des catégories. La catégorie *réponse dans le texte* peut être divisée en deux sous-catégories:

1) *Juste là*. La réponse se retrouve dans une seule phrase du texte.

2) *Pense et cherche*. La réponse est dans le texte, mais il faut la chercher dans plusieurs phrases.

Pour sensibiliser les élèves à la distinction entre ces deux sous-catégories, l'enseignant pourra revenir sur le texte présenté précédemment et demander aux élèves de nommer tout ce que Pierre a apporté sur la table pour le repas. Les élèves répondront: «du jus d'orange, du beurre, de la confiture, du pain grillé». Le dialogue entre l'enseignant et les élèves pourra ressembler ensuite au suivant:

Enseignant: Avez-vous trouvé toute l'information dans la même phrase?
Élèves: Non.
Enseignant: Où l'avez-vous trouvée?
Élève 1:   Au début du texte.
Élève 2:   À la fin du texte
Élève 3:   Dans tout le texte.
Enseignant: C'est exact. L'information se trouve à plusieurs endroits dans le texte. Pour donner une réponse complète, vous avez dû rassembler plusieurs éléments. Parfois on peut trouver la réponse à la question dans une seule phrase, mais souvent on a besoin de chercher les éléments dans plusieurs phrases et de rassembler ainsi l'information pour obtenir une réponse complète.

Une fois la distinction établie entre les sous-catégories *Juste là* et *Pense et cherche*, il reste à préciser la catégorie *Réponse dans ta tête*. Celle-ci peut également être divisée en deux sous-catégories:

1) *L'auteur et toi*. Combiner ce que tu sais et ce que l'auteur dit.

2) *Toi seulement*. Utiliser tes propres connaissances.

Pour distinguer ces deux types de question, il s'agit de se demander: «A-t-on besoin de lire le texte pour répondre à la question?». Par exemple, pour répondre à la question: «De quel repas s'agit-il dans le texte?», il faut comprendre le texte et utiliser ses propres connaissances. Par contre, pour répondre à une question comme: «Quel repas prend-on le matin?», seules nos connaissances sont nécessaires.

De façon générale, avant la lecture d'un texte, l'enseignant posera des questions du type *Toi seulement* puisqu'il veut sensibiliser les élèves à ce qu'ils savent déjà sur le sujet du texte à lire. Au cours de la lecture, l'enseignant choisira habituellement des questions de types *Juste là* et *Pense et cherche* avec prédominance de la catégorie *Pense et cherche*. Après la lecture, l'enseignant insistera sur les questions *Toi seulement* et *L'auteur et toi* afin d'aider les élèves à intégrer les informations contenues dans le texte à leurs connaissances.

Signalons que pour les questions *Juste là*, il y a peu de divergence à prévoir entre les réponses. Plus on progresse vers les autres types de question, plus les réponses risquent d'être divergentes parce que les sources d'information deviennent plus variées.

La démarche de Poindexter et Prescott

Poindexter et Prescott (1986) proposent une démarche pour apprendre aux élèves à répondre aux différents types de question. Cette stratégie a été utilisée efficacement avec des élèves de quatrième, cinquième et sixième année. Les élèves à qui on a enseigné la stratégie ont réussi à répondre à plus de questions de compréhension dans un test passé après expérimentation de cette stratégie. Les auteurs proposent les étapes suivantes :

Étape 1
Essaie de voir si la réponse est donnée directement dans le texte.

- Identifie les mots clés de la question. Exemple : Pourquoi deux personnages aussi différents que Charlotte (un cochon d'Inde) et Wilbur (une araignée) sont-ils devenus de si bons amis ?
- Retourne à la partie du texte où ces mots pourraient être écrits.
- Lis la phrase pour voir si ces mots sont là et si tu peux trouver la réponse à la question.
- Si tu ne peux trouver la réponse, passe à l'étape 2.

Étape 2
Essaie de voir si la réponse est donnée indirectement dans le texte.

- Transforme la question en une phrase dans laquelle tu laisseras un blanc à la fin : Charlotte et Wilbur sont devenus de bons amis parce que _____
- Cherche la partie du texte où tu pourrais trouver cette idée.
- Lis cette partie de texte pour voir si tu peux en dégager l'information qui pourrait te servir à remplir ton blanc.
- Si tu ne trouves pas de réponse, poursuis à l'étape 3.

Étape 3
Essaie de voir si la réponse peut venir de ta tête.

- Écris «Je pense» au début de la phrase que tu as rédigée à l'étape 2. Par exemple : «Je pense que Charlotte et Wilbur sont devenus de bons amis parce que _____ .»
- Cherche dans le texte toutes les informations qui peuvent t'aider à répondre à la question.
- Pense à ce que tu sais déjà (tes connaissances sur les gens et sur le monde).
- Combine tous ces éléments et essaie de remplir le blanc. Il y a plusieurs réponses possibles. L'essentiel est que tu aies une bonne raison pour justifier ta réponse.

LES QUESTIONS SUR LE PRODUIT ET LES QUESTIONS SUR LE PROCESSUS

Dans sa recherche sur l'enseignement de la compréhension de textes, Durkin (1978-1979) a elle aussi observé que durant les périodes de lecture les questions occupaient une place très importante. Pour les fins de sa recherche, Durkin a classifié les questions de la façon suivante.

1) Si une question a des chances de faire évoluer l'élève dans ses habiletés de compréhension, cette question est classée sous la rubrique **enseignement**.

2) Si un enseignant, après avoir posé une question, ne fait rien avec la réponse si ce n'est de dire que la réponse est exacte ou non, cette question est classée sous la rubrique **évaluation**.

Les résultats des observations de Durkin ont révélé que très peu de questions étaient destinées en réalité à l'enseignement de la compréhension; les questions d'évaluation, par contre, étaient très nombreuses. À la suite de cette première étude, Durkin (1981) a précisé sa classification des questions et a proposé l'établissement d'une distinction entre les questions sur le produit et les questions sur le processus.

1) Une question sur le produit demande à l'élève de répondre des éléments de connaissances. Par exemple: «Quel est le nom de...?», «À quel endroit se passe l'histoire?». Ces questions sont des questions d'évaluation.

2) Les questions sur le processus amènent l'élève à réfléchir sur la façon dont il est arrivé à telle réponse. Ces interrogations portent donc sur le processus même utilisé par l'élève lorsqu'il répond à la question. Il s'agit alors de questions d'enseignement.

–   Qu'est-ce qui te fait dire que...?

–   Qu'as-tu besoin de savoir pour comprendre la phrase?

–   Dans ce paragraphe, que signifie...?

–   Comment peux-tu savoir qui «il» représente?

–   Qu'est-ce qui t'a permis de prédire ce qui est arrivé?

–   Quelle partie fait image dans ta tête?

–   Qu'est-ce qui peut t'aider à trouver le sens du mot...?

–   Peut-on déplacer les phrases (...) et (...) sans changer le sens du texte?

–   Qu'est-ce qui t'a fait aimer l'histoire?

–   Qu'est-ce qui te fait dire que le texte est imaginaire?

- Pourquoi le titre est-il bien choisi?
- Y a-t-il des mots nouveaux pour toi dans le texte?

Irwin (1986) considère que la classification de Durkin peut compléter des classifications comme celle de Pearson et Johnson et celle de Raphael, qui ne comportent que des questions sur le produit. Elle suggère non pas de remplacer les questions sur le produit par des questions sur le processus, mais d'utiliser les deux types de questions en classe. Les questions sur le produit serviront à évaluer l'acquisition de connaissances et les questions sur le processus serviront à enseigner une stratégie ou à évaluer la maîtrise de cette stratégie.

Avant de poser une question, demandez-vous quel est votre objectif. Si vous enseignez une stratégie, vous poserez plutôt des questions sur le processus; si vous voulez travailler sur le contenu du texte, vous poserez surtout des questions portant sur le produit.

LE QUESTIONNEMENT RÉCIPROQUE

Le questionnement réciproque est un thème de recherche contemporain en lecture: il remet en question l'utilisation à sens unique des questions en classe. Poser des questions a toujours été considéré comme la responsabilité de l'enseignant et non celle de l'élève. Le scénario classique que l'on retrouve en classe est le suivant: l'enseignant pose une question, l'élève répond, l'enseignant évalue la réponse.

S'appuyant sur des études qui montrent qu'on apprend plus en posant des questions qu'en répondant à des questions, certains auteurs ont proposé des techniques de questionnement réciproque. Après la lecture d'un paragraphe, l'élève pose une question, puis l'enseignant en pose une et ainsi de suite. Manzo (1969, 1985) est un des premiers auteurs à avoir prôné le questionnement réciproque. Une explication détaillée de la technique «ReQuest» de Manzo est fournie par Fortier (1983).

Au cours des dernières années, l'intérêt pour ce type de questionnement a été réactivé par les travaux de Palinscar et Brown (1985). Ces auteurs ont proposé une technique dans laquelle l'enseignant et les élèves posent des questions à tour de rôle. Signalons que cette technique comporte également d'autres stratégies de compréhension que le questionnement.

Voici un extrait d'un dialogue entre un enseignant et un groupe de très jeunes lecteurs durant une période d'enseignement réciproque (Palinscar et Brown, 1986)

Élève 1 :	Ma question est la suivante : De quoi a besoin le plongeur sous-marin pour aller sous l'eau ?
Élève 2 :	D'une montre.
Élève 3 :	De palmes.
Élève 4 :	D'une ceinture.
Élève 1 :	Ce sont toutes de bonnes réponses.
Enseignant :	Bon travail! J'ai une question moi aussi. Pourquoi le plongeur sous-marin porte-t-il une ceinture? Qu'a-t-elle de si particulier?
Élève 3 :	C'est une ceinture lourde, elle l'empêche de toujours remonter à la surface.
Enseignant :	Très bien.
Élève 1 :	Voici mon résumé maintenant: dans ce paragraphe, on parle de ce dont le plongeur sous-marin a besoin pour aller sous l'eau.
Élève 5 :	Et on dit aussi pourquoi il a besoin de ces choses.
Élève 3 :	Je pense qu'on devrait expliquer le mot *attirail*.
Élève 6 :	Ce sont les choses spéciales dont le plongeur a besoin.
Enseignant :	Dans ce texte, *attirail* veut dire *équipement*, l'équipement rend le travail plus facile pour le plongeur sous-marin.
Élève 1 :	Je pense que je n'ai pas de prédictions à faire.
Enseignant :	Dans le texte, on nous dit que le plongeur sous-marin rencontre des créatures étranges et merveilleuses au cours de son travail. Je prévois que la suite du texte parlera de ces créatures étranges. Connaissez-vous des créatures étranges qui vivent dans l'océan?
Élève 6 :	Des pieuvres.
Élève 3 :	Des baleines?
Élève 5 :	Des requins!
Enseignant :	Voyons la suite. Qui sera notre professeur maintenant?

Dans ce type d'activité, l'enseignant mène un dialogue sur un texte que les élèves ont lu silencieusement auparavant. L'originalité de cette technique réside dans le fait que tous les participants partagent les mêmes objectifs et que chacun assume à son tour le rôle de l'enseignant. Les objectifs communs qui guident la lecture sont : faire des prédictions, générer des questions, résumer et clarifier le texte.

Faire des prédictions consiste à anticiper ce qui viendra ensuite dans le texte. Pour ce faire, les élèves doivent activer leurs connaissances. Dans l'exemple ci-dessus, l'enseignant a suscité les connaissances des élèves sur les créatures que l'on rencontre au fond des mers et qui pourraient être décrites dans la suite du texte. Les élèves ont maintenant un objectif pour poursuivre leur lecture, c'est-à-dire la vérification de leur anticipation.

Poser des questions permet aux élèves de découvrir graduellement ce qui fait l'essentiel d'une bonne question. Dans l'extrait précédent, l'enseignant accepte la question littérale de l'élève, mais lorsque vient son tour, il donne un modèle de question de niveau plus élevé.

Résumer un texte est une bonne façon d'intégrer l'information qu'il fournit. Dans l'exemple précédent, les élèves réussissent conjointement à identifier les éléments les plus importants du paragraphe.

Clarifier un texte permet aux élèves de porter attention aux éléments qui peuvent le rendre difficile à comprendre. Ceci est particulièrement important pour les élèves qui ne réalisent pas quand ils comprennent ou quand ils ne comprennent pas un texte.

L'enseignement réciproque repose donc sur l'interaction entre l'enseignant et les élèves. Le fait de poser des questions amène les élèves à participer activement à leur compréhension du texte.

Même si les questions en lecture ont été l'objet de plusieurs critiques dernièrement, aucun pédagogue ne prône leur disparition de la classe. Les nouvelles classifications de questions ont donné le jour à des outils pédagogiques fort pertinents tant pour les enseignants du primaire que pour ceux du secondaire. De plus, les stratégies de questionnement réciproque offrent des pistes riches de promesses pour l'enseignement de la compréhension en lecture.

BIBLIOGRAPHIE

ADAMS, M., BRUCE, B. (1982). «Background Knowledge and Reading Comprehension». *In* J. Langer et M. Smith-Burke (Eds). *Reader meets author/Bridging the gap.* Newark, Delaware, International Reading Association, p. 2-26.

AFFLERBACK, P. (1987). «How Are Main Idea Statements Constructed? Watch the Experts!». *Journal of Reading*, vol. 30, n° 6, p. 512-520.

ALLINGTON, R. (1983). «Fluency: The Neglected Reading Goal». *The Reading Teacher*, vol. 36, n° 6, p. 556-566.

ALTWERGER, B., EDELSKY, C. et FLORES, B. (1987). «Whole Language: What's New?». *The Reading Teacher*, vol. 41, n° 2, p. 144-156.

ALVERMAN, D., HYND, C. (1987). «Overcoming Misconceptions in Science: An Online Study of Prior Knowledge Activation». Paper presented at the annual meeting of NRC, St-Petersburg, Florida, dec.

ANDERSON, R. (1977). «The Notion of Schemata and the Educational Enterprise: General Discussion of the Conference». *In* R. Anderson, R. Spiro et W. Montagne (Eds). *Schooling and the Acquisition of Knowledge.* Hillsdale, New Jersey, Lawrence Erlbaum.

ANDERSON, R., HIEBERT, E., SCOTT, J. et WILKINSON, I. (1985). *Becoming a Nation of Readers: The Report of the Commission on Reading.* Washington, DC, The National Institute of Education.

ARMBRUSTER, B., ANDERSON, T. et OSTERTAG, J. (1987). «Does Text Structure/Summarization Instruction Facilitate Learning from Expository Text?». *Reading Research Quarterly*, vol. XXII, n° 3, p. 331-347.

ARMBRUSTER, B., ANDERSON, T. et OSTERTAG, J. (1989). «Teaching Text Structure to Improve Reading and Writing». *The Reading Teacher*, vol. 43, n° 2, p. 130-138.

ARNOLD, R., WILCOX, E. (1982). «Comparing Types of Comprehension Questions in Fourth Grade Readers». *Reading Psychology*, vol. 3, n° 1, p. 43-51.

AULLS, M. (1986). «Actively Teaching Main Idea Skills». *In* J. Baumann (Ed.). *Teaching Main Idea Comprehension.* Newark, Delaware, International Reading Association, p. 96-133.

BABBS, P., MOE, A. (1983). «Metacognition: A Key for Independent Learning from Text». *The Reading Teacher*, vol. 36, n° 4, p. 422-436.

BAKER, L., BROWN, A. (1984). «Cognitive Monitoring in Reading». *In* J. Flood (Ed.). *Understanding Reading Comprehension.* Newark, Delaware, International Reading Association, p. 21-45.

BALAJHY, E. (1984). «Using Student-constructed Questions to Encourage Active Reading». *Journal of Reading*, vol. 27, n° 5, p. 408-412.

BAUMANN, J. (1984). «The Effectiveness of a Direct Instruction Paradigm for Teaching Main Idea Comprehension». *Reading Research Quarterly*, vol. XX, n° 1, p. 93-116.

BAUMANN, J. (1986a). «Effect of Rewritten Content Textbook Passages on Middle Grade Students' Comprehension of Main Ideas: Making the Inconsiderate Considerate». *Journal of Reading Behavior*, vol. 18, n° 1, p. 1-21.

BAUMANN, J. (1986b). «Teaching Third-Grade Students to Comprehend Anaphoric Relationships: The Application of a Direct Instruction Model». *Reading Research Quarterly*, vol. XXI, n° 1, p. 70-91.

BAUMANN, J. (1987). *Direct Instruction in Literacy: What, Why, How, Where, When, and How Much?* Paper presented at the annual meeting of the National Reading Conference, St-Petersburg, Florida.

BAUMANN, J., SCHMITT, M. (1986). «The What, Why, How, and When of Comprehension Instruction». *The Reading Teacher*, vol. 39, n° 7, p. 640-648.

BAUMANN, J., STEVENSON, J. (1986). «Identifying Types of Anaphoric Relationships». *In* J. Irwin (Ed.). *Understanding and Teaching Cohesion Comprehension*. Newark, Delaware, International Reading Association, p. 9-21.

BEACH, R., BROWN, R. (1987). «Discourse Conventions and Literary Inference: Toward a Theoretical Model». *In* R. Tierney, P. Andres et J. Mitchell (Eds). *Understanding Readers' Understanding*. Hillsdale, New Jersey, Laurence Erlbaum, p. 147-175.

BEAN, T., ERICSON, B. (1989). «Text Previews and Three Level Study Guides for Content Area Critical Reading». *Journal of Reading*, vol. 32, n° 4, p. 337-342.

BEAN, T., SORTER, J., SINGER, H. et FRAZEE, C. (1986). «Teaching Students How to Make Predictions about Events in History with a Graphic Organizer Plus Options Guide». *Journal of Reading*, vol. 29, n° 8, p. 739-746.

BEAN, T., STEENWYK, F. (1984). «The Effect of Three Forms of Summarization Instruction of Sixth Graders' Summary Writing and Comprehension». *Journal of Reading Behavior*, vol. 16, n° 4, p. 297-306.

BECK, I. (1989). «Reading and Reasoning». *The Reading Teacher*, vol. 42, n° 9, p. 676-684.

BECK, I., McKEOWN, M. (1986). «Application of Theories of Reading to Instruction». *In* N. Stein (Ed.). *Literacy in American Schools*. Chicago, The University of Chicago Press, p. 63-85.

BERKOWITZ, S. (1986). «Effects of Instruction in Text Organization on Sixth-Grade Students' Memory for Expository Reading». *Reading Research Quarterly*, vol. XXI, n° 2, p. 161-179.

BLACHOWICZ, C. (1986). «Making Connections: Alternatives to the Vocabulary Notebook». *Journal of Reading*, vol. 29, n° 7, p. 643-650.

BLACHOWICZ, C. (1987). «Vocabulary Instruction: What Goes on in the Classroom? *The Reading Teacher*, vol. 41, n° 2, p. 132-138.

BLAIN, R. (1988). *Guide d'écriture*. Montréal, Vézina Éditeur.

BLOOM, B. (1956). *Taxonomy of Educational Objectives. Handbook 1: Cognitive Domain*. New York, David Mackay.

BOYER, J-Y. (1985). «L'utilisation de la structure textuelle pour la lecture des textes documentaires au primaire». *Revue des sciences de l'éducation*, vol. 11, n° 2, p. 219-233.

BROWN, A. (1980). «Metacognitive Development and Reading». *In* R. Spiro, B. Bruce et W. Brewer (Eds). *Theoretical Issues in Reading Comprehension*. Hillsdale, New Jersey, Lawrence Erlbaum.

BROWN, A., ARMBRUSTER, B. et BAKER, L. (1986). «The Role of Metacognition in Reading and Studying». *In* J. Orasanu (Ed.). *Reading Comprehension: From Research to Practice*. Hillsdale, New Jersey, Lawrence Erlbaum.

BROWN, A., DAY, J. (1983). «Macrorules for Summarizing Texts: The Development of Expertise». *Journal of Verbal Learning and Verbal Behavior*, vol. 22, n° 1, p. 1-14.

CARNINE, D., KAMEENUI, E. et COYLE, G. (1984). «Utilization of Contextual Information in Determining the Meaning of Unfamiliar Words». *Reading Research Quarterly*, vol. XIX, n° 2, p. 188-205.

CARVER, R., HOFFMAN, J. (1981). «The Effect of Practice through Repeated Reading on Gain in Reading Ability Using a Computer-based». *Reading Research Quarterly*, vol. XVI, n° 3, p. 374-391.

CHASE, N., HYND, C. (1987). «Reader Response: An Alternative Way to Teach Students to Think about Text». *Journal of Reading*, vol. 30, n° 6, p. 530-542.

CHIESI, H., SPILICH, G. et VOSS, J. (1979). «Acquisition of Domain-related Information in Relation to High and Low Domain Knowledge». *Journal of Verbal Learning and Verbal Behavior*, vol. 18, p. 257-273.

CHOMSKY, C. (1976). «After Decoding What?». *Languages Arts*, vol. 53, n° 3, p. 288-296 et 314.

CLARK, C. (1982). «Assessing Free Recall». *The Reading Teacher*, vol. 35, n° 4, p. 434-440.

COLLINS, A., SMITH, E. (1982). «Teaching the Process of Reading Comprehension». *In* D. Detterman et R. Sternberg (Eds). *How and How Much Can Intelligence Be Increased*. Ablex.

CUDD, E., ROBERTS, L. (1987). «Using Story Frames to Develop Reading Comprehension in a First Grade Classroom». *The Reading Teacher*, vol. 41, n° 1, p. 74-82.

CULLINAN, B. (1987). *Children's Literature in the Reading Program*. Newark, Delaware, International Reading Association.

CUNNINGHAM, J. (1987). «Toward Pedagogy of Inferential Comprehension and Creative Response». *In* R. Tierney, P. Andres et J. Mitchell (Eds). *Understanding Readers' Understanding*. Hillsdale, New Jersey, Lawrence Erlbaum, p. 229-255.

CUNNINGHAM, J., MOORE, D. (1986). «The Confused World of Main Idea». *In* J. Baumann (Ed.). *Teaching Main Idea Comprehension*. Newark, Delaware, International Reading Association, p. 1-18.

CUNNINGHAM, P. (1987), «Are your Vocabulary Words Lunules or Lupulins?». *Journal of Reading*, vol. 30, n° 4, p. 344-350.

CUNNINGHAM, P., CUNNINGHAM, J. (1987). «Content Area Reading-Writing Lessons». *The Reading Teacher*, vol. 40, n° 6, p. 506-514.

DANSEREAU, D. (1987). «Transfer from Cooperative to Individual Studying». *Journal of Reading*, vol. 30, n° 7, p. 614-620.

DAVEY, B., PORTER, S. (1982). «Comprehension-Rating: A Procedure to Assist Poor Comprehenders». *Journal of Reading*, vol. 26, n° 3, p. 197-203.

DAVIDSON, J. (1982). «The Group Mapping Activity for Instruction in Reading and Thinking». *Journal of Reading*, vol. 26, n° 1, p. 52-58.

DENHIÈRE, G. (1983). «Ouvrir (x, fenêtres) et ouvrir (x, yeux). De l'analyse expérimentale à l'étude sur le terrain de la lecture et de la compréhension de textes». *Rééducation orthophonique*, vol. 21, n° 133, p. 431-451.

DENHIÈRE, G. (1984). *Il était une fois... Compréhension et souvenir de récits*. Lille, Presses Universitaires de Lille.

DENHIÈRE, G. (1985). *La lecture et la psychologie cognitive: quelques points de repère*. Communication présentée au colloque «Espaces de la lecture», Paris.

DESCHENES, A-J. (1986). *La compréhension, la production de textes et le développement de la pensée opératoire*. Thèse de doctorat présentée à l'école de psychologie de l'Université Laval, Québec.

DOWHOWER, S. (1987). «Effects of Repeated Reading on Second-Grade Transitional Readers' Fluency and Comprehension». *Reading Research Quarterly*, vol. XXII, n° 4, p. 389-407.

DOWHOWER, S. (1989). «Repeated Reading: Research into Practice». *The Reading Teacher*, vol. 42, n° 7, p. 502-508.

DREHER, M., SINGER, H. (1980). «Story Grammar Instruction Unnecessary for Intermediate Grade Students». *The Reading Teacher*, vol. 34, n° 3, p. 261-268.

DUFFELMEYER, F., BAUM, D. et MERKLEY, D. (1987). «Maximizing Reader-Text Confrontation with an Extended Anticipation Guide». *Journal of Reading*, vol. 31, n° 2, p. 146-152.

DUFFY, G., ROEHLER, L. (1987). «Teaching Reading Skills as Strategies». *The Reading Teacher*, vol. 40, n° 4, p. 414-422.

DURKIN, D. (1978-1979). «What Classroom Observations Reveal about Reading Comprehension Instruction». *Reading Research Quarterly*, vol. XIV, n° 4, p. 481-534.

DURKIN, D. (1981). «Reading Comprehension Instruction in Five Basal Reader Series». *Reading Research Quarterly*, vol. XVI, n° 4, p. 515-545.

DURKIN, D. (1986). Foreword. *In* J. Baumann (Ed.). *Teaching Main Idea Comprehension*. Newark, Delaware, International Reading Association, p. 133-179.

EDWARDS, P., SIMPSON, L. (1986). «Bibliotherapy: A Strategy for Communication between Parents and their Children». *Journal of Reading*, vol. 30, n° 2, p. 110-119.

EEDS, M., COCKRUM, W. (1985). «Teaching Word Meaning by Expanding Schemata vs. Dictionary Work vs. Reading in Context». *The Journal of Reading*, vol. 28, n° 6, p. 492-498.

ERICSON, B., HUBLER, M., BEAN, T., SMITH, C. et BELLONE McKENZIE, J. (1987), «Increasing Critical Reading in Junior High Classrooms». *Journal of Reading*, vol. 30, n° 5, p. 430-440.

FINLEY, C., SEATON, M. (1987). «Using Text Patterns and Question Prediction to Study for Tests». *Journal of Reading*, vol. 31, n° 2, p. 124-133.

FITZGERALD, J. (1983). «Helping Readers Gain Self-Control over Reading Comprehension». *The Reading Teacher*, vol. 37, n° 3, p. 249-254.

FITZGERALD, J. (1989). «Reasearch on Stories: Implications for Teachers». *In* D. Muth (Ed.). *Children's Comprehension of Text*. Newark, Delaware, International Reading Association, p. 2-37.

FLOOD, J. (1986). «The Text, the Student, and the Teacher: Learning from Exposition in Middle Schools». *The Reading Teacher*, vol. 39, n° 8, p. 784-792.

FLOOD, J., LAPP, D. et FARNAN, N. (1986). «A Reading-Writing Procedure that Teaches Expository Paragraph Structure». *The Reading Teacher*, vol. 39, n° 6, p. 556-564.

FORLIZZI, L., CLARK, H. (1989). *Relationships among Use, Predicted Use, and Awareness of Use of Comprehension-Repair Strategies: Converging Evidence from Different Methodologies*. Paper presented at the annual meeting of the American Educational Research Association, San Francisco.

FORTIER, G. (1983). «La méthode du questionnement réciproque». *Québec français*, vol. 52, p. 57-60.

FREEBODY, P., ANDERSON, R. (1983). «Effects of Vocabulary Difficulty, Text Comprehension, and Schema Availability on Reading Comprehension». *Reading Research Quarterly*, vol. XVIII, n° 3, p. 277-295.

GAMBRELL, L., BALES, R. (1986). «Mental Imagery and the Comprehension-Monitoring Performance of Fourth and Fifth Grade Poor Readers». *Reading Research Quarterly*, vol. XXI, n° 4, p. 454-465.

GAMBRELL, L., KAPINUS, B. et WILSON, R. (1987). « Using Mental Imagery and Summarization to Achieve Independence in Comprehension ». *Journal of Reading*, vol. 30, n° 7, p. 638-643.

GAMBRELL, L., KOSKIKEN, P. et KAPINUS, B. (1989). *Verbal Rehearsal and the Prose Comprehension of Proficient and Less Proficient Readers*. Paper presented at the annual meeting of the AERA, San Francisco.

GAMBRELL, L., PFEIFFER, W. et WILSON, R. (1985). « The Effects of Retelling upon Reading Comprehension and Recall of Text Information ». *The Journal of Educational Research*, vol. 78, n° 4, p. 216-221.

GARNER, R. (1982). « Resolving Comprehension Failure through Text Lookbacks: Direct Training and Practice Effects among Good and Poor Comprehenders in Grades Six and Seven ». *Reading Psychology*, vol. 3, n° 3, p. 221-233.

GARNER, R. (1985). « Text Summarization Deficiencies among Older Students: Awareness or Production Ability? ». *American Educational Research Journal*, vol. 22, n° 4, p. 549-560.

GARRISSON, J., HOSKISSON, K. (1989). « Confirmation Bias in Predictive Reading ». *The Reading Teacher*, vol. 42, n° 7, p. 482-488.

GERRELL, H., MASON, G. (1983). « Computer-chunked and Traditional Text ». *Reading World*, vol. 22, n° 3, p. 241-246.

GIASSON, J., THÉRIAULT, J. (1983). *Apprentissage et enseignement de la lecture*. Montréal, Éditions Ville-Marie.

GIPE, J. (1978-1979). « Investigating Techniques for Teaching Word Meanings ». *Reading Research Quarterly*, vol. XIV, n° 4, p. 624-645.

GORDON, C., RENNIE, B. (1987). « Restructuring Content Schemata: An Intervention Study ». *Reading Research and Instruction*, vol. 26, n° 3, p. 162-188.

GRABE, M., MANN, S. (1984). « A Technique for the Assessment and Training of Comprehension Monitoring Skills ». *Journal of Reading Behavior*, vol. 16, n° 2, p. 131-144.

GRAVES, M., COOKE, C. et LABERGE, M. (1983). « Effects of Previewing Difficult Short Stories on Low Ability Junior High School Students' Comprehension, Recall, and Attitudes ». *Reading Research Quarterly*, vol. XVIII, n° 3, p. 262-277.

GRAVES, M., PRENN, M. et COOKE, C. (1985). The Coming Attraction: Previewing Short Stories. *The Journal of Reading*, vol. 28, n° 7, p. 594-600.

GUIDO, B., COLWELL, C. A. (1987). « Rationale for Direct Instruction to Teach Summary Writing Following Expository Text Reading ». *Reading Research Instruction*, vol. XXVI, n° 2, p. 89-97.

HAHN, A. (1984). « Assessing and Extending Comprehension: Monitoring Strategies in the Classroom ». *Reading Horizons*, vol. 24, n° 4, p. 231-238.

HANSEN, J., HUBBARD, R.(1984). « Poor Readers Can Draw Inferences ». *The Reading Teacher*, vol. 37, n° 7, p. 586-590.

HARE, V.C. (1982). «Beginning Reading Theory and Comprehension Questions in Teacher's Manuals». *The Reading Teacher*, vol. 35, n° 8, p. 918-924.

HARE, V.C., BORCHARDT, K. (1984). «Direct Instruction of Summarization Skills». *Reading Research Quarterly*, vol. XX, n° 1, p. 62-79.

HARE, V.C., RABINOWITZ, M. et SCHIEBLE, K. (1989). «The Effects of Main Idea Comprehension». *Reading Research Quarterly*, vol. XXIV, n° 1, p. 72-89.

HARP, B. (1988). «When the Principal Asks: "Why Are You Doing Guided Imagery During Reading Time?"». *The Reading Teacher*, vol. 41, n° 6, p. 588-591.

HARSTE, J., BURKE, C. (1978). «Toward a Socio-psycholinguistic Model of Reading Comprehension». *Viewpoints in Teaching and Learning*, vol. 54, n° 3, p. 9-34.

HARTMAN, D. (1986). *Macrostructure Processing: How Direct Story Grammar Instruction Affects Comprehension*. A thesis submitted in partial fulfillment of the requirements for the degree of Master of Arts in the department of Education, California State University, Fresco.

HEAD, M. (1987). *Effects of Instruction and Text Availability on Summarization*. Paper presented at the annual meeting of the National Reading Conference, St-Petersburg, Florida.

HEIMLICH, J., PITTELMAN, S. (1986). *Semantic Mapping: Classroom Applications*. Newark, Delaware, International Reading Association.

HERBER, H., NELSON-HERBER, J. (1987). «Developing Independent Learners». *Journal of Reading*, vol. 30, n° 7, p. 584-590.

HERMAN, P. (1985). «The Effect of Repeated Readings on Reading Rate, Speech Pauses and Word Recognition Accuracy». *Reading Research Quarterly*, vol. XX, n° 5, p. 553-566.

HERMAN, P., ANDERSON, R., PEARSON, P. et NAGY, W. (1987). «Incidental Acquisition of Word Meaning from Expositions with Varied Text Features». *Reading Research Quarterly*, vol. XXII, n° 3, p. 263-285.

HERMAN, P., WEAVER, C. (1988). *Contextual Strategies for Learning Word Meaning: Middle Grade Students Look in and Look Around*. Paper presented at the annual meeting of the National Reading Conference, Tucson, Arizona.

HIDI, S., ANDERSON, V. (1986). «Producing Written Summaries: Task Demands, Cognitive, Operations, and Implications for Instruction». *Review of Educational Research*, vol. 56, n° 4, p. 473-493.

HOGROGIAN, N. (1972). *Jean le chevreau*. Collection Folio Benjamin, Gallimard (Édition française, 1980).

HOLMES, B. (1983a). «A Confirmation Strategy for Improving Poor Readers' Ability to Answer Inferential Questions». *The Reading Teacher*, vol. 37, n° 2, p. 144-150.

HOLMES, B. (1983b). «The Effect of Prior Knowledge on the Question Answering of Good and Poor Readers». *Journal of Reading Behavior*, vol. 14, n° 4, p. 1-17.

HOLMES, B. (1985). «The Effect of Four Different Modes of Reading on Comprehension». *Reading Research Quarterly*, vol. XX, n° 5, p. 575-586.

HOLMES, B., ROSER, N. (1987). «Five Ways to Assess Readers' Prior Knowledge, *The Reading Teacher*, vol. 40, n° 7, p. 646-650.

HOROWITZ, R. (1985). «Text Patterns: Part II». *The Journal of Reading*, vol. 28, n° 6, p. 534-542.

IRWIN, J. (1986). *Teaching Reading Comprehension Processes*. Englewood, New Jersey, Prentice-Hall.

IRWIN, P., MITCHELL, J. (1983). «A Procedure for Assessing the Richness of Retellings». *Journal of Reading*, vol. 26, n° 5, p. 391.396.

JENKINS, J., MATLOCK, B. et SLOCUM, T. (1989). «Two Approaches to Vocabulary Instruction: The Teaching of Individual Word Meanings and Practice in Deriving Word Meaning from Context». *Reading Research Quarterly*, vol. XXIV, n° 2, p. 215-326.

JENKINS, J., STEIN, M. et WYSOCKI, K. (1984). «Learning Vocabulary Through Reading». *American Educational Research Journal*, vol. 21, p. 767-788.

JOHNSON, D., JOHNSON, B. (1986). «Highlighting Vocabulary in Inferential Comprehension Instruction». *Journal of Reading*, vol. 29, n° 7, p. 622-626.

JOHNSON, D., PITTELMAN, S. et HEINLICH, J. (1986). «Semantic Mapping». *The Reading Teacher*, vol. 39, n° 8, p. 778-784.

JOHNSTON, P. (1984). «Prior Knowledge and Reading Comprehension Test Bias». *Reading Research Quarterly*, vol. XIX, n° 2, p. 219-240.

KALMBACH, J. (1986). «Evaluating informal Methods for the Assessment of Retellings». *Journal of Reading*, vol. 30, n° 2, p. 119-130.

KAPINUS, B., GAMBRELL, L. et KOSKINEN, P. (1987). «Effects of Practice in Retelling upon Reading Comprehension of Proficient and Less Proficient Readers». *In* J. Readence et R. Baldwin (Eds). *Research in Literacy: Merging Perspectives*. Thirty-sixth Yearbook of the National Reading Conference, Sibley Tower, p. 135-143.

KING, J., BIGGS, S., et LIPSKY, S. (1984). «Students' Self-Questioning and Summarizing as Reading Study Strategies». *Journal of Reading Behavior*, vol. 16, n° 3, p. 205-218.

KINTSCH, W. (1987). «Contributions from Cognitive Psychology». *In* R. Tierney, P. Andres, et J. Mitchell (Eds). *Understanding Readers' Understanding*. Hillsdale, New Jersey, Lawrence Erlbaum, p. 5-15.

KINTSCH, W., van DIJK, T. (1978). «Toward a Model of Text Comprehension and Production». *Psychological Review*, vol. 85, p. 363-394.

KLETZIEN, S., BEDNAR, M. (1988). «A Framework for Reader Autonomy: An Integrated Perspective». *Journal of Reading*, vol. 32, n° 1, p. 30-34.

KORCZAK, J. (1980). *La gloire*. Paris, Castor Poche Flammarion.

KOSKINEN, P., GAMBRELL, L., KAPINUS, B. et HEATHINGTON, B. (1988). «Retelling: A Strategy for Enhancing Students' Reading Comprehension». *The Reading Teacher*, vol. 41, n° 9, p. 892-898.

LANGER, J. (1982). «The Elaboration of Prior Knowledge». *In* J. Langer et M. Smith-Burke (Eds). *Reader Meets Author/Bridging the Gap*. Newark, Delaware, International Reading Association, p. 149-163.

LANGER, J. (1984). «Examining Background Knowledge and Text Comprehension». *Reading Research Quarterly*, vol. XIX, n° 4, p. 468-482.

LANGER, J. (1986). «Computer Technology and Reading Instruction: Perspectives and Directions». *In* J. Orasanu (Ed.). *Reading Comprehension: From Research to Practice*. Hillsdale, New Jersey, Lawrence Erlbaum, p. 189-203.

LANGER, J., PURCELL-GATES, V. (1985). «Knowledge and Comprehension: Helping Students Use What They Know». *In* T. Harris et E. Cooper (Eds). *Reading, Thinking and Concept Development*. New York, College Entrance Examination Board.

LAPLANTE, L., VAN GRUNDERBEECK, N. (1988), «La lisibilité des textes narratifs». *Reading-Canada-Lecture*, vol. 6, n° 1, p. 37-46.

LAURENT, J-P. (1985). «L'apprentissage de l'acte de résumer». *Pratiques*, vol. 48, p. 71-77.

LEHR, F. (1986). «ERIC/RCS: Direct Instruction in Reading». *The Reading Teacher*, vol. 39, n° 7, p. 706-714.

LINDEN, M., WITTROCK, M. (1981). «The Teaching of Reading Comprehension According to the Model of Generative Learning». *Reading Research Quarterly*, vol. 17, n° 1, p. 44-58.

LIPSON, M. (1982). «Learning New Information from Text: The Role of Prior Knowledge and Reading Ability». *Journal of Reading Behavior*, vol. 14, n° 3, p. 243-261.

LIPSON, M. (1984). «Some Unexpected Issues in Prior Knowledge and Comprehension». *The Reading Teacher*, vol. 37, n° 8, p. 760-766.

LODICO, M., GHATALA, E., LEVIN, J., PRESSLEY, M. et BELL, A. (1983). «The Effects of Strategy-Monitoring Training on Children's Selection of Effective Memory Strategies». *Journal of Experimental Child Psychology*, vol. 35, p. 263-277.

LONG, S., WINOGRAD, P. et BRIDGE, C. (1989). «The Effects of Reader and Text Characteristics on Reports of Imagery During and After Reading. *Reading Research Quarterly*, vol. XXIV, n° 3, p. 353-372.

MacLEAN, R. (1988). «Two Paradoxes of Phonics». *The Reading Teacher*, vol. 41, n° 6, p. 514-520.

MANDLER, J., JOHNSON, N. (1977), «Remembrance of Things Passed: Story Structure and Recall». *Cognitive Psychology*, vol. 9, p. 111-151.

MANNING, D., MANNING, B. (1984). «Bibliotherapy for Children of Alcoholics». *Journal of Reading*, vol. 27, n° 8, p. 720-726.

MANZO, A. (1969). «ReQuest Procedure». *Journal of Reading*, vol. 13, n° 2, p. 123-126.

MANZO, A. (1985). «Expansion Modules for the ReQuest, CAT, GRP, and REAP Reading/Study Procedures». *The Journal of Reading*, vol. 28, n° 6, p. 498-504.

MARIA, K. (1989). «Developing Disadvantaged Children's Background Knowledge Interactively». *The Reading Teacher*, vol. 42, n° 4, p. 296-302.

MARR, M., GORMLEY, K. (1982). «Children's Recall of Familiar and Unfamiliar Text». *Reading Research Quarterly*, vol. XVIII, n° 1, p. 89-105.

MARSHALL, N. (1983). «Using Story Grammar to Assess Reading Comprehension. *The Reading Teacher*, vol. 36, n° 7, p. 616-622.

MARSHALL, N. (1984). «Discourse Analysis as a Guide for Informal Assessment of Comprehension». *In* J. Flood (Ed.). *Promoting Reading Comprehension*, Newark, Delaware, International Reading Association, p. 79-97.

McGEE, L. (1982). «Awareness of Text Structure: Effects on Children's Recall of Expository Text». *Reading Research Quarterly*, vol. XVII, n° 4, p. 581-591.

McGINLEY, W., DENNER, P. (1987). «Story Impressions: A Prereading/Writing Activity». *Journal of Reading*, vol. 31, n° 3, p. 248-254.

MEYER, B. (1985). «Prose Analysis: Purposes, Procedures, and Problems». *In* B. Bitton et J. Black (Eds). *Understanding Expository Text*. Hillsdale, New Jersey, Lawrence Erlbaum.

MEYER, B. (1987). «Following the Author's Top-Level Organization: An Important Skill for Reading Comprehension». *In* R. Tierney, P. Andres et J. Mitchell (Eds). *Understanding Readers' Understanding*. Hillsdale, New Jersey, Lawrence Erlbaum, p. 59-77.

MINSKY, M. (1975). «A Framework for Representing Knowledge». *In* P. Winston (Ed.). *The Psychology of Computer Vision*. New York, McGraw-Hill.

MOORE, D., READENCE, J. (1983). «Approaches to Content Area Reading Instruction». *Journal of Reading*, vol. 26, n° 5, p. 397-404.

MORE, D., READENCE, J. et RICKELMAN, R. (1989). *Prereading Activities for Content Area Reading and Learning (second edition)*. Newark, Delaware, International Reading Association, p. 13-26.

MORROW, L. (1985). «Reading and Retelling Stories: Strategies for Emergent Readers». *The Reading Teacher*, vol. 38, n° 9, p. 870-876.

MORROW L. (1986). «Effects of Structural Guidance in Story Retelling on Children's Dictation of Original Stories». *Journal of Reading Behavior*, vol. 18, n° 2, p. 135-152.

MORROW, L. (1988). «Retelling Stories as a Diagnosis Tool». *In* S. Glazer, L. Searfoss et L. Gentile (Eds). *Reexamining Reading Diagnosis. New*

Trends and Procedures. Newark, Delaware, International Reading Association.

MORROW, L., GAMBRELL, B., KAPINUS, P. et KOSKINEN, N. (1986). «Retelling: A Strategy for Reading Instruction and Assessment». *In* J. Niles et R. Lalik (Eds). *Solving Problems in Literacy Learners, Teachers, and Researchers*, Thirty-fifth Yearbook of the National Reading Conference, Rochester, New York, p. 7-81.

MOSENTHAL, J. (1987). «The Reader's Affective Response to Narrative Text». *In* R. Tierney, P. Andres et J. Mitchell (Eds). *Understanding Readers' Understanding*. Hillsdale, New Jersey, Lawrence Erlbaum, p. 95-107.

MOSENTHAL, J. (1989). «The Comprehension Experience». *In* D. Muth (Ed.). *Children's Comprehension of Text*. Newark, Delaware, International Reading Association, p. 244-263.

MOSENTHAL, J., SCHWARTZ, R., MacISAAC, D. (1987). *Comprehension Instruction and Teacher Training*. Paper presented at the annual meeting of the National Reading Conference, St-Petersburg, Florida.

MUTH, D. (1987a). «Structure Strategies for Comprehending Expository Text». *Reading Research and Instruction*, vol. 27, n° 1, p. 66-72.

MUTH, D. (1987b). «Teachers' Connection Questions: Prompting Students to Organize Text Ideas». *Journal of Reading*, vol. 31, n° 3, p. 254-260.

NAGY, W. (1988). *Teaching Vocabulary to Improve Reading Comprehension*. Newark, Delaware, International Reading Association.

NAGY, W., HERMAN, P. et ANDERSON, R. (1985). «Learning Words from Context». *Reading Research Quarterly*, vol. XX, n° 2, p. 233-254.

NAGY, W., SCOTT, J., SCHOMMER, M. et ANDERSON, R. (1987). *Word Schemas: What Do People Know about Words They Don't Know?* Paper presented at the annual meeting of the National Reading Conference, St-Petersburg, Florida.

NESSEL, D. (1988). «Channeling Knowledge for Reading Expository Text». *Journal of Reading*, vol. 32, n° 3, p. 231-236.

NEUMAN, S. (1987). *Enhancing Children's Comprehension through Previewing*. Paper presented at the annual meeting of the National Reading Conference, New Orleans, Louisiana.

NICHOLS, J. (1983). «Using Prediction to Increase Content Area Interest and Understanding». *Journal of Reading*, vol. 27, n° 3, p. 225-229.

NOLTE, R., SINGER, H. (1985). «Active Comprehension: Teaching a Process of Reading Comprehension and Its Effects on Reading Achievement». *The Reading Teacher*, vol. 39, n° 1, p. 24-34.

O'SHEA, L., SINDELAR, P. (1983). «The Effects of Segmenting Written Discourse on the Reading Comprehension of Low and High-Performance Readers». *Reading Research Quarterly*, vol. XVIII, n° 4, p. 458-466.

OKA, E., CROSS, D. (1986). *Identifying Learner Profiles: Children's Reading Skills, Metacognition, and Motivation*. Paper presented at the annual meeting of the American Educational Research Association, San Francisco.

OLSON, M. (1984). «A Dash Story Grammar and... Presto! A Book Report». *The Reading Teacher*, vol. 37, n° 6, p. 458-462.

ORASANU, J., PENNY, M. (1986). «Introduction: Comprehension Theory and How it Grew». *In* J. Orasanu (Ed.). *Reading Comprehension: From Research to Practice*. Hillsdale, New Jersey, Lawrence Erlbaum.

PAGÉ, M. (1985). «Lecture et interaction lecteur/texte. Contribution à l'élaboration d'un modèle interactionniste de la lecture». *In* M. Thérien et G. Fortier (Eds). *Didactique de la lecture au secondaire*. Montréal, Ville-Marie.

PALINSCAR, A., BROWN, A. (1985). «Reciprocal Teaching: Activities to Promote Reading with Your Mind». *In* T. Harris et E. Cooper (Eds). *Reading, Thinking and Concept*, New York, College Entrance Examination Board.

PALINSCAR, A., BROWN, A. (1986). «Interactive Teaching to Promote Independent Learning from Text». *The Reading Teacher*, vol. 39, n° 8, p. 771-778.

PALMER, D., STOWE, M. et KNOWKER, J. (1986). *Good, Average, and Poor Readers' Strategic Behavior and Perception of Self and Task Attributes*. Paper presented at the Annual Meeting of the American Educational Research Association, San Francisco.

PARIS, S., CROSS, D. et LIPSON, M. (1984). «Informed Strategies for Learning: A Program to Improve Children's Reading Awareness and Comprehension». *Journal of Educational Psychology*, vol. 76, n° 6, p. 1239-1252.

PARIS, S., LIPSON, M. et WIXSON, K. (1983). «Becoming a Strategic Reader». *Comtemporary Educational Psychology*, vol. 8, p. 293-316.

PARIS, S., NEWMAN, R. et McVEY, K. (1982). «Learning the Functional Significance of Mnemonic Actions: A Microgenetic Study of Strategy Acquisition». *Journal of Experimental Child Psychology*, vol. 34, p. 490-509.

PARIS, S., WASIK, B. et Van Der WESTHUIZEN, G. (1987). *Metacognition: A Review of Research on Meta-cognition and Reading*. Paper presented at the Annual Meeting of National Reading Conference, St-Petersburg, Florida.

PEARSON, D. (1985). «Changing the Face of Reading». *The Reading Teacher*, vol. 38, n° 8, p. 724-739.

PEARSON, D., DOLE, J. (1987). «Explicit Comprehension Instruction: A Review of Research and a New Conceptualization of Instruction». *The Elementary School Journal*, vol. 88, n° 2, p. 151-165.

PEARSON, P., HANSEN, J. et GORDON, C. (1979). «The Effect of Background Knowledge on Young Children's Comprehension of Explicit and Implicit Information». *Journal of Reading Behavior*, vol. 11, p. 201-209.

PEARSON, D., JOHNSON, D. (1978). *Teaching Reading Comprehension*. New York, Holt, Rinehart and Winston.

PEARSON, D., LEYS, M. (1985). «Teaching Comprehension». *In* T. Harris et E. Cooper (Eds). *Reading, Thinking and Concept.* New York, College Entrance Examination Board.

PELLEGRINI, A., GALDA, L. (1982). «The Effects of Thematic-Fantasy Play on the Development of Children's Story Comprehension». *American Educational Research Journal*, vol. 19, n° 3, p. 443-452.

PETERS, E., LEVIN, J. (1986). «Effects of a Mnemonic Imagery Strategy on Good and Poor Readers' Prose Recall». *Reading Research Quarterly*, vol. XXI, n° 2, p. 179-193.

PICHERT, J., ANDERSON, R. (1977). «Taking Different Perspectives on a Story». *Journal of Educational Psychology*, vol. 69, n° 4, p. 309-315.

PIKULSKI, J. (1989). «Questions and answers». *The Reading Teacher*, vol. 42, n° 6, p. 429.

POINDEXTER, C., PRESCOTT, S. (1986). «A Technique for Teaching Students to Draw Inferences from Text». *The Reading Teacher*, vol. 39, n° 9, p. 908-912.

RAPHAEL, T. (1982). «Question-Answering Strategies for Children». *The Reading Teacher*, vol. 36, n° 2, p. 186-192.

RAPHAEL, T. (1985). *Research on Reading: But What Can I Do on Monday?* Occasional Paper no 89, Institute for Research on Teaching, College of Education, Michigan State University.

RAPHAEL, T. (1986). «Teaching Question Answer Relationship, Revisited». *The Reading Teacher*, vol. 39, n° 6, p. 516-524.

RASHOTTE, C., TORGESEN, J. (1985). «Repeated Reading and Reading Fluency in Learning Disabled Children». *Reading Research Quarterly*, vol. XX, n° 2, p. 180-189.

RASINSKI, T. (1985). «Picture This: Using Imagery as a Reading Comprehension Strategy». *Reading Horizons*, vol. 25, n° 4, p. 280-289.

RASINSKI, T. (1989). *The Effects of Cued Phrase Boundaries on Reading Performance: A Review.* Paper presented at the annual meeting of the American Educational Research Association, San Francisco.

RASINSKI, T., MEALY, D. et HYND, C. (1988). *The Effects of Reading Phrased Texts on Readers' Comprehension and Fluency: An Exploration Study.* Paper presented at the Annual Conference of the American Educational Research Association, New Orleans.

REUTZEL, D., HOLLINGSWORTH, P. (1988). «Highlighting Key Vocabulary: A Generative-Reciprocal Procedure for Teaching Selected Inference Types». *Reading Research Quarterly*, vol. XXIII, n° 3, p. 358-379.

REYNOLDS, R., TAYLOR, M., STEFENSEN, M., SHIREY, L. et ANDERSON, R. (1982). «Cultural Schemata and Reading Comprehension». *Reading Research Quarterly*, vol. XVII, n° 3, p. 353-367.

RICHGELS, D., McGEE, L., LOMAX, R. et SHEARD, C. (1987). «Awareness of Four Text Structures: Effects on Recall of Expository Text». *Reading Research Quarterly*, vol. XXII, n° 2, p. 177-197.

RINEHART, S., STAHL, S. et ERICKSON, L. (1986). «Some Effects of Summarization Training on Reading and Studying». *Reading Research Quarterly*, vol. XXI, n° 4, p. 422-439.

ROSE, M., CUNDICK, B. et HIGBEE, K. (1984). «Verbal Rehearsal and Verbal Imagery: Mnemonic Aids for Learning Disabled Children». *Journal of Learning Disabilities*, vol. 16, p. 352-354.

RUMELHART, D. (1975). «Notes on Schema for Stories». *In* D. Bobrow et M. Collins (Eds). *Representing and Understanding: Studies in Cognitive Science*. New York, Academic Press.

SADOSKI, M. (1983). «An Exploratory Study of the Relationship Between Reported Imagery and the Comprehension and Recall of the Story». *Reading Research Quarterly*, vol. XIX, n° 1, p. 110-124.

SADOSKI, M. (1985). «Commentary: The Natural Use of Imagery in Story Comprehension and Recall: Replication and Extension». *Reading Research Quarterly*, vol. XX, n° 5, p. 658-668.

SADOW, M. (1982), «The use of the Story Grammar in the Design of Question». *The Reading Teacher*, vol. 35, n° 5, p. 518-524.

SCHATZ, E., BALDWIN, S. (1986). «Context Clues Are Unreliable Predictors of Word Meanings». *Reading Research Quarterly*, vol. XXI, n° 4, p. 439-454.

SCHMITT, M., BAUMANN, J. (1986). «How to Incorporate Comprehension Monitoring Strategies into Basal Reader Instruction». *The Reading Teacher*, vol. 40, n° 1, p. 28-32.

SCHUNK, D., RICE, J. (1987). «Enhancing Comprehension Skill and Self-efficacy with Strategy Value Information». *Journal of Reading Behavior*, vol. 19, n° 3, p. 285-303.

SCHWARTZ, R. (1988). «Learning to Learn Vocabulary in Content Textbooks». *Journal of Reading*, vol. 32, n° 2, p. 108-120.

SCHWARTZ, R., RAPHAEL, T. (1985). «Concept of Definition: A Key to Improving Students' Vocabulary». *The Reading Teacher*, vol. 39, n° 2, p. 198-206.

SCREIBER, R. (1980), «On the Acquisition of Reading Fluency». *Journal of Reading Behavior*, vol. 12, p. 177-186.

SÉBASTA, S., CALDER, J. et CLELAND, L. (1982). «A Story Grammar for the Classroom». *The Reading Teacher*, vol. 36, n° 2, p. 180-186.

SHAKE, M., ALLINGTON, R., GASKINS, R. et MARR, M. (1987). *How Teachers Teach Vocabulary*. Paper presented at the annual meeting of the National Reading Conference, St-Petersburg, Florida.

SIMPSON, M. (1987). «Alternative Formats for Evaluating Content Area Vocabulary Understanding». *Journal of Reading*, vol. 31, n° 1, p. 20-28.

SINATRA, R., STAHL-GEMAKE, J. et WYCHE MORGAN, N. (1986). «Using Semantic Mapping after Reading to Organize and Write Original Discourse». *Journal of Reading*, vol. 30, n° 1, p. 4-14.

SMITH, F. (1975). *La compréhension et l'apprentissage*. Montréal, Les éditions HRW (traduction, 1979).

SMITH, P., TOMPKINS, G. (1988). «Structured Notetaking: A New Strategy for Content Area Readers». *Journal of Reading*, vol. 32, n° 1, p. 46-54.

SMITH, R., BARRETT, T. (1974). *Teaching Reading in the Middle Grades*. Massachusetts, Addisson-Wesley, p. 52-58.

SPIEGEL, D. (1985). «A Story Grammar Approach to Reading and Writing». *Reading Today*, October/December.

SPIEGEL, D., FITZGERALD, J. (1986). «Improving Reading Comprehension through Instruction about Story Parts». *The Reading Teacher*, vol. 39, n° 7, p. 676-684.

SPILICH, G., VESONDER, G., CHIESI, H. et VOSS, J. (1979). «Test Processing of Domain Related Information for Individuals with High and Low Domain Knowledge». *Journal of Verbal Learning and Verbal Behavior*, vol. 18, p. 275-290.

SPIRO, R., TAYLOR, B. (1987). «On Investigating Children's Transition from Narrative to Expository Discourse: The Multidimensional Nature of Psychological Text Classification». *In* R. Tierney, P. Andres et J. Mitchell (Eds). *Understanding Readers' Understanding*. Hillsdale, New Jersey, Lawrence Erlbaum, p. 77-95.

SPRING, H. (1985). «Teacher Decision Making: A Metacognitive Approach». *The Reading Teacher*, vol. 39, n° 3, p. 290-296.

STAHL, S. (1986). «Three Principles of Effective Vocabulary Instruction». *Journal of Reading*, vol. 29, n° 7, p. 662-672.

STAHL, S., JACOBSON, M., DAVIS, C. et DAVIS, R. (1989). «Prior Knowledge and Difficulty Vocabulary in the Comprehension of Unfamiliar Text». *Reading Research Quarterly*, vol. XXIV, n° 1, p. 27-44.

STAHL-GEMAKE, J., GUASTELLO, F. (1984). «Using Story Grammar with Students of English as a Foreign Language to Compose Original Fairy and Folktales». *The Reading Teacher*, vol. 38, n° 2, p. 213-218.

STEFFENSEN, M., JOAG-DEV, C., ANDERSON, R. (1979). «A Cross-Cultural Perspective on Reading Comprehension». *Reading Research Quarterly*, vol. XV, n° 1, p. 10-30.

STEIN, N. (1986). «Critical Issues in the Development of Literacy Education: Toward a Theory of Learning and Instruction». *In* N. Stein (Ed.) *Literacy in American schools*. Chicago, The University of Chicago Press, p. 175-205.

STEIN, N., GLENN, C. (1979). «An Analysis of Story Comprehension in Elementary School Children». *In* R. Freedle (Ed.). *Advances in Discourse Processes, vol. 2*. Ablex.

STEVENS, K. (1981). «Chunking Material as an Aid to Reading Comprehension». *Journal of Reading*, vol. 25, n° 2, p. 126-130.

TACKETT, S., PATBERG, J. et DEWITZ, P. (1984). «The Effects of Story Structure Instruction on the Recall of Poor Sixth Grade Readers». *Reading Psychology*, vol. 5, n° 3, p. 193-203.

TARDIF, J. (1986). «Éléments de la compréhension en lecture». *Apprentissage et Socialisation en Piste*, vol. 9, n° 2, p. 81-91.

TARDIF, J. (1989). «La compréhension en lecture peut et doit être évaluée». *Vie pédagogique*, vol. 60, p. 27-29.

TAYLOR, B. (1982). «A summarizing Strategy to Improve Middle Grade Students' Reading an Writing Skills». *The Reading Teacher*, vol. 36, n° 2, p. 202-206.

TAYLOR, B. (1986). «Teaching Middle Grade Students to Summarize Content Textbook Material». *In* J. Baumann (Ed.). *Teaching Main Idea Comprehension*. Newark, Delaware, International Reading Association, p. 195-210.

TAYLOR, B., BEACH, R. (1984). «The Effects of Text Structure Instruction on Middle-Grade Student's». *Reading Research Quarterly*, vol. XIX, n° 2, p. 134-147.

TAYLOR, K. (1983). «Can College Students Summarize». *Journal of Reading*, vol. 26, n° 6, p. 524-530.

TAYLOR, K. (1984). «Teaching Summarization Skills». *Journal of Reading*, vol. 27, n° 5, p. 389-394.

TAYLOR, K. (1986). «Summary Writing by Young Children». *Reading Research Quarterly*, vol. XXI, n° 2, p. 193-209.

TAYLOR, N., WADE, M. et YEKOVICH, F., (1985). «The Effects of Text Manipulation and Multiple Reading Strategies on the Reading Performance of Good and Poor Readers». *Reading Research Quarterly*, vol. XX, n° 5, p. 566-575.

THORNDIKE, P. (1977). «Cognitive Structures in Comprehension and Memory of Narratives Discourse». *Cognitive Psychology*, vol. 9, p. 77-110.

THORNDIKE, R. (1917). «Reading as Reasoning: A Study of Mistakes in Paragraph Reading». *Journal of Educational Psychology*, vol. 8, p. 323-332.

TILLMAN, C. (1984). «Bibliotherapy for Adolescents: An Annotated Review». *Journal of Reading*, vol. 27, n° 8, p. 713-720.

TRABASSO, T. (1981). «On the Making of Inferences During Reading and Their Assessment». *In* J. GUTHRIE (Ed.). *Comprehension and Teaching: Research Views*. Newark, Delaware, International Reading Association, p. 56-77.

van DIJK, T. (1979). «Relevance Assignment in Discourse Comprehension». *Discourse Processes*, vol. 2, p. 113-126.

VARNHAGEN, C., GOLDMAN, S. (1986). «Improving Comprehension: Causal Relations Instruction for Learning Handicapped Learners». *The Reading Teacher*, vol. 39, n° 9, p. 896-905.

WADE, S., REYNOLDS, R. (1989). «Developing Metacognitive Awareness». *Journal of Reading*, vol. 33, n° 1, p. 6-16.

WARNANT-CÔTÉ, M-A. (1977). *L'enchanteur du pays d'Oz*. Montréal, Éditions Héritage.

WATANABE, P., HARE, C. et WOOD, M. (1984). «Predicting News Story Content from Headlines: An Instructional Study». *Journal of Reading*, vol. 27, n° 5, p. 436-443.

WEISS, D. (1983). «The Effects of Text Segmentation on Children's Reading Comprehension». *Discourse processes*, vol. 6, n° 1, p. 77-89.

WHALEY, J. (1981). «Story Grammars and Reading Instruction». *The Reading Teacher*, vol. 34, n° 7, p. 762-772.

WHITE, T., POWER, M. et WHITE, S. (1989). «Morphological Analysis: Implications for Teaching and Understanding Vocabulary Growth». *Reading Research Quarterly*, vol. XXIV, n° 3, p. 283-305.

WILLIAMS, J. (1986). «Research and Instructional Development on Main Idea Skills». *In* J. Baumann (Ed.). *Teaching Main Idea Comprehension*. Newark, Delaware, International Reading Association, p. 73-96.

WILSON, P., ANDERSON, R. (1986). «What They Don't Know Will Hurt Them: The Role of Prior Knowledge in Comprehension». *In* J. Orasanu (Ed.). *Reading Comprehension: From research to practice*. Hillsdale, New Jersey, Lawrence Erlbaum, p. 31-49.

WINFIELD, E. (1983). «Relevant Reading for Adolescents: Literature on Divorce». *Journal of Reading*, vol. 26, n° 5, p. 408-412.

WINOGRAD, P. (1984). «Strategic Difficulties in Summarizing Texts». *Reading Research Quarterly*, vol. 19, n° 4, p. 404-426.

WINOGRAD, P.N., BRIDGE, C.A. (1986). «The Comprehension of Important Information in Written Prose». *In* J.F. Baumann (Ed). *Teaching Main Idea Comprehension*. Newark, Delaware, International Reading Association, p. 18-49.

WIXSON, K. (1983). «Questions About a Text: What You Ask About Is What Children Learn». *The Reading Teacher*, vol. 37, n° 3, p. 287-295.

WIXSON, K., BOSKY, A., YOCHUM, M. et ALVERMANN, D. (1984). «An Interview for Assessing Students' Perceptions of Classroom Reading Tasks». *The Reading Teacher*, vol. 37, n° 4, p. 346-354.

WOOD, K. (1984). «Probables Passages: A Writing Strategy». *The Reading Teacher*, vol. 37, n° 6, p. 496-502.

WYSOCKI, K., JENKINS, J. (1987). «Deriving Word Meanings Through Morphological Generalization». *Reading Research Quarterly*, vol. XXII, n° 1, p. 66-82.

ZAKALUK, B., SAMUELS, S. et TAYLOR, B. (1986). «A Simple Technique for Estimating Prior Knowledge: Word Association». *Journal of Reading*, vol. 30, n° 1, p. 56-61.